CW00545224

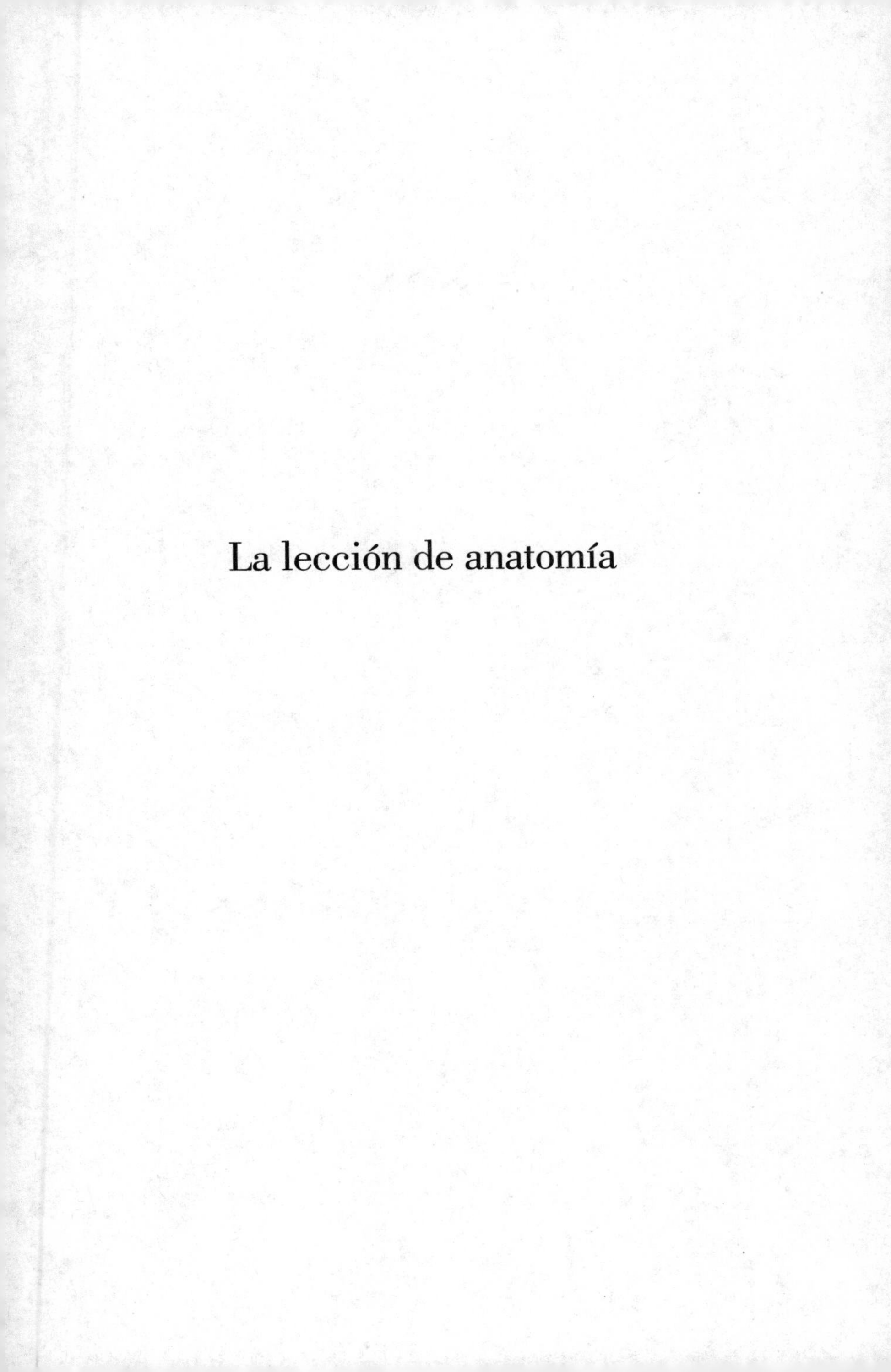

La lección de anatomía

Marta Sanz

La lección de anatomía

EDITORIAL ANAGRAMA
BARCELONA

Ilustración: foto © Juan Ignacio Farrés, del archivo personal de la autora

Primera edición en «Narrativas hispánicas»: mayo 2014
Primera edición en «Compactos»: enero 2018

Diseño de la colección: Julio Vivas y Estudio A

© Marta Sanz, 2008, 2014

© EDITORIAL ANAGRAMA, S. A., 2014
Pedró de la Creu, 58
08034 Barcelona

ISBN: 978-84-339-6012-2
Depósito Legal: B. 28834-2017

Printed in Spain

Liberdúplex, S. L. U., ctra. BV 2249, km 7,4 - Polígono Torrentfondo
08791 Sant Llorenç d'Hortons

PRÓLOGO

La aparición de sus tres últimas novelas, *Black, black, black* (2010), *Un buen detective no se casa jamás* (2012) y *Daniela Astor y la caja negra* (2013), además de situar a Marta Sanz en el escalón superior de la literatura española, ha ayudado a entender la trascendencia de *La lección de anatomía* (publicada por primera vez en 2008) como texto que marca un punto de inflexión en su narrativa: libro fronterizo, autobiografía –autorretrato, lo llama la narradora– de cuya anomalía se nos advierte ya desde ese título que remite al célebre cuadro de Rembrandt.

En realidad, el título completo de la pintura de Rembrandt es *La lección de anatomía del doctor Nicolaes Tulp.* En ella, el cirujano Tulp muestra a un grupo de colegas el brazo desollado de un cadáver (se trata de un hombre que había sido ahorcado horas antes por cometer un robo con violencia) y les señala la forma en que se distribuyen músculos, tendones y huesos, y les explica la mecánica con que trabajan. En los siglos XVI y XVII (el cuadro es de 1632), la contemplación de autopsias llegó a ponerse de moda en muchas ciudades europeas, y se invitaba a personajes ilustres a que asistiesen a esas clases prácticas. Contemplar las interioridades de un cuerpo humano se consideraba una forma de conocimiento muy conveniente para un hombre culto. Las universidades construyeron lugares especiales en los que se ofrecían estas manipulaciones de cuerpos a la vista del público, y los llamaron teatros anatómicos.

En apariencia, nada más alejado de la escena pintada por Rembrandt y del severo ambiente que la rodea que el teatro literario de idéntico título al que nos traslada el libro de Marta Sanz: su estilo ágil (salpicado de fogonazos brillantes), su inusual habilidad para retratar situaciones y para penetrar en la psicología de los personajes, y su fino oído para capturar la lengua hablada con una vivacidad admirable convierten la escritura de nuestra novelista más en una gozosa representación de vida que en una melancólica o sombría manipulación de seres muertos. El lector acompaña a una niña, a una muchacha llamada Marta Sanz en las diversas etapas de su educación sentimental bien cogido de la mano de una narradora proteica, un camaleón que disfraza su voz con referencias, citas y guiños a la alta cultura con el mismo desparpajo con que la viste reciclando materiales del cubo de la cultura popular: eso que se considera quincalla estética o bisutería literaria: situaciones de folletín, referencias a estrellas o películas de cine, personajes de cuento infantil, canciones pop, marcas de productos comerciales, refranes, expresiones sacadas del argot..., todo ello manejado con una naturalidad asombrosa.

Pero los timbres de alerta de que está ocurriendo algo extraño empiezan a sonar pronto: esa voz que trabaja los materiales de lo que se supone que son experiencias de su propia vida, trazos que le sirven para pintar su autorretrato con una desenvoltura que parece inocencia, resulta que, en cada una de sus observaciones, a cada nueva imagen y en cada nueva pincelada, estimula una creciente desazón en el lector: es como si el texto le aflojara alguna pieza que parecía bien trabada dentro de sí mismo, como si algo, en el texto, lo fuera desarmando.

A medida que avanza en la lectura, crece en él la sospecha de que no hay un ápice de inocencia en lo que le cuenta esa voz que lo irá enredando sin remedio antes de que tenga la oportunidad de descubrir que se encuentra entre las manos de una astuta novelista –nota el filo de las largas uñas– que urde su bien calculada narración desde un denso cañamazo de referentes literarios, y, sobre todo, desde una posición muy meditada de lo que significa el hecho mismo de contar. Una bruja dispuesta a comérselo vivo, mientras le cuenta su primera infancia en Benidorm, niña torpe que no sabe atarse los cordones de los zapatos, frecuentadora de sesiones nocturnas en cines de verano *(No desearás al vecino del quinto, Desde Rusia con amor, La caída de los dioses),* que informa al curioso lector de su temprano descubrimiento de que la belleza femenina es compatible con la sumisión y con el sufrimiento amoroso en la triste historia de su tía Maribel; o de que está convencida de que lo más alto a lo que puede llegar una mujer adulta es a musa de artista (suena bien), a enfermera o a cajera de supermercado; una muchachita que canta el *pájaro chogüí (qué lindo es, qué lindo va)* y trastabilla en una charca de asquito, curiosidad y deseo persiguiendo sus primeros besos con saliva y lengua, o cuando avanza en sus conocimientos de fisiología femenina en las no siempre gratas lecciones que le brinda el propio cuerpo.

Pero, a esas alturas, ya hace rato que el lector se ha dado cuenta de que está leyendo el viaje autobiográfico de Marta Sanz como si fuera una novela. Y, además, sospecha que el libro ha sido escrito para que la gente lo lea precisamente así, como novela. Primero, porque, al contrario de lo que suele ocurrir en las autobiografías, la protagonista no es un autor que reclama su cenotafio en el jardín de la historia. Ni siquiera se molesta en solicitar la complicidad del que lee, ni en demostrar que tiene razón en lo que piensa o que ha sido más buena que otras. Sospecha, sobre todo, porque, a través de la maraña de vivencias más o menos intrascendentes, la narradora lo ha metido en un tsunami literario en cuyo seno el «yo» que sonó a pataleta reivindicativa de una ingenua dispuesta a contar su cuento en primera persona (¿no será narcisismo?), en realidad es una herramienta que trabaja en la construcción de un sólido sujeto narrativo –digamos que Marta Sanz construye con metal a Marta Sanz– más próximo de la tradición picaresca *(Lazarillo, Guzmán de Alfarache, Tom Jones)*, que de los libros de memorias de niñas aplicadas que se miran desde la benevolencia comprensiva de la edad adulta.

Un autorretrato en el que, de acuerdo con las estrategias de corte picaresco, lo que entretiene, divierte, admira, emociona, indigna, nos hace reír, o nos humedece el lacrimal, todo eso que alguien podría confundir con ganga anecdótica o sentimental –ornamentación del relato de una muchachita que descubre la vida–, se nos revela como material con el que armar un artefacto que conviene manejar con sumo cuidado, porque resulta altamente peligroso: el ingenio, la brillantez de la escritura, la vistosa pirueta verbal, se complican en una estrategia que tuerce o desvía los requerimientos de la convención, y pone al descubierto las trampas que se esconden detrás de las palabras de uso cotidiano, incluidas las que guían a una mujer por la geografía de su propio cuerpo (cuánta importancia tiene siempre el cuerpo en las novelas de Marta Sanz, un cuerpo fisiológico, despojado del cansino vestuario retórico con que lo bombardean desde todos los bandos. En este libro, acabará mostrándolo desnudo: el cuerpo, el suyo).

En la pluma de la Sanz el tópico que se cuela alegremente, como sin querer, sale malparado, y nos enseña el forro de su chaqueta, y la metáfora lleva veneno en su caramelo, y el cargamento de recursos estilísticos no es una forma de entretenernos amenizando el texto (que también lo hace, el libro es muy divertido; no sé si ya lo he dicho: a trechos hilarante), sino un modo de desazonarnos. Marta Sanz mantiene a cierta distancia los materiales con los que trabaja. Los mira de reojo. Los somete a una desviación con respecto a lo que indica el catálogo de instrucciones de uso: se apodera de ese ángulo de libertad, la siempre imprevisible desviación de la vertical que se produce en la caída de cualquier cuerpo, lo que Epicuro llamaba el *clinamen*, ese concepto que tanto le gustaba a Marx como relato del margen de actuación del hombre en el pesado caminar de la historia.

La escritora no para de exigirle al lector ejercicios de torsión, lo fuerza a empatizar con una mirada tan implacable como inesperadamente permisiva (o liberadora, o transgresora), frente a la de esa «gente que acude a misa vestida de domingo y que lleva una vida recta como el filo de una navaja, gente con todas las virtudes menos la de la elasticidad». Ante los defensores de la vertical implacable, Sanz reivindica ciertos derechos: por ejemplo, el derecho a equivocarse, porque sabe que la que «no va a equivocarse nunca es la que no sabe que se equivoca», como dice de un personaje de *Animales domésticos*, la novela que publicó en 2003. Y, cómo no, reclama el derecho de mentir –«el privilegio de mentir», dice ella–, porque le «parece inmoral someter al ser humano a una prueba en la que la mentira es imposible». La mentira puede ser salvavidas del que está a punto de ahogarse ahí abajo, es también uno de los valores omnipresentes en toda novela picaresca: son los policías y los inquisidores quienes te levantan la voz y la porra para que digas la verdad. Las mismas letras tiene el sí que te salva que el no que te condena. Hay que negarlo todo ante esa gentuza. Mentir. ¿Se acuerdan? Está en nuestros clásicos. En Cervantes. Y, desde luego, la mentira es también un derecho sagrado cuando llega el momento de encubrir nuestra propia estupidez, nuestras limitaciones. Nos asiste el derecho a tender un velo de pudor, e incluso un manto de prudencia, entre otras cosas para que no detecten esas deficiencias nuestras los del departamento de recursos humanos y nos pongan de patitas en la calle.

En este libro, la Sanz aspira a algo más que autorretratarse: trabaja en una literatura de intervención que obliga al lector a ponerse en el sitio en el que no quiere estar, porque desde allí acaba viendo lo que nunca debería ver, eso que, una vez descubierto, te parece tan evidente que ya no puedes quitártelo de encima. Su finísima capacidad de observación le permite llevar a cabo la tarea que le pedía Proust al verdadero artista: someter al espectador –al lector– a ciertas maniobras desagradables del modo en que lo hace el oftalmólogo, unas cuantas manipulaciones en el punto de vista que, una vez concluidas, le permiten al paciente contemplar de un modo nuevo cuanto tiene alrededor. En el aparente desparpajo de la narradora se esconde una complicada labor de zapa, o de vivisección: es el escalpelo del doctor Sanz-Tulp en acción, mostrándoles a los privilegiados espectadores –algunos de ellos le pagaron al pintor Rembrandt para aparecer en el cuadro– el mecanismo que mueve el brazo por debajo de la engañifa sonrosada de la piel. La maquinaria a palo seco. En este caso se trata de afinar la mirada, capacitarla para que descubra y descifre la cantidad de mensajes camuflados en la vagina de una mujer, en su sometido cogote de fregona, todas esas órdenes escritas en su cráneo de tozuda enamorada (pobre tía Maribel).

Aplicar el escalpelo al lenguaje, diseccionarlo, descubrir el asqueroso gusano que lleva dentro, ese policía de tráfico que te empuja a una clase o a otra, a un sexo o a otro (eres la que friega, la que espera, la bobita que cree en el destino y no en la historia, ¿quién eres? Tienes ese espeso palimpsesto que otros han escrito sobre tu cogote). Sacar a la luz el mecanismo (sí, otra vez la maquinaria a palo seco) que pone en marcha eso que se empeñan en llamar «vida sentimental e íntima» y «no es más que el rescoldo perverso de los entramados económicos y sociales». Afinar la vista y, por supuesto, aguzar el oído. Nuestra particular profesora Marta Higgins (¿se acuerdan de *My Fair Lady?* Oohhhh, profeesor Higgins) pega el oído para detectar en el habla de cada cual eso que llaman su destino y es su historia, su sumisión de clase, condena a encadenarse al mostrador de la carnicería, o a manejar la máquina registradora del supermercado (profesiones que, cuando maduras, descubres que no forman parte del «súmmum de los oficios» de la humanidad). Son las voces que se desenfocan en la distancia del autorretrato, porque pertenecen a todos esos «buenos chicos que se rasuran el vello de los pectorales y beben zumos con vitaminas [y] se quedarán a mitad de camino en la barriga de un taller o detrás de la barra de un bar en el que se preparan las mejores paellas de la costa mediterránea».

Tremenda carga de violencia la que guardan en su interior las palabras nuestras de cada día. Y su revés de silencios: perversidad del foco en el retrato, que difumina a discreción. Las palabras que hemos almacenado sin saber, y las que nos han grabado sin que queramos: «Nos quedaríamos sorprendidos al afeitar la cabeza de cualquier asistenta, de cualquier mujer, y comprobar la cantidad de textos que se entrecruzan sobre la piel de sus cráneos, ocultos por el pelo, como manuales de dramáticas instrucciones.» Más derechos reivindicados por Sanz: el derecho a saber descifrar todo ese palimpsesto, aunque duela mucho: «pese a los inconvenientes de la lucidez, me alegro de que nunca nadie me apretara los ojos, como un retalito, y uniera el párpado de arriba y el de abajo con puntadas provisionales, con pespuntes. Me alegro de que me dejaran enterarme de todo». Descifrar es construir el lenguaje inconveniente. En el empeño cuenta la novelista con una legión de predecesores dispuestos a auxiliarla, desde Rabelais y *La Celestina* a Diderot, Pilniak y el Gombrowicz de *Ferdydurke*.

Rasgar con el escalpelo la piel de las palabras, porque ahí dentro está todo. Incluso cuando mienten, o, sobre todo, porque mienten y ocultan. El mundo entero está metido en ellas: viejos cuentos, novelas, películas, música de altos vuelos y pájaros *chogüí*, noticias de prensa, tangos, folletines, bisutería, el azul de mar en Benidorm, la soberbia del que gana y la humillación del que pierde, la ropa (¡ah!, la ropa, cómo vistes, cuidado: eres lo que representas), el pintalabios, los polvos Ajax y las paellas: un diccionario que ha nutrido con su papilla a ese personaje de cuento que se llama Marta Sanz, creado por una novelista que se empeña en descubrir la textura de la máscara que la oculta y del alien que la coloniza: lo que creyó que le servía como bien de uso, pero que era, sobre todo, valor de cambio, parte de la representación. Cuarenta años de palabras que se han convertido en fantasías, deseos, miedos, aspiraciones y renuncias. Y toda esa violencia que esconden, la que tapa, entierra y extermina: se vuelve invisible la niña Rosi, la emigrante murciana, la que, con ese acento tan vulgar, dice que su «heehmana Caahmen se lo limpia tó». Nuestra Marta Sanz, protagonista de su autorretrato, la echa a empujones del cuento. También se aparta entre temerosa e irritada de Antonia, la fregona que supura fealdad y pobreza (vienen a ser lo mismo), tiene brazos como morcones y un hijo sádico: hay unos cuantos individuos de los que nuestra Marta Sanz de novela, o de autorretrato, huye despavorida, porque siente asco o miedo, personas que no iban a ser personajes, porque a nadie le resulta rentable su trato, la convivencia con ellos no multiplica tu valor de cambio, son mero valor de uso: limpian, se afanan, reparan, tazan piezas de carne, hacen trabajos que te vienen bien, pero ellos no están. La lucha de clases («inclemente», la llama la narradora Sanz) «tiene que ver con la invisibilidad y con los estratos geológicos, con la tierra que somos capaces de echar por encima de lo que no queremos ver». Es que es aún peor: «las víctimas molestan». El escalpelo las saca a la luz, las devuelve a regañadientes de Marta al cuento, porque en el fondo se trata siempre de eso: elegir los materiales con que contamos nuestro propio cuento, el que resulta acorde con la representación, con la máscara; se trata, sobre todo, de descifrar el sentido de ese mensaje al que condenan los finales de cuento, el que dice que los protagonistas fueron felices y comieron perdices. La cosa está en saber qué diablos son esas perdices que nos vamos a comer. Qué se oculta bajo la máscara de la metáfora.

«El ser humano es su máscara», dice Marta Sanz en el último capítulo del autorretrato. Acabada la lección, que fue repaso de un catálogo de máscaras, en el teatro anatómico literario ya sólo queda mostrar lo que había debajo de ellas: el cuerpo, la pura carne desnuda. Se aprestan narradora y protagonista de *La lección de anatomía* a posar para el retrato. Se funden en un solo cuerpo la que ha mostrado con el escalpelo de la escritura –cirujano o guía– la maquinaria a palo seco de ésa que, entre las páginas del libro, le ha servido de modelo en el que aprender cómo se compone eso que se llama humanidad y es representación. Ahora, las dos Marta Sanz son ese único cuerpo que vemos libre de cualquier adherencia, lavado de cualquiera de los mensajes escritos en la superficie de su piel. Es una mujer que tiene cuarenta años, se ha puesto de frente, ha separado un poco los brazos y, según dice, está preparada para una medición. El lector no va a medirla. La contempla, privilegiado espectador de palco en el teatro anatómico, contundente. Lee su autorretrato y piensa que esa mujer trabaja las palabras con soltura, con la ligereza con que un malabarista hace saltar entre sus manos unas cuantas naranjas. Con eso que parece naturalidad pero que es esfuerzo.

RAFAEL CHIRBES
31 de enero de 2014

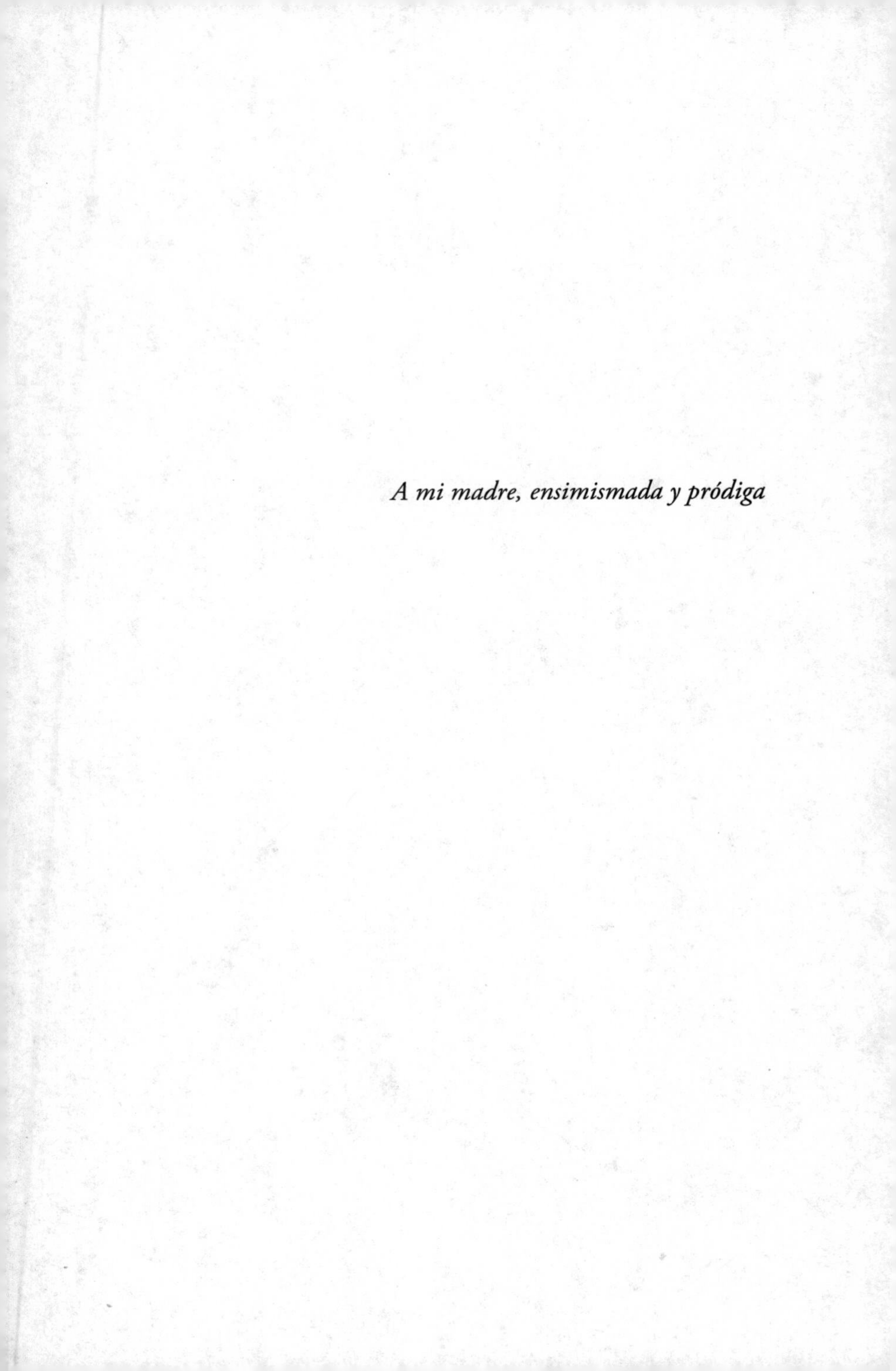

A mi madre, ensimismada y pródiga

Parresia (del lat. *parrhesĭa*) f. Figura retórica que consiste en decir cosas aparentemente ofensivas, pero que, en realidad, encierran una lisonja para la persona a quien se dicen.

Diccionario de uso del español, MARÍA MOLINER

No decir *yo* cuando se trata de uno mismo no es solamente perjudicial para la higiene personal del escritor; es también, por el hecho de no anunciar los vínculos que le unen a sus personajes, una manera de traicionarlos, de abandonarlos, de cortarles sus auténticas raíces (...).

Cobardía frente a lo social y a su censura. Sumisión a esta *tercera persona que nace en nosotros*, como escribió el señor Deleuze.

La literatura sólo empieza, escribe en el tono docto y perentorio de nuestros pequeños papas de universidad, *cuando nace en nuestro interior una tercera persona que nos desposee del poder de decir* Yo.

Chorradas.

CHRISTOPHE DONNER, *Contra la imaginación*

APRENDER A LEER EL RELOJ

Tardé mucho en aprender a atarme los cordones de los zapatos. Por eso, siempre fui una alumna atenta en clase, consciente de mis limitaciones con las matemáticas y de mi falta de habilidad con la costura. No existe una imagen más siniestra que la de una niña con la aguja y el hilo en la mano, concentrada, acercando los ojos a su retalillo, fingiendo ser otra persona, adoptando el escorzo de una anciana corta de vista. El aprendizaje, el descubrimiento, la maravillada perplejidad, el instinto curioso, las bellas palabras con que nos conducen al dolor de desasnarnos nos colocan sobre una superficie quebradiza, no por lo que no sabemos, sino por lo que nos cuesta aprenderlo: resulta vergonzante exhibir las limitaciones frente a un maestro, de quien buscas aquiescencia y a veces, en las situaciones más neuróticas de la niñez, incluso admiración. Tardé mucho en aprender a atarme los cordones de los zapatos y mi madre sudó para enseñarme a manejar los números quebrados y los decimales. Lo he olvidado todo menos mi propio orgullo herido y la desilusión de mi madre por mi torpeza y lentitud.

Por eso, se me hacía un nudo en el estómago al comprobar que se iba acercando el día de aprender a leer la hora en el reloj, antes de que se celebrara mi primera comunión y me regalaran un objeto que para mí sería inútil.

–Enséñame a leer la hora, enséñame.

Insensatamente, les rogaba a mis mayores que me enseñasen, molestando, persiguiéndolos por la casa, impidiéndoles reposar un minuto después de las comidas. De pronto, se acabó el misterio –aunque no el miedo– y todo cobró un nuevo significado: menos diez, y diez, antes y después de que la manecilla larga cruce la frontera del doce, los cuartos, las medias. Así, hasta hoy, día en el que vivo una permanente hora en punto que me permite pasear por las calles de mi ciudad como si fuese una turista. Asisto a deshabitadas sesiones de cine a precio rebajado. No cojo los transportes públicos ni voy de un lado a otro de forma mecánica. Me da igual si son y cinco o menos veinte, no tengo prisa por llegar a ninguna parte; tan sólo camino para estirar las piernas y dejo pasar el tiempo. Me entremeto por pasajes sin salida y gasto mis ratos en la contemplación de una casa de socorro edificada en la época de la Segunda República; puedo detenerme también en los parques de la periferia o en la farmacia de la esquina de San Vicente Ferrer con San Andrés, regocijándome con los anuncios de fumables inofensivos, emplastos porosos, Diarretil Juansé, los azulejos coloreados que aparecen en algunas guías turísticas de la ciudad de Madrid. Puedo ir a un lugar lejano para comprar el pan o entrar en el recinto de una exposición gratuita. La hora ya sólo me importa por mis semejantes y, aunque no puedo pagarme unos zapatos caros o pedir una ración de gambas con la cerveza, me da vergüenza decir que voy alcanzando la felicidad, pese a que enfrentarme a todo el tiempo del mundo ha desencadenado en mí una moderada hipocondría.

A lo mejor es que aprender a leer el reloj no sirve para nada o que, como tardé mucho en conseguir atarme los cordones de los zapatos, aún no sé interpretar correctamente la posición de las manecillas y sigo aprendiendo con extrañas actividades que me impongo para salir de la cáscara. Lo que ahora escribo es un modo de seguir aprendiendo a leer la hora en el reloj, aunque aún no pueda controlar el tiempo para apropiármelo y decidir si es mejor escribir por la mañana o por la noche; para entender que esa presión, alargada desde las últimas horas de la tarde, es la que no me deja dormir. Y es que aprendí muy tarde a atarme los cordones de los zapatos y en la escuela fui una de esas buenas alumnas que se creen todo lo que les cuentan. Tardar mucho en aprender a atarse los cordones nos conduce a buscar estrategias para disimular los fallos, como los ciegos que fingen ver para que nadie se aproveche de ellos. Aprender a leer el reloj, la resistencia oscilante, el vértigo y el deseo morboso de adquirir cualquier sabiduría, especialmente esta sabiduría del tiempo y de sus posiciones, no tiene nada que ver con el temor a morir, sino más bien con la intuición de una felicidad que consiste en ser agradecida, en buscar un punto intermedio entre la humildad y la soberbia y en ir aprendiendo a disfrutar cuando se acumulan en el cuarto todos los juguetes. Una felicidad que yo ahora rescato y justifico, consciente de haberme liberado de ciertas ataduras mientras apretaba con más fuerza y voluntad el nudo gordiano de otras. Ahora son las doce en punto. Comenzaré por el principio.

Primera parte

Vallar el jardín

EL DÍA DEL PARTO DE MI MADRE

El día que mi madre me habló de la experiencia de su parto decidí que nunca tendría hijos. Fue mucho más gráfica la descripción de su parto que la apología de mi nacimiento, aunque ella insistiese en que yo era la niña más hechita de cuantos bebés había tenido la oportunidad de ver de cerca. Mi madre, cuando narra, tiende a ser minuciosa; en cuanto a mí, siempre he sabido escuchar y soy mucho más impresionable de lo que a simple vista pudiera parecer. No recuerdo exactamente la edad a la que se lo pregunté y ella me respondió. Me acuerdo, eso sí, de que yo ya tenía clara la idea del cómo: los huevos, las semillas, el quererse mucho, el no tomarse la pastilla –a propósito–, los besitos, las flores abiertas y la lubricación natural, las cáscaras rotas, los niños-pez y los espermatozoides nadadores. Tampoco recuerdo si el relato fue la respuesta a mi curiosidad o si mi madre tomó la iniciativa. Sin embargo, sí puedo fijar el instante en el que formulé en voz alta el primer mandamiento de mi declaración de principios: a los once años y delante de mis amigas, juré solemnemente que nunca sufriría un parto y, por ende, nunca sería una madre. Mis amigas me admiraron y una niña mayor, que había puesto la oreja en una conversación que no era la suya, se rió de mí, diciendo que yo aún era muy joven para asegurar tal cosa y que nunca se podía decir de esta agua no beberé. Era una niña refranera, de las que saben coser sus retalitos –una niña envejecida no es lo mismo que una niña precoz: la primera tiene achaques e inhibiciones prematuras, es represiva y mimética; la segunda es misteriosa, temible, observadora, vital...–, una niña resabiada a quien me alegro de no haber dado la razón. He cumplido mi promesa y no he bebido de esa agua. Ya no me queda tiempo para arrepentirme y sigo en mis trece con más argumentos que a los once años. Ahora acumulo razones de corte moral, filosófico, histórico y sociológico.

Sin embargo, la causa principal de mi falta de instinto mamífero sigue siendo aquella descripción que no se desarrolló en un solo pase, sino a lo largo de la etapa completa de mi crecimiento. Mi madre no se ponía un día y, cogiéndome del brazo, me susurraba –ella no es dada a los susurros– ven, hija, te voy a contar, sino que las informaciones iban vertiéndose como sin sentir. No se producían esas revelaciones o fracturas del secreto que se utilizan como recurso en las novelas o en las películas. El mundo no se viene abajo de golpe, ni nadie se hace listo de un día para otro.

El relato de mi madre comenzó con las náuseas. Ella, que era una mujer religiosa en aquellos tiempos, dejó de asistir a misa porque el olor del incienso y la contextura de la hostia le producían angustia. Me gusta pensar que yo fui la causa primera del agnosticismo de mi madre. Lo cierto es que ella no se detuvo excesivamente en los síntomas del embarazo. Se concentró en las tres y media de la tarde de un martes lluvioso de otoño; las tres y media de la tarde –ésa es la hora que marcan las agujas del reloj– de un 14 de noviembre de 1967, en Madrid. Mi madre me explicó el significado de las expresiones «no dilatar» y «apretar»; los efectos del suero en un parto inducido; la desproporción existente entre la cabeza de un feto y el orificio de la vagina; las alucinaciones producidas por una sustancia anestésica llamada Pentotal –mi madre tuvo una fantasía vulgar y cursi: ella corre por un prado verde y mi padre la aguarda, como en un anuncio de jabones; es una pena que su experiencia con los psicotrópicos diera tan poco de sí–; me describe también las peculiaridades de un aparato llamado ventosa eléctrica –mi cráneo tiene una impresionante sima en el lado derecho–, la expulsión de la placenta y, sobre todo, me describe la imagen de la sábana roja de sangre que fue la señal de que mi madre se estaba muriendo. Al margen del efecto que este relato matriz produjo en mi formación –hay que subrayar que cada uno transforma el *input* de su formación como le da la gana y que quizá yo me aproveché de la generosidad informativa de mi madre para justificar mi carencia de instintos–, era lógico que ella me contara estas cosas: yo nunca he estado en peligro de muerte pero, si viajo a un país extranjero, si mi perro se pone malo o si me despiden, siento un impulso irrefrenable por hacer de esa experiencia una narración, lo que no es lo mismo que contarla.

La escena debió de ser espeluznante: una de mis tías abuelas, la tía Pili, mi madrina, entró en la habitación del sanatorio, donde después de los esfuerzos mi madre reposaba, y descubrió que la recién parida se estaba desangrando. Se estaba quedando dormidita. Se moría como quien se dormía. Sin enterarse. Los pelillos de los brazos se me ponían de punta cada vez que mi madre me contaba cómo mi tía la había ayudado a zafarse de las dulcísimas garras de la muerte. En mi infancia, yo no concebía que uno pudiera morirse así, sin enterarse. El sobrecogimiento que me producía la imprevisión de la muerte, la falta de conciencia respecto a la solemnidad del momento, hoy se ha trasmutado en una forma de deseo: ojalá todo el mundo pudiera morirse así, sin enterarse.

Mi madre no tuvo más hijos, porque ningún médico le aseguró que no fuera a quedarse definitivamente dormida después de un segundo parto. El problema se relacionaba con algo llamado «globo de seguridad» del útero. Fue una lástima: ella hubiera tenido tiempo de formar una familia numerosa, porque dio a luz muy joven. Ahora, a veces protesta porque no le he dado nietos. Sus nietos la habrían adorado y yo hubiese sufrido unos celos terribles, no porque mi madre me restara el amor de mis hijos, sino porque mis hijos pudieran restarme el amor de mi madre, a quien quiero por como es –fría y caliente, fuerte y frágil, brusca y delicada, ensimismada y pródiga– y por la forma que eligió para mostrarse frente a mí con esas historias que supo contarme; por el esfuerzo del relato; por la conmoción; por la generosidad. Mi madre habría enseñado a hablar a mis hijos, contándoles cuentos que no fueran de hadas, sino de la vida pura y dura. A mi madre la fantasía le importa un rábano. Sus narraciones, su educación en un colegio de monjas, los nombres de las maestras, sus cuadernos de costura, sus vacaciones de verano en un pueblo de Castilla, sus juegos, sus hermanas, sus padres, su noviazgo, su marido –ella nunca dice «mi marido», sólo «Ramón»; tampoco se dirige a él llamándole «papá»–, su boda, su trabajo, su parto, sus pacientes, su salida de Madrid, el abandono de su profesión, su dedicación exclusiva a mí y a mi padre, fueron posiblemente el catalizador de mi precocidad lingüística: según ella, rompí a hablar a los ocho meses, aunque nunca sabré si el dato es verídico o forma parte de las estrategias narrativas de mi progenitora, que puede pecar de exagerada, aunque nunca falte a la verdad.

La exageración de mi madre se reduce al deleite en el relato que, si bien siempre es realista, ha de tener algo extraordinario para despertar el interés; su intuición sobre el arte de contar está muy por encima de la media. A menudo, interrumpe una de sus explicaciones cotidianas, abriendo mucho los ojos y diciendo:

–Pero en un momento determinado...

En ese momento, que te pilla por sorpresa, el corazón te da

un brinco y prevés que lo que va a venir a continuación es para echarse a temblar. Por esa misma sensibilidad narrativa, sus compañeras de colegio y de facultad eran mujeres, vestidas de enfermeras de noche, que llevaban sujetadores con cazuelas y aún usaban liguero, de quienes mi madre sabía hacer personajes míticos a través de la selección de un solo rasgo: el verde mar de los ojos de Margarita, la estatura desmesurada de Maribel, el desparpajo de Elena, la historia adúltera de Gloria con un profesor casado, la adicción a los Bisontes y los dedos tintados de amarilla nicotina de Maru. Luego apareció Marisa, que protagonizó algún episodio que puso de manifiesto el gusto de mi madre por la escatología, aunque ella se niegue a reconocerlo. El carácter voluntarioso de Marisa se concreta en una escena, en la que, limpiando el culo de una monja demenciada, ella refrota y tira de una masa babosa que no se va. Tira de la masa, la retuerce, mientras la monja emite un chillido continuo pero resignado. A la monja se le saltan las lágrimas. Marisa se empeña en hacer bien sus deberes, dejando impoluto el culo de la vieja que, tras este martirio, se ha ganado el cielo más que Santa Ágata de Sicilia, esa virgen a la que los romanos le cortaron las tetas. Marisa regaña a la monja:

–Madre, madre, usted no tiene mucho amor por la higiene que digamos. No se me queje, madre, no se me queje.

Por fin, alguien –¿tal vez mi madre?–, alarmado por el grito sostenido de la monja, se aproxima y advierte a Marisa que la excrecencia –carúncula, callo, verruga, tumor, cocochа– que no se va es una almorrana. A mi madre estas cosas le hacen gracia, porque en el fondo conserva un sentido del humor muy propio del gremio sanitario. Así pues, las narraciones realistas de mi madre, una firme defensora de lo verídico y de lo verosímil en la ficción, el continuo proceso de construcción de sus memorias orales, quizá motivaran que yo no pariera unos hijos que no echo en falta y ella sí, pero consiguieron que gracias a mi madre aprendiese a contar.

Las narraciones de otros partos que no fueron el de mi madre también fomentaron mi resistencia a perpetuarme en la carne de mi carne. La infancia es un lugar al que se le ha dado excesiva importancia. La infancia y lo que nos pasa dentro de ella son un buen pretexto para escribir poemas de experiencias extrañadas, en las que los pasillos son demasiado largos, los jardines encierran misterios y la única bofetada que nos dieron en la vida se multiplica en una perturbadora *mise en abyme* que hace que la cara aún nos duela. El lugar sobrevalorado de la infancia se nos come el presente, con sus revelaciones y sus obscenidades, con su avaricia por apropiarse de imágenes y palabras, con su autoritarismo y su debilidad. Es inevitable: en la infancia se ubican muchas de nuestras primeras veces. Además se suele tener la percepción de que la niñez es el periodo más extenso de la vida: tanto tardaban los años en pasar, que nos quedamos allí, galeotes, resentidos liliputienses, que aún hoy se admiran al observar la propia mano mientras sujeta un libro. La mano exhibe una belleza azul de venas maduras, con máculas de la edad, pero el liliputiense, el galeote, no la reconoce porque le faltan los padrastros, las uñas mordidas, los restos de bolígrafo y de pegamento reseco.

Así que mi madre fue la primera en darme noticia de estas cuestiones, pero no fue la única: también me ilustró Gloria, primípara añosa que se rasgó desde la vagina hasta el ano; Elena, a quien devolvieron a su primer hijo muerto en una caja de zapatos y para la que, en embarazos posteriores, parir niños era algo parecido a cagar; Alicia y esa comadrona inútil que le colocó mal el suero en la vena de la mano; Nathalie, a quien se le reventaron los vasos sanguíneos de la cara a causa de los esfuerzos; Begoña, que fue sometida a una cesárea después de estar en proceso de dilatación durante cinco horas de dolores... Todas tuvieron la culpa de que en mis proyectos no cupiera la idea de formar una familia y dejar de ser hija para convertirme en madre. También he de culparme a mí misma, que escuché con satisfacción y morbosidad extrema sus relatos, y quise enterarme de todo y después todo se lo conté a terceros.

PRIMEROS RECUERDOS

No sé cuál es mi primer recuerdo, aunque sospecho que no es mío, sino un recuerdo de mi madre. No me refiero a que mi primer recuerdo se reduzca a una fotografía mental del interior de su regazo o de su areola, mientras ella me da de mamar y yo le muerdo los pezones. Amamantar a los cachorros, según mi madre, provoca un placer muy relativo. Lo que quiero decir es que mi primer recuerdo posiblemente sea el resultado de una transferencia: la reformulación personal de los relatos de mi madre. Forma parte de mi biografía la imagen de una mujer que acaba de parir y que se va desangrando en la cama del hospital. Veo la habitación en penumbra, huelo el dulzor de las flores, oigo el silbido de los aparatos en funcionamiento de los hospitales y me asusto ante el impacto de la sábana roja. El análisis que mi madre lleva a cabo de mi comportamiento infantil y de mi carácter también forma parte de mi biografía y de algo mucho más trascendente, de mi identidad. En todo caso, atesoro recuerdos precoces: recuerdo el sabor de los plátanos machacados con limón; recuerdo las escoceduras que me producen las bragas de plástico en los muslitos y cómo me aprieta la goma en la tripa; recuerdo el día en que casi muero ahogada entre los resortes de mi trona y el olor del tomate que se cuece despacio en la sartén; recuerdo el estampado de la manta con la que me arropaban y la fisonomía del portero de la casa donde vivíamos; recuerdo mi propia voz, mi baile con las eles y las erres, mientras canto, engañada por mi madre, que sólo pretende descubrir mi posición y evitar una catástrofe:

–Marta, canta. Por la Puerta de Alcalá, la florista viene y va...

–... ¡con los nardos apoyaos en la *carera!*

Recuerdo mi vocecita chillona acompañándome por la casa y también la recuerdo viniendo desde lejos, como si yo fuera mi madre y estuviese pendiente de mis traspiés por el piso, de mis pasitos sobre el parqué. Mi madre me halaga, haciéndome creer que canto maravillosamente. No quiere que tire del rollo de papel del váter, como los cachorros de pastor alemán; no quiere que me aproxime a las inmediaciones de las ventanas o de los enchufes. El empalme de un cine doméstico está a punto de acabar conmigo. Mi madre siempre me descubre antes de que yo pueda perpetrar pequeñísimas maldades que se volverán contra mí y acabarán infligiéndome algún daño. Entonces y ahora, me siento culpable por ser lista y mala. Un sentimiento de culpa bastante estúpido: siempre me sorprenden antes de que pueda poner en marcha mis maquinaciones, a veces incluso antes de que empiece a concebirlas. Soy una ingenua que se cree muy inteligente y también una egoísta:

–Marta, no seas egoísta.

Es la recomendación perpetua de mi madre. Soy una egoísta que está apegada a sus afectos y que, por encima de casi todo, le teme a la soledad y es exquisita y maniática en la selección de sus animales de compañía. Creo ser alguien que evita las situaciones de conflicto. Así que cuando mi madre me sorprende con el rollo de papel, finjo que no soy yo la que está allí, me doy la vuelta, continúo cantando:

–¡... con los nardos apoyaos en la *carera!*

Mis primeros recuerdos son míos, pero también de mi madre, y por esa razón respeto sus correcciones. Las dos compartimos ciertos miedos.

–Mira, mamá, ese niño se va a caer.

El niño pierde el equilibrio sobre el borde de la tapia, se precipita contra el suelo y un hilillo de sangre le brota del oído.

–¿Ves, hija? Hay que tener mucho cuidado.

He estado muchas veces inmóvil al lado de un columpio.

Antes de que nos marchásemos de Madrid, mi madre trabajaba como fisioterapeuta en una clínica de rehabilitación situada en la calle O'Donnell. Esto no es un recuerdo, sino un conocimiento. Allí, en la clínica de O'Donnell, mi madre mueve las rodillas y los dedos de los pies de niños con escoliosis o con parálisis cerebral. También ayuda a estos niños para que comiencen a articular palabras. Es una gran fisioterapeuta, su sueldo es estupendo y los malditos paralíticos cerebrales la quieren mucho. Tanto que a veces sale con una niña agarrada al cuello, un monito que se prende al cuello de su mamá mona. Esa visión me da ganas de vomitar. Tengo celos de los paralíticos cerebrales; sobre todo estoy muy celosa de esa niña que se llama Corina. Nunca llegué a saber qué le ocurría, pero debía de padecer una enfermedad muy grave porque mi madre pasaba gran parte de su jornada laboral tratándola.

–Esta tarde he estado tratando a Corina...

El verbo «tratar», que se usaba en mi casa en su acepción clínica, era un compendio de distintos significados y yo no estaba segura de que todos fueran buenos. Corina tenía un aspecto sano, pero salía, agarrada de la mano de mi madre, de la sala de rehabilitación. Mi madre, cuando íbamos a recogerla, no soltaba a Corina inmediatamente y corría hasta mí. Mi madre siempre ha debido de creer que yo era muy madura. Corina no se despega de mi madre y, cuando se percata de mi presencia, me mira de reojo y se agarra más fuerte y se pone mimosa. Mi madre le acaricia la cara a Corina, le coloca la cinta del pelo, le da un beso, y la niña, que a mí me parece demasiado mayor para precisar tantas atenciones, se cuelga por última vez de su brazo. Mi madre no se fija en que me están castañeteando los dientes. Espero a que termine el galanteo de Corina a cierta distancia, como desde detrás de un vidrio, embozada en mi verdugo, mi bufanda, mi abrigo y mis guantes, oculta entre mi ropa, mirando de frente a Corina mientras sigue pingando del brazo de mi madre, como un monito pesado y lastimero. Luego en casa, mientras mi madre me prepara unos espaguetis con salsa de tomate –una salsa cocinada con esos tomates que aún eran ácidos–, no para de hablar de Corina y yo me voy poniendo torva y circunspecta.

–Esta tarde, mientras trataba a Corina...

Entonces, mi madre interrumpe su discurso: me ha mirado. Le entra la risa floja. Existe un desacuerdo entre su sentido del humor y el mío.

Corina es alta. Mi madre, preocupada por mi peso y mi estatura, me lleva a un pediatra, también altísimo. El pediatra, que es una especie de rey Salomón de Las Palmas de Gran Canaria, pero más adusto, cuando le expresan sus preocupaciones, mira a mis padres de arriba abajo:

–Vosotros ¿os habéis visto?

Mis padres son muy amigos de este pediatra, especialista en endocrinología. A veces, yo juego con Valentina, la hija del pediatra, que será la primera de la lista de amigas altas que, a lo largo de los años y sin saber por qué, he tenido. El especialista en endocrinología me prohíbe comer tomates, porque me producen diarrea y son nocivos para la asimilación del calcio. Recuerdo este dato porque, aunque yo debía de tener aproximadamente tres años, mi madre siempre me ha dado explicaciones pertinentes y científicas, y ha confiado mucho en mi racionalidad: la misma que convertía en infundados mis celos hacia Corina o que me susurraba al oído que no me subiera a las tapias porque era una niña patosa. Los niños de tres años entienden muchas cosas; quizá es que su cerebro está aterradoramente entrenado y expectante, después de haber pasado por el trauma de la adquisición de la lengua materna y de haber iniciado el proceso de construcción de un rudimentario aparato conceptual. Una mesa es una mesa, una madre es una madre, Corina es demasiado alta para ser una niña, mi cuchara es mi cuchara, las inyecciones duelen pero curan. Objetos, vínculos, deberes maternales, sentido de la pertenencia, de la propiedad y de la posesión, relaciones de causa-efecto. El tomate es malo para la asimilación del calcio. Por eso, sigo disfrutando pecaminosamente de un buen tomate partido en dos, que me como a mordiscos, sin aceite de oliva, con un poco de culpa aún por lo de la asimilación del calcio y por la amenaza de esa menopausia que se me agarrará a los huesos, como un monito al cuello de su mamá mona, ya dentro de poco. Mi infancia también son recuerdos de zanahorias cocidas, coliófilus, yogur y arroz hervido.

Mientras mi madre está tratando a Corina, a algún paralítico cerebral o a alguna señora con periartritis que en sus buenos tiempos habría jugado al tenis –la clínica en la que trabaja mi madre es privada y cara–, me cuida mi abuela Juanita, que era la madre de mi padre. En aquellos años, todo el mundo asegura que yo a quien me parezco de verdad es a la abuela Juanita, ni a mi madre ni a mi padre, y estas afirmaciones, que despiertan un acuerdo unánime o consenso, me asustan porque mi abuela es una señora con el pelo completamente blanco. Mi abuela luce papadita y es demasiado mayor como para que nadie pueda encontrar ni el más mínimo parecido conmigo. Mi abuela aún no había cumplido los cincuenta años. Yo todavía no me había fijado en que sus ojos eran vivaces y, al mismo tiempo, estaban llenos de sueño; en que sus manos estaban muy bien formadas, eran fuertes, y en que mi abuela esmaltaba sus uñas con colores; en que, en las fotos de su juventud, mi abuela Juanita parecía una *flapper*, la chica vivaracha de los espectáculos musicales. Cuando alguien se fijaba en mis braguitas de perlé, yo me apresuraba a aclarar con orgullo:

–Me las ha hecho mi abuela Juanita.

Mi abuela Juanita era y es una combinación de palabras inseparable que no se me cae de la boca. Mi abuela Juanita, antes de morirse y de que las manos se le deformaran a consecuencia de la artrosis, dejó confeccionados dos jerseicitos para esos bebés que yo no pariré nunca. Mi madre los guarda, entre papeles de seda, en uno de los misteriosos cajones de la cómoda de su dormitorio. Yo le digo que la conservación de los jerséis tiene algo de siniestro, de feto metido dentro de un bote, de vudú, de conjuro y de San Ramón Nonato. Pero mi madre los guarda, protegiéndolos del polvo y del ataque de las polillas.

Mi abuela tricotaba vestidos para mis muñecos. Una tarde estaba viendo la telenovela de después de comer, mientras yo vestía y desvestía piernas, cabezas y brazos. Nunca he tenido gran habilidad manual, así que se me descosieron los pantalones de un muñeco y rápidamente acudí a mi abuela Juanita para que me los recosiese:

–Espera a que acabe la novela.

Cuando tenía tres años no podía soportar que nadie me llevase la contraria y menos mi abuela Juanita, que, junto con mis padres, era la persona que más me quería en el mundo y que además debía quererme con un amor consentidor, que nunca cuestionara mis necesidades o mis decisiones.

–Que me los cosas.

–Que te esperes a que acabe la novela.

–Que no.

Mi abuela hizo como que no me había oído.

–¿Estás sorda o qué?

Mi abuela siguió como si no me oyese. Entonces, me acerqué a la televisión, arranqué los cuernos de la antena y la apagué. Defendía mis derechos y el resultado de este litigio podía sentar un precedente; si no me salía esta vez con la mía, no me saldría con ella nunca más. Yo sólo quería que todo acabara bien y estaba dispuesta a olvidar la desatención de mi abuela. No podía ser rencorosa con las personas a las que quería. Mi abuela Juanita se levantó, me agarró por el codo, me puso boca abajo encima de sus muslos y me pegó un azote con una mano de guardia que, por lo visto, también he heredado. Lloré:

–¡Se lo voy a decir a mi madre!

–No, se lo voy a decir yo.

Me encerré en mi cuarto para maquinar una historia –conocía bien el valor de los relatos– en la que el comportamiento de mi abuela fuese monstruoso. Yo, que me daba lástima y había sido víctima de una injusticia por parte de una persona que me debía idolatrar y consentir por obligación –mi mapa conceptual sufría a diario fracturas–, estaba convencida de que cuando llegara mi madre se iba a enfadar con mi abuela Juanita. Mi madre nos encontró a cada una en una habitación. Yo ya no estaba llorando; mi abuela sí. Mi madre me regañó, mientras consolaba a mi abuela. Con esta experiencia cambió mi visión del mundo y nada de esto puede ser el resultado del recuerdo transferido de mi madre, porque ella no estaba allí o estaba allí sólo a medias.

Estos acontecimientos se producían cuando yo aún hablaba con lengua de trapo y acababa de pasar por esa prueba que consiste en que te quitan los pañales absorbentes y estás toda la noche con el corazón en un puño por si te haces pis. Este recuerdo también es exclusivamente mío. Desde entonces, uno de mis problemas de salud más graves es el insomnio, unido al tabaquismo, a la propensión a las cistitis, a los constipados que se agarran al pecho, a la condritis en la clavícula, a las menstruaciones dolorosas, a que mi corazón late a ciento veinte pulsaciones por minuto en estado de reposo, a leves dolores reumáticos, a unas muelas del juicio, primitivas como restos fósiles, que se empeñan en asomar la cabeza aunque carecen de hueco. Dejando a un lado estos achaques y el del insomnio unido a la hipocondría –meterte en la cama con el pensamiento abstracto y concreto de la muerte: la tuya y la de los otros, la de los que ya se han muerto y la de los que quedan por morir–, dejando a un lado estas angustias, mi salud es buena. Al menos mucho mejor que en la época de la retirada de las bragas de plástico, cuando al trauma de ser canija se unían la destrucción de la flora intestinal, las diarreas y, un poco más tarde, la aparición de un soplo cardiaco y la amenaza de unas fiebres reumáticas que mi madre padeció después de parir y que a mí me rondaban tras haber pasado el sarampión. Por eso, mi madre me pinchaba todos los meses un benzetazil de un millón de unidades que cristalizaba dentro de mis nalgas de conejo y me dejaba la pata tiesa durante un buen rato. Esa espada de Damocles no se la merece ningún niño. Ni siquiera yo la merecía.

También me operaron de anginas y de ese episodio sólo recuerdo el bulto del otorrinolaringólogo en el quirófano, acercándose a mí con una jeringuilla más grande de lo habitual: me tapé los brazos, apreté las nalgas, pero aquel rinoceronte me pinchó en un pie. Como en un mal sueño, los elementos del mundo no se relacionaban de una manera lógica. El rinoceronte me pinchó en un pie con una jeringa enorme y, al despertar, me dolía la garganta. Al día siguiente, mis padres me regalaron una muñeca vestida de primera comunión. El sombrerero loco servía té frenéticamente en una taza de la que yo bebía un refresco de cola. Todo era muy extraño. Los helados que chupaba me sabían a sangre.

Cuando ya no vivíamos en Madrid, mi madre y mi abuela estuvieron a punto de pelearse, porque mi madre y la otra nuera de mi abuela Juanita cruzaron algunas palabras y mi abuela, que siempre fue un poco gallina, se propuso taparlo todo. Mi madre se enfadó porque esperaba un mayor compromiso por parte de su suegra. Constaté lo mucho que me parecía a mi abuela Juanita porque, ante el conflicto, yo hubiera actuado de la misma forma: cerrando los ojos, quitando hierro al asunto, dejando pasar el tiempo. Mi parecido con la abuela Juanita no era cuestión de la papadita o de la estatura, ni siquiera era cuestión de que tuviéramos los ojos tan vivaces como adormilados, lo que sucedía de verdad es que yo también soy una gallina encubridora y que, para mí, mentir es una acción legítima si se trata de justificar o de proteger a alguien que quieres. Esas mentiras no me plantean ningún problema moral. Lo que no me dejaría dormir es no haber mentido. En eso me parezco a mi abuela Juanita, quizá por razones genéticas o quizá porque pasé muchas horas a su lado en un periodo de mi crecimiento en el que tanto yo como la mayoría de las personas somos permeables. Desde este punto de vista, entiendo que mi madre a veces me haya soltado a modo de recriminación:

–¡Es que eres igual que tu abuela Juanita!

Mi madre es mucho más leninista que yo y, aunque sufra, no le importa extremar las contradicciones como mal necesario.

Mi madre me dejaba en casa de mi abuela para irse al trabajo. Cada día, después de comer, me aferraba a su cuello como si no fuera a verla nunca más, utilizaba mis habilidades para privar de aire mis pulmones y ponerme morada, berreaba y pronunciaba palabras inconexas como si fuera víctima de una fiebre cerebral. Yo ya había visto en la televisión algunas obras de teatro o adaptaciones de novelas en las que Silvia Tortosa, Maite Blasco o Marisa Paredes morían entre espasmos. Mi abuela me desprendía del cuerpo de mi madre y yo braceaba y respiraba como si me faltase el oxígeno. Mi abuela me sujetaba, pero yo me esforzaba en quedarme adherida a la piel de mi madre, como un eczema, como la monita Corina, como una costra que no ha llegado a secarse del todo.

Mi madre cerraba la puerta sin mirar atrás y entonces yo me agarraba fuerte a mi abuelita querida. Dejaba de llorar. Se trataba de que mi madre se sintiera culpable por abandonarme y sustituirme por Corina: yo, enferma, asmática, poseída por el demonio, víctima de un impulso de autodefenestración que quizá hubiese puesto en práctica si hubiera alcanzado a subirme a los poyetes de los ventanales. Otra frase de esa época constituye uno más entre mis primeros recuerdos:

–Deja eso, que no alcanzas.

Frase que también me oigo decir a mí misma con un tono bastante lastimero:

–Es que no alcanzo...

Una vez que mi madre había dado el portazo, mi abuela me dejaba en el suelo y yo entraba en la leonera, que era el cuarto donde tenía patente de corso para desordenar los juguetes. Era posiblemente feliz. Estaba preparada para montar el mismo número al día siguiente a la misma hora. Mi abuela me iba a encubrir y mi madre se había ido al trabajo tan triste que no sería de extrañar que dejara su profesión. Lo que yo no sabía es que mi madre, una vez había salido, se quedaba escuchando con la oreja pegada a la puerta y se iba tranquila ante la interrupción automática de mis llantos. Lo que yo no sabía es que mi abuela y mi madre conspiraban en secreto y que yo no las manejaba a ellas, sino que eran ellas quienes me engañaban a mí, poniéndome en el camino falsas miguitas de pan. Los niños que se creen muy listos son, sin duda, los más tontos; los niños manipuladores y satánicos son los más ingenuos y obedientes. Como cuando mi madre me pedía desde la cocina:

–Marta, canta.

Mi abuela murió de una enfermedad del corazón que arrastraba desde hacía años. Ella la describía con gran sentido plástico:

–Tengo la sangre espesa.

Yo intuyo que moriré de la misma enfermedad, porque me parezco mucho a mi abuela Juanita. Estos pálpitos –lo que uno prevé sobre su propia muerte– funcionan y son muy distintos de las adivinaciones de las echadoras de cartas. A mi madre una quiromántica la invitó a extender la mano y, recorriendo sus líneas, le vaticinó una muerte prematura. Mi madre odió a la lectora, pero además se acongojó. Al superar los cuarenta y cinco, que era más o menos la frontera establecida por aquella quiromántica de ojos aguileños y modales británicos, y después de pasar por una extracción del aparato genital, mi madre respiró aliviada. Yo me alegré de haberme quemado la mano izquierda con el empalme de un cine de juguete. Mi mano está surcada por cicatrices que alejan mi destino de cualquier alfabeto.

Mi madre cuidó a mi abuela Juanita durante la única semana en que no pudo valerse por sí sola. Se la encontró muerta una mañana al ir a despertarla. Mi madre sufrió y a mí me costó lo indecible imaginarme la vida, Madrid, las casas, las celebraciones o los malos tragos sin mi abuela Juanita que siempre estuvo ahí y ahora había desaparecido. Mi abuela Juanita colocó unas tijeras abiertas debajo del colchón de la cama de mi padre, para que éste no muriese de unas fiebres hepáticas. Yo hubiera hecho lo mismo. Por si acaso. Cuando mi abuela murió, tuve el pálpito de que un fantasma se iba a materializar dentro de los espejos por las noches. Lo deseé.

EL EXPERIMENTO QUE PROVOCÓ LA FIRME PROMESA DE MI CELIBATO

Otra de las promesas firmes de mi infancia fue la del celibato. No la cumplí. Por soberbia, sólo permanezco fiel a las promesas que les formulo a los otros en voz alta. No cumplir dicha promesa no significa que haya caído, sexualmente hablando, en la exageración; tras un breve periodo de promiscuidad curiosa –no siempre genital, las lenguas están ásperas o me babean demasiado, algunas son un dulce comestible que me llega discretamente al intestino, desprendiendo un suave hilillo del tejido del útero– y de nefastos episodios amatorios, aprendí a disfrutar de mi cuerpo y del ajeno sin regodearme en la emoción romántica ni en el delirio sadomasoquista. Eso es todo.

El motivo de esta promesa, la primera realmente ingenua de mi vida, no fue una iluminación porque yo era una niña atea. Con los años, he retrocedido y ahora sólo soy laica y tan supersticiosa que guardo papeles que me dan por la calle hombres de un hermoso color negro azulado: «Profesor Sako. Gran ilustre vidente africano con rapidez, eficacia y garantía. No hay problema sin solución (...) Enfermedades crónicas, judiciales, matrimoniales, conocedor de los secretos, protección, quitar hechizos, depresión, mal de ojo, limpieza, suerte, romper ligadura, impotencia sexual y lo más eficaz para recuperar a la pareja y atraer personas queridas, encontrar pareja, amarres y cualquier problema matrimonial, trabajo y negocios. Él tiene los espíritus mágicos más rápidos que existen y cualquier otra dificultad que tengas en el amor la soluciona inmediatamente...» Guardo estos papeles porque él tiene los espíritus mágicos más rápidos que existen y yo no me miro en los espejos de noche a la luz de una vela. También abro mi monedero en plena calle para darles dinero a los mendigos y a los músicos ambulantes. Como mi abuela Juanita.

Pero eso ocurre hoy, en los años de los que hablo era más sensata y estaba matriculada en una escuela pública donde, antes de la muerte de Franco, promocionaban campamentos de Falange –te daban copias con la letra del *Cara al sol* para que te la aprendieses– y nos obligaban a rezar el avemaría antes de que la señorita escribiera con tiza en la pizarra el día de la semana, el día del mes, el año, 1972, 1973, 1974, 1975... Durante casi un lustro, me vi obligada a fingir cierto fervor para conservar mi puesto de privilegio en los pupitres de delante. Rezaba con los ojos cerrados, juntando las manos delante de mi pecho, remedando la pose de la Inmaculada Concepción de Murillo que había visto reproducida en los calendarios de pared de las tiendas de ultramarinos. Aunque me gustaba leer las historias ilustradas de las vidas de Genoveva de Brabante y de Santa Bernadette que posiblemente me regaló algún pariente ultracatólico, cuando hice la primera comunión, para minar el ateísmo de mi hogar desde el corazón mismo de la manzana, eso no significaba que me las creyera.

El desencadenante de mi promesa de celibato no fue ningún relato pornográfico de mi madre, que es escueta en las narraciones de su erotismo monógamo; en nuestras conversaciones adultas, siempre me lamento de que no tuviese otras experiencias –no necesariamente genitales– para establecer comparaciones que podrían haber sido enriquecedoras. Mi madre zanja la cuestión:

–Qué asco.

Me sorprenden esas manifestaciones de repugnancia por parte de una persona que no muestra demasiados reparos en chupar el tenedor de otro comensal. Yo no chupo los tenedores de nadie y no me gusta que mis compañeros de mesa me ofrezcan un trozo de pan empapado en la salsita de su plato. En esas circunstancias, cuando mi madre se percata de que, por educación o por timidez, me como el mojicón y lo trago enseguida para no mantenerlo dentro de la boca más que el tiempo imprescindible, me dice que soy una asquerosa, no en la acepción del adjetivo que indica que el sujeto –en este caso, yo misma– da asco, sino en la que expresa que al sujeto –a mí– todo le da asco, porque es un sujeto que pega mocos debajo de las sillas y piensa que todo el mundo hace lo mismo. Tal vez, por esta peculiaridad sucia de mi imaginación, tampoco como riñones, que saben a pis; hígado, que sabe a sangre y medicamentos; lengua, que sabe a saliva de cerdo; entresijos y gallinejas, que saben a caca y a jugos gástricos; criadillas, que cualquiera sabe a qué saben, y limito mis apetencias de casquería a los castizos callos, que suelen saber exclusivamente a picante. Creo que –y digo «creo que» porque no hablo sólo de mí–, tanto con el sexo como con la gastronomía, las mujeres de mi generación nos hemos iniciado reproduciendo los valores de una cultura foránea: hemos asimilado los resultados de los estudios sociológicos de Shere Hite (1978) –la referencia cronológica es importante– sin haberla leído jamás y, en nuestra adolescencia, la visión de una hamburguesa con queso y ketchup era mucho más apetecible que la de unos exquisitos chicharros al horno –el besugo del pobre– o la de una humeante asadurilla. Con el paso de los años, las mujeres de mi generación nos hemos ido haciendo mucho más aborígenes.

A diferencia de mi madre, yo no me eduqué en un colegio de monjas: me hubiera encantado, porque los uniformes me parecían preciosos. Pese a mis fobias alimentarias, la posibilidad de besar distintas bocas –besar es colonizar un nuevo territorio para quedarse, irse o que te expulsen– no me molesta, a no ser que la boca sea realmente pútrida o de un pariente cercano. Entiendo que mis contradicciones son mayores que las de mi madre, quien, con los temas de alcoba, sigue a rajatabla la máxima de que hablar de estas cosas es una forma de perder el tiempo. Una vez que le pregunté qué me diría si yo le contara que ya no era virgen, ella me respondió:

–Me sentiría muy decepcionada.

Entonces yo pensé: «Pues para qué vamos a hablar más.» En ese momento era virgen, pero no le revelé a mi madre la hora exacta en que dejé de serlo, aunque ella se dio perfecta cuenta y yo le agradecí que nadie estuviera esperando de mí una confesión. Habría que plantearse hasta qué punto los relatos actúan de sustitutivo. No me gustan los relatos sustitutivos, pero me encantan los relatos eróticos. No es infrecuente que, leyendo una novela erótica, deje el libro encima de la mesilla y, con cierta plácida licuefacción entre las piernas, me ponga cariñosa con mi marido. Es posible que sea una reprimida –cosa que me importa poco– o que, para mí, el sexo requiera silencio, concentración y recogimiento, por lo menos tanto silencio, concentración y recogimiento como el estudio, la oración y los votos mantenidos de castidad. Otras veces, pienso que la vista no es un sentido que me excite –la vista me emociona, pero no me excita–, mientras que el tacto y el oído sí. Me gustan mucho ciertas voces, aunque la voz de mi madre no tuvo la culpa de que yo estuviera a punto de vendarme, bien apretadita, de cintura para abajo. La culpa la tuvo un experimento.

El experimento consistía en que yo me apoyaba en la cisterna del retrete. Era una cisterna baja: no es que yo fuera una inverosímil niña escondida dentro de una cisterna colgada cerca del techo del cuarto de baño. Allí esperaba a que los hombres tuvieran ganas de hacer pis. Mi casa era un lugar transitado porque mis padres eran muy sociables; mi madre a veces se lamentaba de ese exceso de sociabilidad que le hacía identificarse con la hacendosa dueña de una pensión. Ya no vivíamos en Madrid y mi madre había sustituido las radiografías por los fogones y escobas. Lo había hecho por amor a mi padre y se arrepentía sin resignación y a menudo con cólera. Trabajaba más horas que cuando estaba en la clínica de O'Donnell, pero eso a mí no me importaba porque Corina se había desintegrado. Aunque hablamos de los setenta y mis padres eran de izquierdas –el uno por ideología, la otra casi por una caridad cristiana que después se clava y te asesina como la cola de un escorpión–, mi madre nunca toleró la suciedad ni se convirtió en una hippie de axilas sin depilar que observa cómo la grasa se acumula y se pone naranja sobre los quemadores de la cocina. Este proceso lo vivieron muchas ex alumnas de colegios de monjas. Más tarde, la sociabilidad se trasmutó en desengaño o en la creencia de que, llegados a cierta edad, no se tienen amigos sino interlocutores.

Por mi casa desfilaron amigos, conocidos, interlocutores, tíos, primos, vecinos, parientes rectos y parientes vividores de Barcelona. Yo siempre estaba allí, expectante en el cuarto de baño, y no había manera de evitarme. Me quedaba mirando fijamente, aunque no tomaba notas para no intimidar. En mi época de promiscuidad curiosa sí tomé algunos apuntes y evalué competencias basándome en el criterio intestinal de las lenguas probadas, es decir, en el grado de desprendimiento placentero de un hilillo uterino provocado por las ondas expansivas de un beso remoto. A punto de hacer pis, cada sujeto de observación reaccionaba de distinta manera. Unos se hacían los despistados y me pasaban por alto como si yo fuese una hormiga entre las junturas de los azulejos; otros impostaban una actitud natural y conversaban conmigo de temas escolares, mientras sufrían para conseguir que el chorrillo les saliera; otros, los más pacatos, se ponían agresivos:

–¿Pero tú qué haces aquí?

Los pacatos me arrastraban hacia la salida, al mismo tiempo que bombeaban con los dedos algo oculto detrás de la cremallera de su bragueta. Los cobardes terminaban llamando a mi madre, que estaría pelando patatas para alimentar tanto a los parientes rectos como a los vividores, para que fuera ella la que asumiese la responsabilidad de regañarme. Mi padre era el único que se mostraba aburrido cada vez que yo, pacientemente, observaba no ya su miembro viril sino la duración, alcance y color de la meada, el sacudimiento posterior a la micción o el detalle de limpiarse la gotita con un trozo de papel higiénico.

El resultado de la encuesta fue la constatación de que aquel órgano era feo. Feo, polimorfo hasta cierto punto, de color impreciso, quizá amarronado, gris, rosa sucio, terracota, negro, morado como un hematoma de dos días, de tamaño y grosor variables. Mi madre me informa de que yo he visto «penes en reposo» –al menos eso espera ella– y de que el miembro viril crece con la excitación sexual: un argumento más para vendarme de cintura para abajo. Como era un experimento visual, me emocioné sin excitarme. Ahora me estremezco al pensar cómo, incluso sin haber sido víctima de una educación oscurantista y represiva, tuve miedo de hacerme mayor y de compartir la intimidad. En cuanto a tamaños, creo recordar que el pene más voluminoso era el de mi tío Carlos, pero no me acuerdo bien de si este dato es auténtico o se trata de una mixtificación, fruto de que alguna vez dije en voz alta que la picha más gorda era la del tío Carlos y a alguien le hizo gracia. Tenemos tendencia a repetir las cosas que hacen gracia. Somos penosos.

EN EL CINE DE VERANO CON MI TÍA MARIBEL

El trasiego de mi casa reproduce en miniatura la voraginosa matrioska de la ciudad donde vivimos: Benidorm. En los meses de verano, la familia venía desde Madrid a pasar las vacaciones. Vivíamos allí por motivos de trabajo de mi padre. La ciudad sólo puede describirse a partir de una enumeración caótica: un platillo volante cuya panza alberga una discoteca, bares de ambiente, hombres travestidos, cosas que yo miro asomándome a ventanucos que dan a la calle, con el corazón a mil, en pleno día, buscando rastros de lo que fue la noche, indicios de los relatos de mis padres, noctámbulos narrativos; bellísimos rascacielos; hamburgueserías que emanan un intenso olor a cebolla cruda, ácido, y a cebolla frita, dulce; piscinas con una gradación progresiva del azul, celeste, turquesa, verde profundo, piscinas cloradas con tiburones asesinos agazapados en el fondo, me encanta nadar y la velocidad de las brazadas es la consecuencia de mi terror a las imposibles fieras marinas que se ocultan en los desagües, sonidos amortiguados debajo del agua, extraña nitidez donde sólo el color rojo es más rojo que en la superficie seca de la Tierra; cafeterías con orquestinas; olor a desayuno inglés y a alcoholes viejos; jerigonzas; luz del Mediterráneo, neones; descapotables y guaguas; cajas de champán en la playa, sobre las que duermen borrachos nórdicos, rebozados en arenilla; procesiones de Corpus Christi, la banda municipal, fallas y la reina de las fiestas patronales; sombrillas, la isla; espaldas que se queman al sol y que después se pelan, alguien tira de la piel como si fuera un chicle, los bañistas se untan de aceite de coco, la gente está renegrida y brillante, el sol y el tabaco aún no han empezado a ser mortíferos; campos de algarrobos, edificios en construcción, hormigoneras y ese olor a cemento y a tierra húmeda que asocio al lugar de los juegos; camisetas con calcomanías que huelen a petróleo; bañadores minúsculos, pavor a las medusas; catequesis antes de comulgar, heladerías, aroma dulzón de bollos bruselenses, pizarritas con el menú; un dédalo de calles atestadas, José Antonio –así se llamaba cuando yo vivía allí–, la alameda, la subida a la iglesia y a la zona del mercado, el puerto y el parque de Elche hacia la tranquilidad germánica y familiar de La Cala, la cuesta de Ruzafa, Martínez Alejos que desemboca en la playa de Levante, la calle Gambó y la plaza Triangular.

Tal vez por jugar al juego de no pisar las rayas o porque, cuando se es niño, es más frecuente mirar la tierra que los pisos altos, recuerdo las baldosas del paseo marítimo: hexágonos apaisados del color de la sangre coagulada sobre el cristal; un fondo blanco y marmóreo contrasta con la sangre seca. Era precioso ese pavimento. Ya en la edad madura, me cuesta mucho volver al lugar de mi infancia por miedo a que los sentidos se me superpongan y me mate el exceso de impresiones. A lo largo de mi adolescencia volví muchas veces, pero de adulta sólo regresé una vez.

En Benidorm, en aquella época, había diez, doce cines de verano... Cada noche vamos a uno. En la plaza Triangular se exhiben los carteles de las películas. Cine Europa, *No desearás al vecino del quinto;* Cine Manila, *Las petroleras;* Cine Jamaica, *Desde Rusia con amor;* Cine Andalucía, *Amarcord...* Me quedo mirando distraída los dibujos de las carteleras del cine clásico: John Wayne tiene los ojos ultraazules; Rhonda Fleming, el pelo incandescente. Bajo con un papelito para apuntar las películas de hoy, aunque a veces me da por alardear de memoria y llego a casa recitando sesiones, locales y ofertas cinematográficas como un antiguo vendedor de periódicos. Me acompleja mi falta de inteligencia matemática, pero mi memoria me enorgullece y la ejercito. Trato de imponer mis preferencias, que voy rumiando de vuelta a casa, pero no siempre lo logro. La cartelera es impresionante: desde *spaghetti westerns* hasta *La caída de los dioses* de Visconti; desde las series completas de James Bond, interpretadas por Connery y Moore, hasta las españoladas y el destape. *La trastienda* de Jorge Grau: M.ª José Cantudo, desnuda ante el espejo, muerde una manzana. Cuando en Madrid los porteros de los cines pedían los carnés de identidad, en Benidorm a los niños nos dejaban entrar a ver todas las películas acompañados de personas mayores. Creo que la única película que mis padres no me llevaron a ver en aquel momento fue *Gritos y susurros* de Bergman. Me impresionó tanto la prohibición que aún no la he visto por si me estremezco o algo cambia en mi vida.

Una de esas noches de verano, estamos sentados en las sillas metálicas del cine, que casi siempre eran verdes, y desenvolvemos los bocadillos de sardinas, los mordisqueamos, mientras vemos los anuncios de los próximos estrenos. Mi tía Maribel y mi madre hablan del marido de Maribel, que no ha venido con ella. Sé que no debo preguntar por qué no ha venido, pero quiero participar en la conversación. Mi madre está monopolizando a su hermana y me resulta extraño que Maribel no esté pendiente de mí, que no me achuche, porque hace mucho tiempo que no me ve. Maribel no besaba, arrancaba besos; Maribel no se reía, se desternillaba; Maribel no abrazaba, te estrujaba hasta dejarte seca la boca y el corazón. Parecía que iba a quedarse contigo eternamente, te comía, te descomponía de amor entre sus bracitos; yo trataba de zafarme de un abrazo en el que la necesidad era agobiante y, cuando la veía entrar en una habitación, me marchaba al otro extremo.

–¡Que viene la tía Maribel!

Era sólo una manera de jugar. Maribel era prescindible, nadie dependía de ella, no valía para nada; era, como casi todas, una mujer pequeña en una esquina pero, al mismo tiempo, ocupaba mucho espacio. Maribel no hacía falta, por eso era como un regalo especial, una ofrenda que te llenaba porque era gratis, porque era porque sí. Mi tía me cortaba la respiración.

En el cine, me interpongo entre mi madre y mi tía. Parece que mi tía está a punto de llorar y mi madre o no quiere o no puede darse cuenta. Como acabo de dar por concluido mi experimento y ellas hablan de los hombres, pregunto:

–¿Y duelen?

–Si duelen ¿qué?, ¿quiénes?

–Ellos...

De una niña se espera cierta cursilería que yo me dediqué a esconder. Aunque mi color preferido siempre fue el rosa, mentí de modo sistemático, opté por el verde, sentí rabia por mentir y ridiculicé a las niñas que decían que el rosa era el color que más les gustaba. Sin embargo, pregunto si duelen porque yo era una niña y los niños preguntan si las cosas duelen: las inyecciones, los cortes de pelo, los análisis de sangre, los tatuajes, los agujeros de las orejas, los empastes, las menstruaciones, apretar los granos, las hemorroides, la caída del cabello, las preocupaciones, las radiografías, las exploraciones con el fonendoscopio en la consulta del puericultor. Maribel, por un instante, parece pensar que hablo de otra cosa y se queda lívida, pero se recompone y, tan impetuosa como cuando entró conmigo en la sala de curas de la casa de socorro para que me cosieran la barbilla –un rebujo de carne me afea el mentón, ésa es otra de mis cicatrices– y, ante la visión de la sangre, la aguja y el hilo, se desmayó en tres tiempos, de la misma manera, en el cine de verano, Maribel olvida la faceta psicológica de la pregunta –el sentido que la ha conmocionado y por el que sé que no debo preguntar– y se centra en la parte física. La parte física suele ser un tabú en las explicaciones a los niños y, sin embargo, a menudo funciona como excusa para correr un tupido velo sobre lo que no es físico y no se puede aclarar, no por prevención pedagógica –no por resguardar las orejas infantiles de lo intolerable o de lo sucio–, sino porque no se sabe, no se ve, no se entiende y buscar las palabras para expresarlo causaría demasiada lucidez –lucidez, masa punzante de luz que se clava entre ceja y ceja– o demasiado dolor –dolor, sensación que enturbia, que ciega, que no produce conocimiento, que aturde y apoca a quien lo experimenta–. Maribel disfraza su cara de chupar limones con una risa:

–¿Duelen? Bueno, depende del tiempo que transcurre entre una y otra relación, de si estás enamorada, de si haces a gusto lo que haces y, algunas veces, depende del propio cuerpo, ¿verdad, Charo?

Mi madre asiente, mirando a Maribel con perplejidad y a mí con irritación. Me preparo para llegar a casa: mi madre va a decirme tres o cuatro cosas. Lo sé, porque la conozco.

Las explicaciones de mi tía hoy me siguen pareciendo válidas. Incluso el argumento del amor como lubricante en las relaciones sexuales, con la salvedad de que a menudo follar es una forma de enamorarse o de convencerse de que estás enamorada. Eso le debió de pasar a mi tía Maribel con su marido. Que se obcecó. No es que mi tío, como muchos otros hombres a quienes sus mujeres permanecen fieles, fuese un semental o un virtuoso de las artes amatorias –lo que sí era mi tío es un proxeneta y, por ende, un putero, pero de ese detalle me enteré años más tarde–, sino que Maribel tomó la decisión de quedarse con ese hombre y ya no se desdijo. En su casa de Madrid, cuando nosotros volvíamos para pasar las navidades, recuerdo a mi tía dándole vueltas a la bechamel con una cuchara de madera; pasaba horas dándole vueltas a una bechamel clarita que era el único alimento que él podía comer porque padecía una úlcera y le dolía el estómago. Hubiera sido terrible poder ver sus pensamientos mientras le daba vueltas y vueltas a la salsa, despacito, para que no se formasen grumos. Es muy posible que, dentro de su cabeza, no hubiera odio ni afán de liberación ni reproche, sino una pared de azulejos blancos.

El corazón es el culpable de cada mal pensamiento. Lo dice la Biblia. Yo, que no aprendí nada de los errores de mi tía Maribel, que no me parezco a ella, que no soy efusiva, aunque sí constante, también tropecé en su piedra, pero no me despeñé por el barranco. Supongo que, por mucho que nos prevengan, a casi todas nos toca vivir una historia de amor desgarrador, no sé si a causa de un perverso sustrato cultural o a causa de una cuestión de carácter; lo más razonable –y también lo más claustrofóbico– es que sea por las dos cosas. Nos solemos ganar a pulso cada historia de amor desgarrador, desigual, descompensado, chirriante, obtuso. Nos ponemos desnudas de espaldas y aguantamos como animales. El amor desgarrador de mi tía Maribel duró veinte años y acabó con la muerte porque, según mi madre, Maribel era así desde niña: cuando le dolía la tripa, ahogaba sus dolores en un litro de ginebra, encerrada en su cuarto, agarrándose la barriga. Como los comancheros que, después de picarles una serpiente de cascabel, se sacan el veneno con la punta de un cuchillo.

Mi tía Maribel murió joven, en 1991, de un cáncer linfático. Nadie hubiera podido preverlo cuando llegó sola a nuestra casa con una maleta, fingiendo serenidad, alegría, un aplomo que podría desbaratarse de un manotazo. Después nos iríamos al cine. Recojo el dato de la muerte de Maribel porque fue la primera vez que la viví. Yo tendría veinticuatro o veinticinco años y el hecho sigue marcándome porque mi primera experiencia de la muerte de un ser querido se produjo tarde y también porque mi madre sufrió y a mí me afectan sus estados de ánimo. Mi madre engordó veinte kilos a lo largo de la enfermedad y con la muerte de su hermana. Maribel fue una mujer guapa, morena, con unas piernas bien torneadas sobre sus tacones altos; a causa de su enfermedad, las piernas se le hincharon como dos odres de vino. A veces la poesía es un insulto. Cuando mi tía Maribel estaba en tratamiento, no tenía una pinta encantadora: iba limpia a su trabajo, pero se maquillaba menos, se bajó de los tacones, se le marcaron las ojeras, amarilleó. Su jefe –un jefe amigo– le llamó la atención para que cuidara más su aspecto.

–Parece que vas despeinada.

A Maribel acababan de salirle cuatro pelos, después de haber llevado peluca durante varios meses. A veces, lo repito, la poesía es un insulto. Cuando Maribel se estaba muriendo en casa de mis padres, yo entraba en su habitación y le hacía cosquillas en la planta de los pies. Si alguien me hubiese sugerido que fuera a acariciar las plantas de los pies de la moribunda, me habría quedado rígida; pero un día entré y, tratando de no mirarle las piernas, ni la pelusilla de la cabeza, ni la veladura de los ojos, ni el catéter colocado en la clavícula, ni el nuevo trazado del perfil de la nariz, me concentré en hacerle cosquillas y Maribel, entre las brumas de la morfina siempre insuficiente, sonrió. Nunca estuve más cerca de ella. Me siento orgullosa de ese tipo de poesía, aunque me extraña mucho recordar las piernas, la pelusilla, el catéter, la semipenumbra del cuarto, cuando mi obsesión sólo eran los surcos de las plantas de los pies, el primer plano de las líneas blancas de talco entre las arrugas de la piel de las plantas de los pies. Hay gente cobarde que evita estos episodios de intimidad, pero esa experiencia de ternura no se parece en nada a la de mirar el rostro de un cadáver y no reconocerlo. Cuando se la llevaron al hospital para morir, no fui a visitarla. Habría sido ella la que no me hubiese reconocido.

El detalle de que mi tía muriese sirve para identificarla y para subrayar, con mala intención, que estas cosas ocurren, aunque mucha gente que lee libros, los lea precisamente para olvidar estas certezas, estos falsos imprevistos, estos golpes. Esta resistencia a reconocer las aberraciones biológicas o históricas, individuales o colectivas, en un texto literario, sólo puede disculparse en los bomberos, los oncólogos, los abogados penalistas y en algunos asistentes sociales.

Quizá la muerte de mi tía Maribel fuera una consecuencia; sin embargo, no me resulta interesante la consecuencia de la mutación de un fragmento de su cadena de ADN, sino la mutación del fragmento como consecuencia de una causa más psicológica que física. En el cine de verano, Maribel no respondió a la parte fundamental de mi pregunta: la que quizá la mató quince años después. Yo puedo declarar que creo en ciertas materias inverosímiles, que me dan miedo los armarios entreabiertos y que estoy convencida de que sufrir no nos hace más fuertes, sino que nos mata. Al abuelo de mi marido los falangistas le hicieron un simulacro de fusilamiento, durante la Guerra Civil, y el abuelo de mi marido enfermó de cáncer y se murió; su hijo se infiltró entre los falangistas para vengar la muerte de su padre y se puso de parte del enemigo: ésa podría ser la materia de un libro escrito por un novelista conciliador o uno de esos intelectuales que, desde una pureza clarividente o equidistante, nos abren los ojos para que veamos que tan malos son los unos como los otros.

Porque el abuelo de mi marido enfermó de cáncer a causa de un simulacro de fusilamiento, cuando alguien me hace daño, yo me palpo los mismos ganglios linfáticos que mataron a Maribel. Un simulacro no es una materia filosa que se te mete en el vientre, se da la vuelta y te desgarra por dentro; es algo inmaterial que, sin embargo, toca la fibra sensible que desconecta a un ser humano. A mi tía posiblemente nadie le puso la mano encima, pero sospecho que una gran cantidad de acciones inmateriales acabaron con ella, que no se supo o no se quiso defender. Hay mujeres que son un bolero y cierran las ventanas y se mueren. Incluso las más alegres. Incluso las más arrojadas. Incluso las más hermosas: la hermosura de Maribel llevaba a la gente a preguntar, a la hora de las confidencias, cómo era posible que no buscara el amor de otros hombres; podría haberlos tenido más guapos, más ricos, más inteligentes, más tiernos, pero es que a Maribel no le daba la gana o tal vez la mirada de uno solo –el abandono de la mirada, el desdén, la sustitución, todas las formas autistas de la crueldad, o tal vez la humillación del perro, el ruego, el arrepentimiento, la abyección– le impedía verse en el espejo. Entiendo muy bien a estas mujeres –no me siento por encima de ellas, estoy con ellas pese a nuestra necedad– porque también hay personas en mi vida por quienes me dejaría morir, contra las que no me podría defender. Quizá Maribel fue afortunada: otras ni siquiera tienen la suerte de morirse dejando un poso de mala conciencia en quien las ha lastimado.

Me reservo el relato exhaustivo de las causas de la mutación de la cadena de ADN de Maribel; las causas que provocaron un primer tumor en la cara interna del muslo izquierdo y una inflamación de los ganglios del pliegue inguinal. Ese relato exhaustivo se parecería demasiado a un folletín o a una serie policiaca y me llevaría a reflexiones sobre qué puede significar que te quieran personas poco recomendables –estoy pensando en mi tío, porque a mí mi tío me quería– o sobre qué ocurre cuando queremos o nos hacemos a la idea de que queremos o aceptamos a individuos por amor a otros individuos que no son débiles sino muy poderosos y se afanan, por las noches, preparando esquemas, inventando situaciones, limpiando imágenes de santos sucios, para conseguir que nos amemos los unos a los otros.

Cuando yo era una niña, sólo vi que mi tía Maribel llegaba sola con su equipaje fingiendo que estaba contenta. Estaba cansada. Yo, con ella, aprendí una forma extraña de querer. Una forma mala. Luego volvió a su hogar, mi madre torció el gesto, las cosas siguieron como siempre, pasaron los años, nos mudamos a Madrid, Maribel enfermó y se murió. Durante su entierro, oí que decían:

–Menos mal que no tuvo hijos.

–La naturaleza es sabia.

CÓMO HACERSE CON EL PODER

Kurt Vonnegut en su novela *Madre Noche* escribe algo así como que hay que tener mucho cuidado porque uno es finalmente lo que parece ser. Como la memoria me flaquea, cojo el libro de la estantería y compruebo que el verbo elegido por Vonnegut no es «parecer», sino «aparentar». La comprobación hace que la tesis del autor estadounidense me estremezca, porque el clasismo de mi infancia me llevaba a disimular cada día en el colegio, donde jugaba con las niñas como si las respetase.

Si Vonnegut está en lo cierto, no es que yo fuese clasista y malvada, sino que realmente respetaba a mis compañeras y me comportaba bien con ellas, es decir, hipócritamente, reprimiendo a menudo mis deseos de sacarles los ojos. Esta posibilidad me tranquiliza y me intranquiliza en la misma proporción.

El problema de incorporarse a las aulas por primera vez es el del extrañamiento de la realidad. Qué hacemos tantas niñas calladitas y sentadas en nuestras minúsculas sillas de madera, mirándonos con desconfianza, protegiendo nuestros lápices, deseando lo ajeno, apretando los muslitos para no mearnos encima. La primera toma de contacto con el colegio está marcada por la expulsión del hogar y por el aprendizaje triste de que el cariño no es algo que se presuponga, sino que hay que ganar con el sudor de la frente el privilegio de agarrarse a la falda de la señorita y de que ella te acaricie la cabeza como a los animalitos. Más tarde, con eso no basta y es preciso adquirir una posición dentro del grupo, afianzar una jerarquía, hacerse con el poder y mantenerlo año tras año. Los bebés soportan que les horaden los lóbulos de las orejas, que se les caiga la tripa seca del ombligo, que les salgan los dientes, los pinchazos de las vacunaciones, la cuchara dentro de la boca, la textura de los purés, el amasijo de los pañales y las escoceduras, con una entereza digna de admiración; los niños, en los colegios, luchan a brazo partido por destacar o por esconderse, por integrarse en el grupo o por conservar la autonomía. La fortaleza que mostramos en los primeros años no puede compararse con ninguna experiencia posterior de una vida adulta de clase media: no estoy hablando de exploradores en el Amazonas o de empresarios que viven en el filo de la ley. Los niños han de poseer un corazón que late a muchas pulsaciones y tiempo por delante, para no encerrarse en un cuarto y renunciar a todo con un cansancio anticipado: fingir que no se entiende, pasar por catatónico, no renunciar al seno de mamá.

En mi primer día de escuela, yo era sin duda la niña desvalida que aparentaba ser. Permanecía sentada en mi sillita alrededor de una mesa hexagonal, en torno a la que parecía que íbamos a celebrar una comida de empresa o una reunión de trabajo. No me había quitado la cartera de encima de las piernas, no había abierto la boca y manoseaba el paquete con el bocadillo que mi madre me había preparado para el recreo. Miraba al frente, sin atreverme a fijar en nadie la mirada. Me temblaba la barbilla, pero me contenía, porque estaba segura de que, si rompía a llorar, las otras niñas se abalanzarían sobre mí y me devorarían allí mismo. Me quitarían todas mis cosas. Por eso, impostaba una falsa entereza y me mantenía rígida en mi sillita, apretando los dientes, deseando pedir permiso para ir a hacer pis; ése era mi mayor deseo, pero me daba vergüenza formular la pregunta en voz alta y molestar a la maestra. Supongo que me parecía a uno de esos siniestros maniquíes de ropa infantil con el pelo de nailon y los ojos de vidrio.

Entonces, Juana Amparo se acercó. Ella no estaba sentada en mi mesa hexagonal, sino en otra un poco más allá. Juana Amparo se atrevió a levantarse y, sin que la maestra se diera cuenta, se puso en cuclillas a mi lado. Yo pensé que se iba a burlar, pero Juana Amparo ladeó la cabeza y se me quedó mirando con expresión compasiva. Me pasó la mano por la cara y, cuando la señorita le llamó la atención para que volviera a su asiento, me acarició otra vez y se alejó enfundada en su peto de cuadros amarillos y marrones. Ese peto no se me ha olvidado y tampoco se me ha olvidado que Juana Amparo me pareció la niña más guapa del mundo: su cara de muñeca antigua, de carátula de película de los años cuarenta, era como Elizabeth Taylor pero con los ojos y el pelo azabaches. Juana Amparo tenía los labios rojos, casi del color de las moras, como si estuvieran pintados. Olía a algo dulce, una mezcla de vainilla y de mina de lápiz. Yo no había llegado a llorar, pero ella notó que algo no iba bien y tuve la convicción de que si alguna vez una maestra me pegaba o me hacía pis o me perdía en los pasillos azules del colegio, allí estaría siempre Juana Amparo para ayudarme. Sin que yo la llamara. Juana Amparo y yo nunca nos hicimos amigas. Nunca estuvimos dentro del mismo grupo; en el parvulario, ya lo he dicho, nos sentábamos en torno a mesitas hexagonales separadas y esa ubicación era definitiva para establecer relaciones: nadie traspasaba los límites del espacio que se le había asignado para propiciar otros encuentros. Ambas comandábamos dos grupos diferentes que coexistían en paz y que nunca rivalizaron: cada grupo respetaba sus castas y seleccionaba a sus esclavas y a sus niñas despreciables, a sus jefas, a sus verdugas y a sus víctimas. Los papeles repartidos dentro de cada grupo se mantuvieron a lo largo de los seis años que fui a la escuela en Benidorm.

Algunas niñas llegaban a la escuela con el privilegio adquirido de ser del pueblo o de contar con algún pariente dentro del cuerpo de profesores, de modo que para mí, que procedía de la grosera ciudad del interior, ciudad sin mar, contaminada, capital, ciudad de gente maleducada, de nuevos ricos y chulos; de la ciudad que colonizaba las playas y las terrazas de las cafeterías durante los periodos vacacionales, que destrozaba los apartamentos y que trataba a los lugareños como a sus criados, no me fue fácil. A este inconveniente de origen se añadía el de que mi familia no era una familia convencional: mi madre era muy joven, se pintaba los ojos, fumaba, no iba a las reuniones de padres del colegio, no les regalaba perfumes a las señoritas cuando se acercaban las fechas navideñas, ni se hacía la permanente en la peluquería como las otras madres. No salía al balcón con el delantal puesto. Mi padre viajaba. Era un sociólogo. En el patio del colegio comencé a oír a menudo una frase pronunciada despreciativamente:

–Mira, ésa es la hija del sociólogo.

Sociólogo era un insulto, una enfermedad. Mi casa estaba al lado de la escuela, a la vista de todos los ojos, y siempre estaba llena de forasteros. Yo no era consciente de las razones de tanta hostilidad hacia mí, pero tenía la intuición de que, superados los pucheros del primer día, era necesario hacer un esfuerzo para sortear los obstáculos. Estaba sola –sólo podía contar con Juana Amparo, como si hubiéramos firmado un acuerdo en la sombra–, sentada en mi silla, rodeada de niñas que se comían los mocos y que llevaban a clase estuches con conejos rosas y bolígrafos de cuatro colores; sin embargo, yo disponía de algunas herramientas para asegurar mi supervivencia en un medio del que los primeros años se me trató de expulsar.

La maestra de primero de egebé, una anciana chocha y mala, doña Carmen, pretendía que yo repitiera el curso por odio hacia el aparente desorden de mi vida doméstica. La vieja no sabía hasta qué punto mi vida doméstica era ordenada: llegar a casa, compartir la tarde con una madre que me enseñó a leer, jugar mientras ella leía, aprender a jugar sola, dialogar con los mayores, cenar pronto, a las nueve a la cama, poca tele, revisiones periódicas con el puericultor, huevos y fruta, recordatorios de las vacunas, el benzetazil una vez al mes por las secuelas del sarampión, los regalos de cumpleaños, la ropa dobladita en los cajones, recoger las muñecas, lavarse los dientes y las manos, no dar malas contestaciones a los padres. Supongo que la vieja pensaba que mi casa era Sodoma y Gomorra, pero en mi casa sabíamos bien que no se puede llevar las uñas sucias, que no se habla con la boca llena y que Helsinki es la capital de Finlandia. La vieja se creía que iba a tratar con una panda de analfabetos y de delincuentes, gente que no era capaz de pronunciar los términos de su vocabulario limitado. Y que me podía mantener presa en primero de egebé sin que mis padres encontraran argumentos para rescatarme. Según doña Carmen, yo no podía saber leer porque a ella se le metió en la cabeza; no se percató de que yo leía de corrido las cartillas de cursos superiores. Yo no podía saber leer porque mi padre era un comunista y mi madre una frívola. Esta frase mezcla una mentira y una verdad: es absolutamente cierto que mi padre era y es comunista, mientras que ella jamás fue una mujer frívola, por mucho que lo pensaran los otros. Yo no podía saber leer porque era de Madrid y no llevaba el babi azul ni poseía un bolígrafo de cuatro colores. La vieja ni siquiera se había dado cuenta de que yo también sumaba e incluso restaba, y mis padres tuvieron que intervenir después de quedarse asombrados ante un boletín de calificaciones manchado de insuficientes en todas las casillas. La maestra xenófoba no fue capaz de encarar una entrevista con ellos y se parapetó detrás de una compañera.

–Pobre mujer, es que es muy mayor. El año que viene se jubilará...

Pero la vieja se enteraba de todo y fingía y, en clase, me pasaba la mano por la cabeza como acariciándome, aunque supongo que después se restregaría los dedos contra el interior del bolsillo de su rebequita para eliminar los restos de suciedad que le hubiera podido traspasar mi pelo. Siempre me habló como si yo fuera tonta. Cada vez que yo le mostraba algo, me decía:

–A ver, bonita, huy qué bien...

Yo la creía y me sentía tranquila. Después de tratarme como a una subnormal, me emborronaba el boletín de evaluación con montones de insuficientes. Sufrí mucho a causa de esa vieja, porque no lograba entender cuál era mi culpa o qué había hecho mal. Incluso dudé de si la maestra tenía razón y me dio vergüenza que mis padres pudieran ir al colegio y descubrieran que los palos de las letras de mi cartilla Rubio no eran tiesos y airosos. La vieja doña Carmen me ayudó a bajar del guindo y me robó la ingenuidad. Tomé medidas.

Como yo estaba enamorada de mi madre por las cosas que me contaba, decidí usar las mismas estrategias con mis compañeras. Mi madre tiene un concepto moral del relato en el que no cabe la mentira: en el mío, mentir era un ingrediente básico. Inventé juegos, decidí a qué se jugaba y seleccioné a las jugadoras. Eché pies y rifé turnos. Pisé la goma doscientos millones de veces mientras cantaba «María Conchita, chiribí, se corta el pelo, chiribí, con las tijeras, chiribí, del peluquero, chiribí...». Hice trampas, cuando me convino, para que en mi grupo del rescate se quedaran las niñas más veloces. Conté historias falsas sobre mi vida doméstica: mi cuarto era inmenso y yo podía encerrarme en él; mi madre era médico y mi padre algo tan importante que ni siquiera podía decir su nombre; mis tías eran las mujeres más guapas del mundo; mi abuelo paterno el hombre más viejo y también el más simpático; yo no asistía al colegio privado con piscina olímpica de la zona residencial del pueblo, el colegio al que iban las hijas de los notarios y de los comerciantes ricos, porque el colegio nacional quedaba más cerca de casa y eso, obviamente, resultaba más cómodo; teníamos una criada buena que me regalaba cestas de naranjas y chocolate; dominaba el inglés, el francés y el alemán; mi madre, además de ser mi madre, muy guapa, muy joven, médico y quererme mucho, era enfermera, actriz y profesora, porque me enseñó a leer y los números quebrados; conocía toda la geografía española e incluso Portugal, porque el trabajo importantísimo de mi padre –que era amigo del alcalde y de otras autoridades por encima del alcalde– nos había obligado a viajar mucho y a alojarnos en hoteles de cinco estrellas; en Barcelona, mi amiga Cata me dejaba jugar con su tití, que era un mono pequeño disfrazado de señor; en Madrid tenía un poni y también había un chico, de nuevo el más guapo del mundo, que se llamaba Jaime y era mi novio; mi otro abuelo era cajero del Banco de España y me compraba todo lo que yo le pedía, muñecas que gesticulaban tan sólo con moverles un brazo, patines de hielo, hogarines; en las afueras de la capital, poseíamos una finca con quince perros que no me daban miedo y que yo cuidaba: mi preferido era un san bernardo, y los perros más agresivos, los pastores alemanes, los dóbermans, los perros del demonio comían filetes crudos sobre la palma de mi mano.

Mis compañeras, que se atemorizaban ante la presencia de un caniche, me observaban con la boca abierta cuando yo me hacía la valiente al detectar un perro cerca. El corazón se me salía por la boca, porque ellas con su histeria me habían inoculado un horror irracional hacia los animales. Me sobreponía, cogía aire y pasaba al lado del perro, con el temor de que oliera mi miedo y me mordiese. Mis compañeras me creían. A la vez yo procuraba subrayar la veracidad de mis relatos y de mi extraordinario carácter emprendiendo acciones concretas: si entraba un bicho en la clase, yo lo mataba. Dije que mi madre me daba cursos de enfermería y me apropié del territorio del botiquín, que era una caja de zapatos con tiritas, agua oxigenada y mercromina, que se guardaba dentro del único armario de madera situado junto a las puertas de entrada a las aulas. Las maestras me daban las llaves del armario por si, mientras tomaban café, alguna niña se despellejaba las rodillas contra el asfalto o se abría la cabeza. Yo era la propietaria de ese misterio, el de un armario donde, además del botiquín, se guardaban los trabajos de las alumnas, los enormes compases de pizarra, los jarros de cristal para, con la llegada del mes de mayo, ofrendar flores a la Virgen María. Yo era popular entre las alumnas y entre las profesoras, que nada sabían de mis invenciones pero se entusiasmaban con mi aplicación y rigor. Era disciplinada y atendía a las explicaciones sin despegar los ojos de la boca de la maestra. Sonreía cuando era preciso sonreír, bajaba la cabeza cuando era preciso bajarla. Sacaba unas notas excelentes y me mandaban a hacer los recados fuera de la clase: que te redujesen a la condición de sierva no era un deshonor, sino una muestra de confianza. Parecía que nadie estuviera enterado del secreto de mi tropezón con doña Carmen pero, por si acaso, yo purgaba mis culpas o trataba de demostrar que la vieja maestra se había equivocado conmigo, que había perdido el juicio y que yo era buena, muy buena, en todo.

Nunca más mis padres, en la época de Benidorm, tuvieron que intervenir en mi vida escolar. Yo me valía y me sobraba, e incluso sospechaba que, si ellos aparecían por allí, me iban a desmontar el chiringuito que, con tanto esfuerzo, yo iba levantando un curso detrás de otro, no sólo para ser una niña normal sino para convertirme en la mejor de las niñas normales. Incluso comencé a chapurrear el valenciano porque vi que las profesoras, aunque impartían las lecciones en castellano, al salir de clase formaban corrillos donde se hablaba en una lengua que no era la mía, que me segregaba de nuevo, que debía adquirir si quería vencer.

Demostré mis méritos ante todas esas profesoras: doña Dolores, la de segundo, era angulosa, como su mal carácter, y protegía a las niñas del pueblo y de sus alrededores, pero no pudo permanecer impasible ante mis zalamerías y, al final, le hacía gracia que su hijo Miguelito me persiguiese para levantarme la falda y casarse conmigo durante esos recreos en los que nos juntábamos los chicos y las chicas; doña Encarnita, la poliomielítica de tercero, me nombró su delatora oficial y, cuando salía del aula, con su cadera renqueante y su bastón, me dejaba cuidando: yo me levantaba del pupitre y apuntaba en la pizarra los nombres de las niñas habladoras, las llenaba de cruces, una, tres, diez cruces, para que, a su regreso, doña Encarnita cogiese su vara de madera y pegara una palmetada a las niñas parlanchinas. A veces, les puse cruces a las niñas silenciosas por manía, por rencor, por ser valencianas o por tener una tía que daba clases en el colegio. Como doña Encarnita era de Murcia, no ponía reparos en golpear las palmas de las manos de las alumnas apellidadas Beneyto, Ferrer, Berenguer, Devesa, Verdú o Botella. Doña Angelita, la maestra de cuarto, escribía con una letra preciosa sobre el encerado y nos explicaba las lecciones con su voz cascada y su entonación cantarina. Hacía como si nos quisiera mucho a todas. Quinto era el curso de doña Antonia y era un curso temible porque doña Antonia se había ganado fama de estricta.

–Ya verás cuando te toque doña Antonia. Te vas a enterar...

Nos decían las alumnas de cursos superiores para meternos

el miedo en el cuerpo. Y lo conseguían, porque el primer día de curso de quinto de egebé todas las niñas estábamos mucho más calladas que de costumbre. Doña Antonia era una mujer seria que se teñía el pelo de esa tonalidad ceniza que proyecta reflejos verdosos en los cabellos de las mujeres; se pintaba los labios por fuera y necesitaba unas gafas de culo de vaso que le cubrían los pómulos y parte de la frente; como doña Angelita, tenía también la voz ronca, posiblemente a causa de los gritos proferidos y de las explicaciones repetidas un año tras otro: el análisis morfológico, las plantas fanerógamas, los ríos de España, el adjetivo, los problemas de peras y manzanas. Doña Antonia nos daba mucho miedo por alguna razón incierta, por alguna causa desconocida que quizá tuviese su origen en un pasado remoto: el castigo a una alumna díscola que pasaría a los anales del colegio, una expulsión, una bofetada, quién sabe si una humillación en público. Nos la imaginábamos castigando a las niñas más buenas con los peores castigos. Como si en el bolsillo de la chaqueta doña Antonia escondiese las llaves de los sótanos y de los cuartos oscuros, como si su mano fuera tan dura como una prótesis y nada escapara al control de sus ojos de lechuza y de su oído de tísica. Nadie sabía qué pudo pasar, cuál era el germen de la leyenda que gravitaba sobre doña Antonia, pero algo se había quedado ahí, prendido en la atmósfera del colegio. Doña Antonia nos intimidaba, pero también la admirábamos, porque era la profesora con la que aprenderíamos a dividir. El colectivo de alumnas compartía la creencia de que, a medida que se ascendía por la larga escalera de la egebé, las profesoras que nos iban correspondiendo eran progresivamente más sabias. Las maestras del parvulario nos parecían despreciables, casi tan ignorantes como nosotras, llegadas a la altura de quinto de egebé, a punto de atravesar la frontera del segundo ciclo.

Doña Antonia resultó ser la maestra más eficiente. También fue la única que no me segregó ni me hizo cómplice. La que me enseñó a dividir, a bajar el dos y a poner la coma, aunque por desgracia el aprendizaje de esta mecánica aritmética no pasara a formar parte de mi memoria a largo plazo. Cuando me marché de Benidorm, me carteé con doña Antonia. Me hubiera gustado preguntarle de dónde surgió nuestra empatía; al fin y al cabo, ella era la persona mayor y podría haberlo analizado con más sutileza. Hace algunos años, me enteré de que había muerto y lamenté no haber tenido la oportunidad de compartir con ella mis experiencias como profesora, porque yo me he ganado la vida enseñando, es decir, tratando de reproducir por dinero los juegos que más me gustaban: la maestra, la lista, los deberes, poner notas, preguntar, hablar con los padres, llamar la atención, escribir en la pizarra. Me hubiera encantado hablar con doña Antonia, porque poco se parecían mis prácticas docentes a la idea que de pequeña me había formado sobre lo que era una maestra: delante de mis alumnos, experimenté la angustia de pasar por una sucesión de reválidas, de sentirme sojuzgada y en lucha, de soñar que me someten a un examen de aritmética para el que no he estudiado, cuando sé que con esa asignatura yo necesito resolver mil veces los problemas, aprenderlos de memoria. Pero eso ocurrió mucho más tarde, ahora lo que me importa destacar es que con doña Antonia me dulcifiqué y llegué a hacerme con el poder de verdad, sin necesidad de ser autoritaria ni retorcida, administrando la virtud de la condescendencia hasta tal punto que, cuando abandoné Benidorm, puedo asegurar que mis compañeras me echaron en falta e hice algunas amigas tan buenas que todavía hoy las conservo.

EL CANON DE BELLEZA

He escrito que Maribel era una mujer muy guapa y que también era guapísima la otra hermana de mi madre, Pilar. Cuando yo era una niña, Maribel y Maripili eran las dos mujeres más guapas del mundo porque mi madre decía que lo eran. Supongo que mi madre reproducía el canon de la suya, que a su vez era una reproducción del estereotipo de las mujeres morenas y fibrosas de Julio Romero de Torres. Para ser realistas, mi madre no reproducía realmente el canon de la suya, sino que se identificaba con el canon impuesto por su padre que, quizá, fuese el que asumió mi abuela para vivir tranquila sin desentonar con la ideología estética hegemónica. Estas cosas dan mucho que pensar y a mi madre, por ejemplo, le hicieron daño. El canon de belleza de mi madre es intolerante y, lo que es peor, acomplejado; lo cual resulta bastante absurdo, porque ella es una mujer de facciones regulares y sensuales, una mujer muy guapa, pero del tipo rubio, con los ojos verdosos y la nariz pequeña, una mujer a la que me hubiese encantado parecerme sin parecerme en lo más mínimo, aunque al contestar el teléfono la gente nos confunda o los desconocidos aseguren que somos idénticas, porque no entienden la diferencia nacionalsocialista entre las facciones y la gestualidad, entre la genética y la educación. En fin, el hecho de ser guapa obsesiona hasta que algunas desistimos y nos hacemos agradablemente descuidadas.

–¿No te vas a depilar los sobacos?

En verano me depilo y hace diez años que no me compro ropa. Tengo otras prioridades, aunque quizá yo pueda decir que tengo otras prioridades porque mi madre me compra la ropa. He optado por el diletantismo y la pseudopobreza. Hasta cierto punto.

Mi madre manifestaba tajantemente que las mujeres más guapas del cine eran Ava Gardner, Virna Lisi y Elizabeth Taylor y, entonces, yo las miraba y me lo parecían. Sin embargo, cuando yo proponía que Virginia Mayo, Lana Turner u Ornella Muti eran guapas también, mi madre decía que no, que tenían cara de pan, las facciones bastas y los ojitos minúsculos. Siempre me he divertido con mi madre, porque ella se lo toma todo muy a pecho. En la época de los cines de verano, los modelos de belleza femenina adquieren un gran protagonismo en mi vida cotidiana y, como yo no me parezco físicamente a mi familia materna, intento buscarme otros encantos, amparándome en la idea de mi madre de que soy una preciosidad. Ella, que en el sentido estético es una persona absurdamente acomplejada –como ya he dicho–, no me hizo el daño que suelen infligir las personas heridas. La declaración de mi madre sobre mi euritmia fisonómica no encaja con sus gustos confesados en materia estética, pero me conformo y busco mis encantos delante del espejo como los monitos del circo. Saco morritos. Empino el culo. Me remuevo el pelo mientras canto canciones en *playback*. Tenso los gemelos para que mis piernas se parezcan a las de una bailarina. Me miro con intensidad el fondo de los ojos para descubrir sus briznas verdes –el verde es un color muy valorado en mi casa, porque verdes son los ojos de mi padre, de mi madre y de Elizabeth Taylor según la luz que les dé–, escarbo el verde entre un amasijo de hebras marrón amarillento. Compruebo que el color de los ojos es una espiral superpuesta de restos de lapiceros afilados. Las láminas de madera, que son el desecho de los sacapuntas, se asemejan a la textura del color de los ojos. La ventaja de tener los ojos verdes es que uno puede tenerlos o no tenerlos según el día, de modo que nunca miento si un observador, que se acerca para escudriñar el fondo de mis ojos imprecisos y, por la misma razón, interesantes, me pregunta:

–¿De qué color tienes los ojos?

–Verdes, pero hoy no se aprecia bien por la presión atmosférica; los tengo más verdes cuando está a punto de llover.

El observador está en su pleno derecho de pensar que eso no es verde, sino el color del cieno, el color apagado de un bicho mimético que se ha posado sobre una hoja muerta. Pero yo no miento nunca. Además, cada uno reconstruye la belleza a su antojo: en Benidorm tenemos una amiga jorobada que me da clases de dibujo y juega al parchís con mi madre durante las largas tardes de invierno, junto a una estufita de resistencias anaranjadas, rosas, violetas, tan hermosas que me gustaría tocarlas. P. E. bebe coñac mientras menea el cubilete de arriba abajo con un movimiento casi ortopédico. P. E. fuma como un carretero, pese a que su capacidad pulmonar debe de estar muy disminuida a causa del retorcimiento de su caja torácica. Yo me paso horas observándola y me pregunto si tendrá dos pulmones o tan sólo uno, cómo se dispondrán en el negro de su interior los órganos vitales, si coincidirán con el esquema de mi libro de ciencias o si el estómago habrá perdido su forma de gaita y el corazón su forma de corazón. Tengo la oportunidad de mirarla con detalle, mientras juego a darme sombras sobre los párpados, y encuentro en ella una especie de belleza imperfecta, como si existiese la posibilidad de retirar las capas externas de una materia informe y descubrir dentro una figura preciosa, como si P. E. fuera un hermosísimo dibujo sobre un papel arrugado y bastara desplegar el papel, estirarlo haciendo presión con el dorso de la mano, para que renaciese la armonía de sus formas originales. P. E. tiene las manitas delicadas como garras de un jilguero apostado en el palitroque de su jaula. Se hace la manicura francesa. Los ojos de P. E. son azules como las turquesas de los pendientes que me regaló mi prima Araceli. P. E. se pinta las pestañas. Después de observarla un rato largo, mientras ella mueve la ficha con la fuerza que nace de esa joroba que le pesa sobre el hombro, le digo:

–Eres muy guapa.

Si hubiera estado jugando con ellas al parchís, con las piernas bajo la faldilla de la mesa, mi madre me habría dado una patada que me hubiese quebrado la espinilla; aunque mi sentencia no estaba dicha con perversidad, sino con algo de convencimiento y también con cierta conmiseración. P. E. me contesta con naturalidad:

–Muchas gracias.

Y sigue arrastrando sus fichas por la superficie del tablero, haciendo trampas siempre que puede. A lo mejor es que P. E. encuentra sus propias bellezas, igual que se prepara algo parecido a los orgasmos, reteniendo la orina dentro de la vejiga hasta que ya no puede más y la micción, el trasiego de sus líquidos interiores, le provoca un calambrito luminoso. También hay hombres que se mueren de amor por las mujeres con cicatrices. No todo está perdido y busco más detalles en mí para reconocer mi belleza y a mí misma, y descubro: un antojo de nacimiento, con forma de nuez, en el muslo derecho; la famosa hondonada del cráneo; una cortina de pecas oscuras, por debajo de los ojos, sobre la nariz y las mejillas, una ráfaga que no desciende hasta el mentón ni se arremolina alrededor de una boca, con la que evito reír en las fotos, ya que me veo mucho más guapa seria. Si no me río, parece que tengo labios; cuando me río, se esconden completamente y ese detalle no coincide con el canon de belleza de mi madre, así que trato de impostar cierta seriedad interesante. Todavía hoy, cuando me río, es como si la cara me doliese, como si mi boca hubiera sido fabricada para no abrirse demasiado. Una boca pensada para chupar líquidos con pajita. Sin embargo, atentando contra mi propia naturaleza, me río cada día más. En la infancia, no descubro muchos más detalles dignos de mención y, en conjunto y muy influenciada por los halagos de mi madre, me encuentro bastante bien, pese a que, a causa de mis cortes de pelo y mi flequillo –mi madre me rapa y me corta las pestañas con unas tijeritas porque dice que tengo el pelo muy débil–, algunos imbéciles me confundan con un chico. Esta confusión me irritaba casi tanto como que emplearan un diminutivo para llamarme:

–¡Martita!

–¡Mierda!

–¡Marti!

–¡Que no!

–¡Martinillo!

–¡Mamaaaaaá!

Ahora entiendo que el hecho de que te confundan con un chaval siendo una chica o de que no te llamen por tu nombre son posibilidades que no carecen de encanto. Luego llega la adolescencia y me engorda la nariz y, cuando hablo con desconocidos, me sorprendo a mí misma tapándomela.

Cuando soy una niña y me esfuerzo por aceptarme físicamente –en ese momento no me cuesta mucho–, me encanta ver las fotos y leer algunos fragmentos de historias del cine; me documento y me siento feliz al enterarme de que Hedy Lamarr, Gene Tierney, Katharine Hepburn, Grace Kelly y Vivian Leigh nacieron el mismo mes que yo. Veronica Lake, con su cabellera platino que le cubre media cara, nació incluso el mismo día que yo: de los catorce a los diecisiete años, luzco un peinado parecido, emulando a las trabajadoras de las fábricas de armas que durante la Segunda Guerra Mundial llevaron a la ruina a la pobre Veronica porque, a causa de su peinado, cometían errores fatales en la fabricación de bombas, proyectiles y paracaídas. A Veronica le prohibieron peinarse así y acabó de camarera de hotel, alcohólica y confusa. Cuando soy una niña, el sello astrológico de la belleza afianza en mí una seguridad física que se desbarata, en el colegio, con mis compañeras, y que aún no se ha recompuesto a causa principalmente de que las mujeres que me rodean suelen tener una apariencia deslumbrante: mi amiga Inma, mi tía Mercedes, mi madre, mis primas. Doña Encarna, la señorita poliomielítica de tercero de egebé, nos pide silencio, porque tiene algo importante que decirnos:

–Esta tarde va a venir un artista y va a elegir a una de vosotras para hacer un retrato, aquí, en la clase.

La fascinación es total. Doña Encarna nos ha hecho el anuncio porque espera que esa tarde vayamos al colegio con nuestras mejores galas, con las coletas bien prietas y los zapatos lustrosos, para no ponerla en ridículo delante del artista. A las tres de la tarde estamos todas sentadas, como un clavo, sobre nuestros pupitres dobles. Con las caras relucientes y los pelos dentro de sus correspondientes horquillas, pasadores y gomas. Algunas niñas se han puesto incluso el traje de los domingos. A mí mi madre me ha dicho que yo no tengo traje de los domingos, que eso es una paletada y que, si tuviera en efecto traje de los domingos, me lo pondría los domingos como su propio nombre indica. Aunque a mí no me gusta demasiado que me peinen ni que me toquen la cabeza, ese día insisto en que mi madre me pase el peine antes de salir y me coloque una horquillita para retirarme los pelos de la cara. Esa tarde nadie lleva babi. La señorita ha dado permiso para que nadie lleve babi. Yo no llevo babi nunca. Mi madre no se ha tomado en serio la necesidad de comprarlo. Todas estamos inmóviles cuando doña Encarna nos presenta al artista:

–Este señor es Hans Brienmaier.

Hans Brienmaier –o algo así, lógicamente no me acuerdo del apellido y me lo acabo de inventar– se pasea por los pasillos que quedan entre las tres filas de pupitres y nos va mirando una a una. Yo estoy segura de que se va a fijar en mí y de que me va a escoger para pintar el retrato, no sólo porque soy la niña más guapa, sino porque soy la que tiene un aspecto más simpático, más exótico –a veces la gente cree que yo también soy extranjera– y, sobre todo, porque sigo pareciendo una niña y no una señora. A las niñas de mi colegio, sus madres las visten con unas faldas de paño y con unas rebequitas que las hacen parecer señoras mayores. Hans Brienmaier se pasea y lleva a cabo una nueva inspección. Pasa junto a algunos pupitres demasiado deprisa y es evidente que, al pasar al siguiente, las niñas del pupitre anterior sueltan el aire de los pulmones y aprovechan para quitarse con el dedo ensalivado una mota de polvo de la punta charolada de sus merceditas. Todas nos estiramos cuando el artista se detiene a nuestro lado. Llega mi turno y yo, en vez de sonreír al señor Brienmaier, levanto un poco la cabeza, subo las cejas y me quedo como mirando para otro lugar, mostrándole al pintor mi mejor perfil y ese rostro serio que sé que tanto me favorece. El señor Brienmaier no me presta más atención que al resto de mis compañeras y el hecho no sólo me resulta extraño, sino que comienza a ponerme nerviosa e incluso a irritarme.

Finalmente Brienmaier escoge, ante treinta y nueve miradas atónitas, a Dolores. Dolores es una niña obesa que a ninguna de nosotras nos parece guapa. Lo tenía todo grande y su madre la mandaba a la escuela con unos ponchos de lana de colores con borlitas de adorno que le daban el aspecto de un cuarto de estar. Yo estaba segura de que en casa de Dolores había pañoletas de ganchillo sobre los brazos de los sofás y flores de plástico. Fotos enmarcadas de la primera comunión y de las bodas de sus hermanos y hermanas. A Dolores, de vez en cuando, incluso se le caía la guinda y no se daba cuenta. Además, cuando salíamos al recreo, Dolores era torpona, corría como si fuera un caballo de labor y a menudo yo tenía que curarle las heridas de las rodillas con el material del botiquín antes de que llegase doña Encarna:

–Ven, que yo te echo el agua oxigenada.

Me encantaba demostrar eficiencia, empaque y sangre fría delante de mis compañeras con los asuntos sanitarios. Ser una digna hija de mi madre. El agua oxigenada burbujea sobre los raspones y, si la compañera caída no se queja, le echo más para ver si así le duele un poco; experimento con algo tan crucial como el límite del dolor. Dolores, con la pierna en alto, me dice:

–Gracias.

La impensable Dolores –nunca la vi como una rival para ser modelo de un artista: había otras niñas que me resultaban mucho más preocupantes, Juana Amparo, por ejemplo– fue la elegida y, llenas de rabia y de estupor, presenciamos cómo Brienmaier la cogía de la mano y la conducía hacia la tarima para que todas la viéramos delante del caballete. Brienmaier y también doña Encarna eran un par de insensatos que no podían imaginarse la cantidad de odio y de envidia que estaban inoculando en nuestros corazones de comadreja. Dolores estaba asustada y no era para menos, porque era consciente del vacío que se le venía encima: zancadillas, imposibilidad de encontrar compañeras para jugar, nadie iba a quererla en su equipo del pañuelo, del balón prisionero o del rescate. Dolores ponía una cara de pena horrorosa que a Brienmaier parecía gustarle cada vez más.

Mientras seguía preguntándome cómo ese hombre podía haber sido tan estúpido y me reconfortaba pensando que lo más probable era que no me hubiese escogido a mí porque yo tenía un aspecto poco español y, sin embargo, Dolores no podía negar que era española –o mexicana, porque, con los años, me he retractado y he descubierto que Dolores era una María Félix en pequeñito, con el oscurísimo arco de sus cejas despectivas, las pestañas rizadas, los ojos oscuros y los marcados picos rojos del labio superior–; mientras yo seguía tratando de entender por qué un artista había tenido tan mal gusto –como si eso fuera imposible– y me vaticinaba un mal futuro como musa, que era un oficio que en aquellos años me parecía el súmmum de los oficios, junto con el de enfermera y el de esas cajeras de supermercado que dominan sus complicadísimas máquinas registradoras –recordemos que las matemáticas me producían fuertes impresiones–; mientras no entendía nada, iba viendo cómo Dolores salía de los pincelitos de Hans Brienmaier. Brienmaier estaba pintando una acuarela y las aguadas de color iban sacando a la luz a una niña hermosísima, sonrosada, de ojos oscuros y tristísimos, peculiar. Yo miraba el retrato y a la modelo y, de pronto, me di cuenta de que, en efecto, Dolores era como la estaba pintando Brienmaier y de que yo había necesitado que alguien pintara un retrato para fijarme en lo que tenía, cada día, delante de mis narices. Esta revelación marcó, sin duda, mi modo de concebir las artes y mi empeño en ser pintada alguna vez: cosa que conseguí y que no sólo no me hermoseó, sino que casi me hace acabar como mi pobre tía Maribel. Mi único consuelo fue que el objetivo de Brienmaier, un pobre pintor callejero que había seducido a doña Encarna con argucias en las que no quiero ni pensar, era venderles a los padres de Dolores el retrato y conseguir más clientes entre los padres de las alumnas de la misma clase. Brienmaier sabía muy poco de las niñas y no había previsto que nunca le íbamos a perdonar la elección de Dolores. Los padres de Dolores tampoco compraron la acuarela y la clase femenina de tercero de egebé de doña Encarna pronto olvidó a Brienmaier.

RETRATOS Y AUTORRETRATOS

La tía Pili, mi madrina, la hermana pequeña de mi abuela Juanita, fue la persona que rescató a mi madre de las dulcísimas garras de la muerte el día de mi nacimiento o de su parto, dos planos complementarios de un mismo suceso. Seguramente, gracias a ese comportamiento heroico, involuntario pero útil, y a la renuncia expresa de mi abuela, la tía Pili se ganó el privilegio de sujetarme sobre la pila bautismal. La tía Pili, el día de mi bautizo o el día que mi madre me bautizó, tanto por convicción propia como por imperativos sociopolíticos –decir «imperativos culturales» o «imperativos familiares» serían opciones eufemísticas y yo he aprendido de mi madre a desconfiar de los que hablan con atenuantes y prevenciones, y también de los que hablan en voz baja–, iba ataviada con un tocado rematado en una pluma y unos guantes que le subían hasta la mitad del brazo. No sé si la indumentaria se relacionaba con la moda del año 67 o con la excentricidad de mi madrina, que, también por imperativos sociopolíticos, es decir, económicos, no se había podido criar en casa de sus padres, al lado de sus hermanas mayores y de su hermano Bienvenido. Mi bisabuelo estaba o acababa de salir de la cárcel de Cuéllar, enfermo, y mi bisabuela Catalina no daba abasto. Así que mi tía Pili se crió con una mujer, a la que ella llamaba su madrina, que le enseñó a bailar sevillanas. La tía Pili se salvó, hasta cierto punto, de las miserias y, con un rencor que no se atrevió a reconocer, se convirtió en una mujer fantasiosa. Mi abuela Juanita solía comentar como en secreto:

–Es que mi hermana no está bien de la cabeza...

Cuando volvíamos a Madrid para pasar las navidades, me encantaba quedarme a dormir al menos una noche en casa de mi madrina. La casa, un piso bajo en la plaza de Bami, detrás de la calle de Alcalá, casi ya en el barrio de Quintana, era como un palacete rococó, con sus jarrones, sus tapices, sus ceniceros con naftalinas aromáticas, sus falsos arcos. Al cuarto matrimonial de la tía Pili se entraba retirando un visillo que yo a veces me enroscaba a la cabeza como si fuera un velo de novia. Entre aquellas paredes, cualquier juego era verosímil y mis fantasías más cursis se hacían realidad. La tía Pili era modista y guardaba telas e hilos de lamé, con los que yo podía disfrazarme de emperatriz –escenario bávaro, en el dormitorio–, de mora cautiva –escenario oriental, en el salón– o de náufraga que espera que la encuentren, mientras construye su cabaña entre los troncos de dos palmeras y pone a cocer cangrejos –escenario salvaje, distribuidor previo a la cocina–. En la barandilla de la escalera de la tía Pili –aunque era un bajo era necesario subir unas escaleritas para acceder a la vivienda–, subiendo y bajando, deslizándome, ratifiqué el goce de la masturbación que ya conocía de las barras de los columpios de los parques, de los brazos de los sillones y de los bordes de los bidés. Me encantaba ir a casa de la tía Pili y, mientras los adultos charlaban, deslizarme con las piernas abiertas por la barandilla. Después, complacida, era lógico que quisiese quedarme a dormir.

Mi madrina era una mujer fantástica, no sólo en el sentido de que fuera alegre y estupenda, sino también en el de que era fantasiosa. Como ya he insinuado, sospecho que era fantasiosa porque no le quedaba otra alternativa, pero ésa es una llaga sobre la que no me apetece poner el dedo. No quiero escarbar demasiado en las razones de la fantasía de mi tía Pili o en las razones que mueven a cualquier persona a utilizar la fantasía como un cuidado paliativo, sino en el efecto que sus fantasías tuvieron sobre mí. Historias tristes hay muchas y siempre es conveniente conservar algún secreto guardado. Lo importante, para esta narración, es que mi tía Pili era muy moderna y fue de las primeras mujeres en España en usar pantalones. Este atuendo le costó que la apedrearan en un pueblo de Aragón durante una parada de un viaje largo en coche. Mi tía Pili fumaba y, en su época de vacas gordas, bebía cañas de cerveza y chupaba quisquillas en La Cruz Blanca.

Al despertarme en su palacete, ella solía tener dispuesto un lienzo para que yo lo pintase. A mi madrina le gustaba pintar al óleo más que la costura, y cogía el autobús para ver exposiciones en las salas del centro de Madrid. Para mí, pintar con un pincel era una actividad con empaque que no se practicaba en la escuela, donde sólo usábamos rotuladores, lapiceros y, en general, instrumentos no muy aparatosos. La tía Pili elogiaba mis pinturas de búcaros de flores –un tema recurrente en mis dibujos– y mis paisajes rurales. Podríamos decir que no resultaba ilógico que, al lado de una instructora fantasiosa, los motivos de mis pinturas fueran escapistas. Tampoco me ayudaba mi tía Pili a desarrollar mi vena autocrítica –cosa que le agradezco porque estoy bastante harta de esos buenos amigos que te obligan a ver la viga en el ojo propio: el ojo ya me duele mucho– y siempre encontraba algo valioso en mis pinceladas. Nunca he sabido dibujar, pese a las lecciones que P. E. trató de darme sobre la proporción, la simetría, la perspectiva, los sombreados y el trazo recto. Qué paradoja que fuera P. E. quien tuviera que instruirme respecto a estos pilares del clasicismo, ella que era un zigzag, una inclinación sobre el plano. No obstante, poseo cierta sensibilidad para mezclar masas de colores.

Como en esos años no consigo ser pintada por Brienmaier, pinto con mi madrina. Me hago sujeto de la creación y empiezo a asumir que tal vez ese papel activo se ajuste mejor a mi impaciencia. Adquiero la técnica para crear mi autorretrato, porque barrunto que no seré tan importante como para que alguien desee perpetuar lo que siente por mí y a través de mí, y concretar mi energía y mi encanto raro, mi electricidad y mis virtudes, en una imagen que por supuesto tendrá que ser hermosa. No me interesan ni la abstracción ni el expresionismo, tengo muy claro lo que quiero, sin conocer datos concretos de la historia del arte –ahora es cuando les pongo nombre a mis pretensiones–, y busco a: un pintor de madonas del Renacimiento; el diseñador de las figuritas de Lladró; un prerrafaelista; María Pascual, ilustradora de cuentos infantiles que pinta hadas con el pelo verde recogido dentro de una malla goyesca; un simbolista francés o un nabí en el periodo del *art déco*. Busco a: un Dante Gabriel Rossetti que me abulte los labios y me perfile la nariz con un escoplo; un Cabanel que me alargue el pelo; un Puvis de Chavannes que me plasme meliflua y evanescente; un Waterhouse o un Sir John Everett Millais que me transforme en una Ofelia que sobrevive al suicidio. Busco a un Renoir que me vista con los polisones de los luminosos merenderos de París. Y también busco a: un Enric Sió que me retrate en blanco y negro; un Maroto que me dé forma, me ponga un cruzado mágico bajo los jirones que me visten y me contornee los muslos; un Beà que me estilice –es decir, que me alargue los huesos y reste redondez a mis facciones– y me embadurne de colores pop. Soy una niña fatalista y sé que no voy a encontrar a ese artista multidisciplinar.

Yo misma ignoro cómo manejar los pinceles para retratarme del modo que aspiro a ser. Con mi tía Pili, pinto búcaros de flores y casitas de pueblo, pero nunca me atrevo a autorretratarme, aunque estoy deseando verme en una superficie que esté fuera de mí y que no sea un espejo. Los espejos me molestan. El fuera de mí no puede partir de mí misma, sino que ha de ser el regalo de otro, la visión ajena de alguien que me ame, una recreación que me complazca, no porque me hermosee, sino porque sepa captar todo lo que de hermoso hay en mí. Si fuera yo misma la que me autorretratase, nadie reconocería mis tirabuzones rubios ni mi cintura demasiado estrecha para ser la de una niña. Me acusarían de mentir y de ser benevolente con mis defectos.

Las cosas no han cambiado mucho desde entonces. No me ha quedado más remedio que tomar la palabra, porque nunca encontré un pintor con destreza. Sólo un fotógrafo, Joaquín Alcón, me hizo algunas fotografías. Joaquín, en los setenta, es un artista de éxito que se exilia en Benidorm para matar aves de corral y asarlas en un restaurante especializado en pollos. Ese gesto –inconcebible por su exceso de nihilismo o por su soberbia o su vacuidad– dibuja su psicología y es un detalle más para entender el conglomerado de la ciudad donde vivo en esa época. Sin embargo, Joaquín no es la mirada que yo ando buscando –no me ama–, así que cuando me crece la nariz y tomo conciencia más de la pérdida de mi fotogenia que de la de mi infancia, y descubro que él está viendo cosas de mí que no son las que yo pretendo proyectar; cuando él se cree que me conoce pero no me conoce en absoluto, le prohíbo que me saque más fotografías.

–Fotos no, por favor.

La artista tapa con la palma de la mano el objetivo y se coloca bien la pamela. Insisto en que, por mí, hubiese preferido ser la musa, pero Joaquín no entendía mis poses o quizá las entendía demasiado bien, así que, en cualquiera de los dos casos, es preferible que yo me retrate a mí misma eligiendo mi mejor perfil y mis días buenos. La luz adecuada y los acompañantes de la foto.

La tía Pili me recrea continuamente y no me abandona en mis teatrillos. También sabe cuál es el instante justo en el que conviene dejarme hablando sola, fingiendo voces, viviendo mi juego en la intimidad. El tópico pontifica y afirma que los hijos únicos y los niños consentidos, cuando crecen, son seres infelices, expulsados de un paraíso, seres que se regodean en su perversidad y se creen con derecho a todo. Angelitos caídos. Pero son mucho peores los seres que desde pequeños se ven obligados a luchar por la vida, los ceros a la izquierda, los niños que comen en una mesa separada para no molestar a los mayores y se meten la comida en la boca igual que criaturas salvajes. Los niños a los que se ha hecho sentir niños como si eso fuera una deficiencia y una culpa que se cura con el envejecimiento. A los niños hay que pasearlos por la casa diciéndoles que son príncipes. Después ellos solos se convencen de que no y, al salir al exterior, tienen la oportunidad de ser modestos, de darse cuenta de que la vida es ir perdiendo poco a poco –se van gastando las monedas, las fuerzas y la salud– y de que ganar a cualquier precio no sirve de nada, aunque siempre es necesario conservar esas ilusiones que llegan a destiempo o que no llegan. Los niños que han comido en la cocina con sus hermanitos se transforman en profesionales competentes, no reconocen sus errores y creen que vivir es ir yendo a más en lugar de a menos. Las niñas recreadas tenemos que consentirles que comenten que ser hija única es un estigma de falta de humildad y generosidad. Me dan miedo esos seres que se creen tan bondadosos.

A los niños hay que recrearlos, pero tampoco es preciso dialogar con ellos de estupideces. Mi madre me dice:

–Hasta que no te comas la comida, no te levantas de la mesa.

Yo obedezco. Más tiesa que una vara. Con el odio injustificado de los niños iracundos con memoria fotográfica para la acumulación de agravios. Obedezco. Pasan una, dos, tres horas, pero obedezco y puede que, al día siguiente, me coma las venas del pollo a la primera. Obedecer no es malo si las órdenes son justas –a veces, ni siquiera lo es cuando son injustas–. Yo hubiera sido una madre magnífica: habría obligado a mis hijos a hacer los deberes y, paseando por los parques, les habría enseñado a colonizar sus propios rincones.

La tía Pili sí le pintó un retrato a mi madre. Los pezones de mi madre se adivinan por debajo de su camiseta humedecida. En el retrato mi madre mete los pies en el mar. Mi madre, que nunca posó para Pili, no hubiese consentido ponerse una camiseta así porque, aunque le gusta estar atractiva, es bastante puritana y se ha formado un concepto de la elegancia que se coloca en las antípodas de la procacidad. Mi madre, aunque viviéramos en Benidorm, nunca enseñó las tetas tomando el sol. Las profesoras de mi colegio tenían que haberla visto con sus púdicos bikinis, recolocándose la parte de arriba para que no le quedasen marcas de los tirantes, mientras se ponía morena. Sin permitir que un mínimo fragmento de la areola asomara por ninguna parte. Con las ingles inmaculadamente depiladas para evitar pulsiones animales de observadores rijosos. Mi madre es en sí misma su propio retrato. La tía Pili escogió un motivo demasiado difícil y, quizá, en ese retrato que pintó de memoria expresaba su deseo de que la mujer de su sobrino se desinhibiese. Creo que la tía Pili fue quien enseñó a mi madre a fumar –aunque mi madre nunca se tragó el humo– y a beber cañas de cerveza en La Cruz Blanca o en otras cervecerías del país. En su retrato, mi madrina no captó la esencia de la personalidad de mi madre, sino la esencia de la personalidad de mi madre que mi tía Pili imaginaba. En el cuadro, el mar está bravío. Los ojos de la figura estática son los ojos de mi madre cuando mira de una determinada manera y esa coincidencia produce cierta inquietud; sin embargo, el cuadro carece de perspectiva y es una estampa primitivamente respetuosa de la ley de la frontalidad. Mis padres conservan todavía el cuadro colgado en el comedor.

Aunque mi madre tuviera madera para desinhibirse, para llevar camisetas con las que se transparentasen los pezones y para ser bravía como el mar, la tía Pili era así de magnificente con sus visiones de casi todo el mundo. Quizá por eso me convenció de que podría convertirme en una gran pintora entendiendo a la vez que prefiriese ser musa. Mientras, yo fingía recostarme semidesnuda en sus salones orientales de la plaza de Bami. La tía Pili ahora está en una residencia, sobreviviendo al Alzheimer y fumándose a escondidas sus pitillos con una recepcionista que le tiene compasión. Quizá dure muchos años o quizá muera el día menos pensado. Antes de que la ingresaran, pasó una mala época porque su magnificencia buena –este retrato es el mejor retrato, mi sobrina es la mejor sobrina, mi ahijada la mejor ahijada, el cristal que luzco en el dedo es el más precioso de los cristales...– se le trastocó en magnificencia mala y se vio perseguida por ladrones –siempre de la familia–, por conspiradores y cirujanos. Por eso dije al principio que no quería poner el dedo en la llaga de las causas de las fantasías de Pili. Ella se imaginaba que mi abuela Juanita le había puesto un chip en el cerebro. Es cierto que mi abuela Juanita podía colocar unas tijeras abiertas debajo de la cama para salvar a su hijo, pero carecía de los saberes necesarios para instalar un microchip en el occipucio de su hermana. Quizá por eso, desde hacía muchos años, antes de que a la tía Pili le diera por fantasear con mesas de operaciones, mi abuela Juanita decía:

–Es que mi hermana no está bien de la cabeza...

Pero mi abuela Juanita tampoco profundizó más, se mantuvo al margen, y quizá Pili, cuando las dos ya eran mujeres muy mayores, imaginó que su hermana le ponía chips porque le hubiera gustado que la ayudase a arreglar lo que no iba bien. Una de mis mayores culpas se parece un poco a la que Pili le podía imputar a mi abuela Juanita: desde que está en la residencia, no he ido nunca a visitarla. No me atrevo porque temo no tanto que no me reconozca como que yo no la reconozca a ella, y que se derrumben esas imágenes en las que me lleva la mano sobre el lienzo para definir aproximadamente el contorno de una hoja. Soy imperfecta, pero respeto mi memoria y soy agradecida, aunque sé que el agradecimiento no puede quedársenos dentro como un glóbulo rojo. No soy una persona completamente buena, pero las hay mucho peores: esos niños desatendidos –que no son lo mismo que los niños pobres–, que comen en mesas separadas de sus padres y que jamás reconocerían que existen personas a quienes con nocturnidad encerramos en el olvido.

LA HIJA DEL CARNICERO SE LLAMA YOLANDA, Y SU HERMANA, AZUCENA

Por lo que escribo de mis compañeras de colegio pudiera parecer que todas, ante mí, constituían una masa informe. Pero esto es sólo verdad hasta cierto punto. Por ejemplo, la hija del carnicero del mercado municipal estaba en mi clase, se llamaba Yolanda y tenía una hermana pequeña que se llamaba Azucena. Me parece que existía, además, una tercera hermana, más pequeña todavía, con otro nombre maravilloso que no consigo recordar. Yo no podía entender por qué los carniceros ponían nombres tan bellos –de princesa, de hada, de flor– a sus hijas, y mis padres, que habían estudiado una carrera y se jactaban de su buen gusto y de su sensibilidad para el arte y la literatura, me habían bautizado con un nombre, digamos, tan escueto.

–Sonoro.

Me decía mi madre para justificarse, si yo protestaba. Los nombres de las personas son muy importantes: África, Estefanía, Carolina, Verónica, Lidia, Amapola, que era el nombre de la hija de mi puericultora... Había tantos nombres preciosos de los que se me había privado que, durante algún tiempo, escribí en mis libretas un nombre ficticio. Todo formaba parte del esfuerzo por convertir en verosímiles mis ficciones y garantizar a mis compañeras que mi verdadero nombre era ese que figuraba en mis libretas: cómo, si no, iba yo a escribirlo en los libros para que la señorita me regañase. Mi nombre inventado era una mezcla de realidad y ficción como casi todos los productos del arte: me llamaba Marta Armonía Libertad, pero sobre todo Armonía, que era un nombre que sonaba muy bien, por significante y significado, que era «sonoro» de verdad y que mi padre me autorizó a ponerme dadas sus reminiscencias de la época libertaria de la Segunda República. Cuando me autonombraba Armonía, me imaginaba a mí misma con el pelo larguísimo y ensortijado, las carnes redondas y blancas, saliendo de mi casa con una vaporosa túnica griega, descalza, con una guirnalda de flores en la frente y tocando la lira. Mi libro de ciencias naturales –*Cosmos,* se llamaba, otro nombre precioso– tenía escrito en la primera página: Marta Armonía Libertad Sanz Pastor; el de lengua, lo mismo; las fichas de actividades, el de matemáticas, el de sociales, las cartillas de lectura, todos, Marta Armonía, con unos rabos de las mayúsculas parecidos a las volutas de las columnas jónicas. Aún hoy me fascina la cuestión de los nombres y a menudo anoto en un cuadernillo los remitentes de los correos electrónicos de publicidad que llegan a mi buzón: Lynette Padget, Mona Sams, Maura Odell, Jerry Knox, nombres con misterio, nombres de espías, de prostitutas jóvenes, de estibadores del puerto de Nueva York. Nombres que nunca usaré.

Yolanda tenía más virtudes además de su nombre: la inteligencia, la memoria, la mesura, la tranquilidad, la sonrisa, el ser buena. Yolanda era mi competidora en el recitado de las lecciones. Todas nos levantábamos de los pupitres y formábamos una fila, pegadas a las cuatro paredes del aula: la fila empezaba al lado de la mesa de la señorita, se extendía a lo largo de ese tabique e iba dando la vuelta. La señorita preguntaba de delante hacia atrás y, si una alumna colocada en una posición adelantada no sabía responder a una pregunta y la alumna inmediatamente posterior sí, la segunda avanzaba un puesto. A veces se daba el caso de que una alumna saltaba cinco o seis posiciones hacia delante y la señorita miraba con reprobación a las cinco desplazadas. Yolanda y yo siempre estábamos en el primer y segundo puesto. La una o la otra. Memorizábamos incluso la letra pequeña de nuestros libros, los pies de foto, las palabras escritas dentro de los esquemas y de las ilustraciones. La una o la otra. Cada tarde, a las tres en punto, llegábamos preparadísimas, pero Yolanda siempre aparentaba mayor tranquilidad que yo, como si tuviese la certeza de poder responder a cualquier pregunta extravagante, mientras a mí me daban retortijones y el corazón me sonaba dentro de los oídos. Pero nadie se daba cuenta de mi turbación. Ni siquiera Juana Amparo, así que, como uno es lo que aparenta ser, es posible que yo no estuviera realmente tan nerviosa y que Yolanda, con su impasible gesto y su boca que sólo se abría para responder a preguntas incluidas en la lección, se angustiara ante la rapidez de mis contestaciones. Mis compañeras, a lo largo de la fila, no experimentaban mi emoción ni mi conciencia del riesgo y se aburrían ante el cúmulo de mis respuestas acertadas. Era una rutina. No oían los resortes de mi cerebro al buscar la página de la respuesta ante el estímulo de la pregunta; las ruedecitas engrasadas de la memoria contraían y dilataban las pupilas, visualizaban el capítulo del libro, el párrafo, el dato singular por el que la señorita, con mala intención, haciendo experimentos, se interesaba con su apariencia de querernos mucho a todas. Yolanda esperaba con los brazos cruzados, apoyada en la pared, y yo no podía ver en sus pupilas los movimientos de sus ruedecitas interiores ni un atisbo de inseguridad. Yo, con los labios apretados, estaba tiesa, mientras ella sonreía como cada tarde.

Fue doña Angelita, la dulce profesora de cuarto de egebé, quien instauró este sistema de enseñanza-aprendizaje tan motivador para las alumnas. Nadie cuestionó el orden de la fila que la maestra impuso el primer día, los criterios que utilizó para disponer que Maire era la primera, María la segunda, Juani la tercera, Yolanda la cuarta, yo la quinta y así sucesivamente hasta llegar al puesto número cuarenta. Nunca me paré a pensar lo que sentían, cuáles eran los terrores, las paredes de azulejos blancos, la desgana de las alumnas que ocupaban a perpetuidad las últimas posiciones, las que no respondían –quizá ni siquiera escuchaban, tal vez ni siquiera estaban allí– a ninguna pregunta. Bárbara, María Luisa, Mari Carmen, siempre las últimas, tan alejadas de nosotras, de las niñas en situación de privilegio, que no las distinguíamos bien, las veíamos incluso feas, como si fueran una caricatura, un borrón, y considerábamos una pérdida de tiempo que la profesora se molestara en formularles la pregunta más fácil –pobre doña Angelita, qué desilusión, qué disgusto–. Éramos tan comprensivas. Bárbara, María Luisa, Mari Carmen serían las señoras que limpian la escalera y ni siquiera eso llegarían a hacerlo bien; serían las putas que se dejarían manosear la carne por debajo de la ropa en un descampado, por sucias, porque se tenderían sobre el colchón como si no fueran ellas, por tontas, por indignas. Las de la posición de privilegio, las seis o siete primeras posiciones de la clase, no estábamos dispuestas a ponernos en el lugar de las rezagadas; ignoro lo que pensarían las masas medias sobre esta cuestión; no sé lo que, por ejemplo, Juana Amparo opinaba desde su cómodo lugar número quince: de hecho, Juana Amparo y Bárbara hablaban algunas veces, pero es que Juana Amparo era una niña especial.

La última tarde del último día del cuarto curso de egebé nos jugábamos el puesto de honor. No había ningún premio, pero era el desenlace de la lucha de todo un año. Yolanda ocupaba la primera posición y yo casi me había resignado a ser la segunda porque Yolanda no iba a fallar. Ella tenía mejor memoria que yo y, además, seguro que no sufría esa pereza que a mí, cada tarde, al llegar a casa del colegio, me inducía a retrasar siempre hasta un poquito más tarde la hora de abrir los libros. Me imaginaba a Yolanda, limpia, con las uñas impecables y sin quitarse el babi, sonriendo frente al libro, mientras memorizaba las lecciones y pasaba con parsimonia, chupándose el dedo, como los adultos, las páginas que sin perturbaciones iba asimilando y grabando en el rollo de su pianola cerebral. Mientras tanto, en mi casa, yo remoloneaba, masticaba la merienda, me mordía las uñas, me embadurnaba de pegamento las palmas de las manos y me juraba a mí misma que, cuando hubiese retirado la totalidad de la película transparente de mi piel, me pondría a estudiar; después, abría el libro y, leyendo la página dos, volvía a la uno porque el rollo de la pianola de mi memoria era imperfecto y, leyendo la página dos, evocaba un dato de la uno que se me había olvidado. Después, al dejar de estudiar, mientras hacía como que jugaba, volvía de nuevo a la lección porque era incapaz de responderme las preguntas que me iba formulando mentalmente, quitando y poniendo las bragas a la Nancy o cortándole, rabiosa, el pelo y los pezones a cualquier otra muñeca de plástico.

Yolanda y yo vamos contestando todas las preguntas como era previsible. No hay fallos ni oscilaciones en el movimiento continuo de preguntar la lección, de delante hacia atrás, de atrás hacia la zona de la masa media, de la masa media hacia atrás de nuevo y, de manera imprevista, otra vez hacia delante. Doña Angelita sonríe a una Yolanda que le devuelve la sonrisa, y le formula una última pregunta para subrayar su poderío y proclamarla campeona del curso por pleno derecho:

–A ver, Yolanda, ¿cómo se llama el instrumento de viento que aparece en la primera página de la lección y que no es ni un clarinete ni una trompa?

La respuesta es sencillísima, yo me la sé y Yolanda también. Yolanda mira fijamente a la profesora sin borrar la sonrisa. Parece que no ha entendido la pregunta. Yolanda no pide una reformulación, tan sólo sonríe y pone ojos interrogativos, de modo que doña Angelita vuelve a preguntar:

–Yolanda, ¿cómo se llama el instrumento de viento que aparece en la primera página de la lección y que no es ni un clarinete ni una trompa?

No puedo creer que Yolanda no sepa la respuesta, no me

quiero hacer ilusiones, pero comienzo a sentir que se me seca la boca, que el corazón me machaca la caja del pecho, que se me mueve una rodilla y que mi cuerpo se va inclinando hacia delante, destacando de la fila e indicando a la maestra que yo sí me sé la respuesta. Me siento como cuando me tiro a la piscina y nado como una loca más allá del límite de mi resuello, visceralmente, sudando debajo del agua, para ganar la medalla de oro falso y la palmadita en la espalda de mi entrenador. De pequeña, me encantan y me repugnan estas situaciones extremas en las que noto que soy hueso, músculo, rabia, circulación sanguínea. Ahora sólo me repugnan la soberbia del que gana y la humillación del que pierde. Menos uno, todos pierden y los derrotados, lejos de desaparecer, son estremecedoramente visibles. No encuentran un lugar donde ocultarse. Doña Angelita da una tercera oportunidad a Yolanda, quien, indescifrable, mira al frente, hacia la pared donde Bárbara se muerde las uñas, ajena a todo, y María Luisa se mueve mucho, como si se estuviese meando.

–¿Yolanda?

Yolanda permanece callada y doña Angelita suelta el aire de sus pulmones –para ella ha sido un momento de tensión: nunca pensó que Yolanda pudiera defraudarla– y se dirige a mí:

–¿A que tú sí que la sabes?

–Un oboe. El instrumento de viento que aparece en la primera página de la lección y que no es ni un clarinete ni una trompa es un oboe.

Doña Angelita me felicita y me coge del brazo para que supere a Yolanda y ocupe el primer puesto. Mis compañeras no aplauden, no comparten mi orgullo del último día, siguen más aburridas que una mona, rompen filas en cuanto la profesora dice que es hora de irse a casa. Yo estoy muy feliz, pero Yolanda me da un poco de pena, así que la busco para quizá hacerle una caricia parecida a la que a mí me hizo Juana Amparo. Cuando la encuentro, Yolanda sigue sonriendo, con sus brazos cruzados, asintiendo con la cabeza a las explicaciones que le da una niña que le está hablando de otra cosa. Yolanda parece no sentir ni padecer y, si lo parece, a lo mejor es que es así, y eso me enerva y me da envidia: la misma envidia que ella jamás experimentó, lo cual no dejaba de ser indignante.

Yolanda era una niña inteligente y equilibrada. A los quince años, en uno de esos periodos de vacaciones en los que regreso al pueblo de mi niñez, Yolanda atiende a los clientes en el despacho de carne de su padre. Acciona los mecanismos para poner en marcha la picadora. Aprieta la carne con una maza de madera para que pase por el émbolo. Sus uñas no están limpias y se cubre la ropa –ajustada, con chinchetas y brillos– con un delantal manchado de salpicaduras sanguinolentas. No es una mole impasible, el cilindro de la infancia, el monolito, sino que parece que se va a caer redonda de un momento a otro. Habla mucho y les gusta a los chicos. Es popular en el instituto. Yolanda se ríe con una risa boba. Pero a mí –que como siempre he estado fuera de todas partes puedo tomar la distancia adecuada para percibir los cambios y las calcificaciones– no me engaña: está acorralada y sigue siendo tan lista y tan fuerte como siempre.

UN TERRITORIO DIFÍCIL

Mis padres a menudo se preguntan qué demonios hacen viviendo en una ciudad turística; una ciudad que, a medida que va creciendo desde la orilla de la playa hacia los montes, se vuelve provinciana y que, pese a sus muchos hoteles, peca de falta de hospitalidad. Una ciudad cerrada y secreta por debajo del plástico de su envoltorio, de su cobertura de chocolate. En el paseo marítimo, bailan mulatas con los ojos en blanco, los chavales reparten publicidad y un hombre retrata a los turistas con un mono disfrazado. El mono se enrosca en el cuello de una mujer renegrida por el sol; se asoma a su escote. La mujer ríe con angustia. Aparta su cara de la cara del mono, que, con sus dedos siniestramente largos, le tira de los pendientes. Quizá sea un mono ladrón. El fotógrafo encuadra y está casi a punto de disparar, cuando el mono muerde la carne del escote de la mujer renegrida, que profiere un grito y una frase en una lengua indescifrable y busca a un policía, mientras el fotógrafo y su mono –durante muchos años, para mí, un niño rarísimo con el que insistía en fotografiarme– huyen cogidos de la mano hacia la parte tenebrosa y alta de la ciudad. Hacia la parte cerrada. El hombre y el mono echan la llave, y la mujer, llorando, se dirige hacia el sanatorio para que le administren una inyección antirrábica. Nunca más me puse pesada para que mis padres pagaran cuarenta duros o quinientas pesetas –no me acuerdo, en esa época no manejo el dinero– por fotografiarme con el mono. Vivíamos en un territorio difícil, a veces hostil, a veces marciano, rodeados de escenas con gente disfrazada y con monos, en esa franja en la que la risa puede transformarse en grito y en la que lo que es muy cómico puede acabar en un macabro desenlace.

Desde abajo hacia arriba, mientras se sube por las calles en cuesta que van del mar a los descampados que anticipan los huertos, los bancales, las áreas fértiles, los almendros en la falda de la montaña, hay zonas y personajes de transición: un inmigrante andaluz, que regenta un bar, habla a su perro ataviado como un recién nacido; un abogado, procedente de otra provincia, vuelve de la Audiencia después de pleitear por una expropiación de terrenos, en un periodo de autopistas que se expanden, rompen los perfiles de la costa y serpentean por la superficie de los mapas; el especulador inmobiliario abre una oficina y el decorador de interiores monta una tienda; el peluquero extravagante se tiñe el flequillo y se prepara para la fiesta nocturna; el bohemio o el diletante, los hijos pródigos de familias burguesas, vienen a vivir a la playa para descansar, destruirse u olvidarse de quiénes son; un traficante de hachís se enamora de una florista; una mujer madura, con aspecto indígena, se venda los pechos hasta reducirlos a una especie de barriga alta, se pone gomina, se viste de hombre y va por la calle tocando un guitarrillo y cantando con voz de plañidera para conseguir un dinero con el que irse de putas a los bares del arranque de la autopista. A mis padres les crecen los enanos del circo, porque no saben en qué punto de la cuesta les toca vivir. La gente del pueblo cierra sus casas con cuatro candados.

Los primeros años nos establecemos en la parte alta, al lado de la escuela; con el tiempo vamos bajando hasta conseguir un apartamento frente al mar. Como si fuéramos turistas todo el año, sin formar nunca parte de la ciudad cerrada. Nos acompañan otros turistas perpetuos.

Mientras yo estoy en clase, contestando a todas las preguntas, limpiando todas las heridas, vigilando a todas las niñas y cambiando el agua de todos los floreros al llegar el mes de mayo, mis padres discuten porque en casa no entra mucho dinero. Mi madre compra carne congelada en un puesto del mercado municipal que no es el del padre de Yolanda. Mi madre pasa mucho tiempo sola; se arrepiente de haber dejado su profesión para irse a vivir a este lugar que ni entiende ni quiere entender y en el que cada persona le parece un enemigo. Mi madre no sabe para qué han servido sus esfuerzos –la más joven de su promoción, las guardias nocturnas, los libros memorizados de anatomía–, sobre todo cuando ve que su casa se asemeja a una pensión y que ella es la fregona, la cocinera y la asistente psicológica de las novias de los encuestadores que se alojan en nuestro hogar sin pagar realquiler ni llenar la nevera; de las becarias yanquis que vienen a desarrollar los trabajos de campo de sus proyectos de investigación; de los familiares que llegan en principio para pasar las vacaciones, pero se quedan con nosotros para huir de distintas circunstancias de la vida o, al menos, camuflarlas. Nuestra casa es un refugio, un lugar en el límite, al que arribó Maribel, así como una cantidad indeterminada de esos hijos pródigos que vienen a recuperarse de sus enfermedades, de sus suspensos o de sus persecuciones políticas. Me gustaría saber dónde está ahora toda esa gente que dejó las paredes de mi casa humedecidas por las malas vibraciones. Vinieron, se limpiaron y se fueron sin recoger su mierda. De vez en cuando, mis padres acogen a niños con los ojos cosidos; niños alejados de sus hogares, protegidos de los momentos de crisis, que patalean en nuestra casa porque ellos tampoco entienden qué están haciendo allí, y nos queman los cojines y se ponen mi ropa y me la manchan y ocupan mi habitación... Soy una hija única que no puede permitirse ser egoísta, porque comparto mis cosas y asumo responsabilidades y, pese a los inconvenientes de la lucidez, me alegro de que nunca nadie me apretara los ojos, como un retalito, y uniera el párpado de arriba y el de abajo con puntadas provisionales, con pespuntes. Me alegro de que me dejaran enterarme de todo. Soy, desde niña, una persona. Tomo conciencia de mis deberes y de mis derechos. Los paños nunca están calientes y tampoco se me escatiman las felicidades. En cuanto a mi madre, aunque a veces se divierte porque cree que está conociendo gente interesante –en esa época mi madre es ingenua–, sufre de melancolía.

Mi madre tiene todo el tiempo del mundo y a la vez no dispone de tiempo para nada, y está triste o de mal humor y es dura y vulnerable, mezquina y generosa. Mi padre la mira y ella le rechaza o se acurruca en él y, en ambos casos, se declaran el amor delante de mis ojos. Vivo tantos momentos de celos por la perfección conyugal, como de angustia ante la destrucción inminente: celos por un amor excesivo al que asisto día a día y que en el fondo me conforta; angustia por pensar que todo podría quebrarse y yo me quedaría medio huérfana. Es mi madre quien siempre lo pone todo en tela de juicio –con razones que sólo ahora consigo entender o con la certeza de que existen amarres tan fuertes que se los puede someter a todo tipo de estiramientos– y eso provoca que la mire con tanta adoración como miedo; con tanta perplejidad como lástima. Mi madre puede reprocharme que no supe estar del todo a su lado. De estos vaivenes fui aprendiendo el significado de la mesura y de lo incondicional, cómo se ejerce presión en superficies pequeñas y qué es la voluntad de querer. También desarrollé habilidades para disfrutar de mi amor serenamente, incluso en esos momentos de estrechez que ya están aquí, que nos acucian, que nos cercan sin conseguir destruirnos porque hemos visto y aprendido muchas cosas.

LA NUEVA

Los pupitres de mi clase se distribuyen en tres filas. Son pupitres de dos y la figura de la compañera forma parte de la identidad. Los pupitres de delante están ocupados por las niñas más listas y el hecho de estar ubicada en los primeros puestos de la fila junto a la ventana, de la fila central o de la fila más próxima a la puerta también tiene su importancia. La fila más prestigiada es la que está junto a los ventanales; la central es la fila del prestigio medio; la de al lado de la puerta, incluso en los pupitres más próximos a la pizarra, es una fila puesta en entredicho. Es decir, el caché por ocupar el tercer pupitre de la fila de la ventana es más alto que el de ocupar la primera mesa de la fila de la puerta. A partir de la cuarta posición de cualquiera de las filas, se cae en las medias tintas, en la purrela, en el amasijo de niñas insignificantes y prescindibles. Los últimos pupitres de la fila de la puerta son para las condenadas. No saberse un día la lección implica que, si la señorita no está de humor, puede obligarte a cambiar de asiento. Describo esta mecánica con la minuciosidad que me permiten mis recuerdos porque, si bien los interrogatorios vespertinos –los adelantamientos y desaceleraciones de mi bólido y del de Yolanda al entrar en una curva– tenían un cariz deportivo, dentro de la misma filosofía pedagógica la posición del pupitre marcaba el estatus cotidiano, el valor real de las alumnas no sujeto a azares. La fila podía entenderse como un juego; ocupar tu pupitre con puntualidad, conservarlo, no era un juego: era una cuestión de clase.

Todos los años las niñas autóctonas se sitúan en los primeros pupitres de la fila de la ventana y de la fila central. Las pobres niñas autóctonas no tienen la culpa de sus privilegios. Algunas son incluso muy buenas personas. María Beneyto trata de integrarme en su mundo, porque somos vecinas y jugamos de balcón a balcón. A mí me gusta su pelo rubio y sedoso, lo admiro y se lo envidio, sobre todo cuando su madre sale al balcón a peinarla después de haberle lavado la cabeza. María me invita a las clases particulares que su tía Rita le da después del horario de colegio. La tía Rita es una mujer hombruna, que se pone mocasines, faldas tubo y la inevitable rebequita. Un gesto muy de las profesoras es tirar de los extremos de sus rebequitas y cruzarlos sobre el pecho, pegando los brazos a sus torsos y camuflándose las mamas. Es un gesto de violencia y de pudor, pero a mí me parece un gesto hipócrita, del que sólo me creo la furia. La tía Rita no está casada. La tía Rita nos pone deberes a las dos y, como yo termino rápidamente, charla conmigo de otros temas, mientras María acaba de resolver las multiplicaciones o los análisis morfológicos –tan inevitables como las rebequitas–. La tía Rita se ríe muchísimo con mis relatos, aunque es posible que su objetivo sea sacarme información. Yo le cuento mentiras, que siempre esconden verdades, porque me gusta alardear y porque, como María es muy buena persona, creo que la tía Rita también lo es y que se está forjando una imagen estupenda tanto de mí como de mi familia. Soy yo la que se siente mala persona por mentir tanto. Me encanta que un adulto del pueblo me preste la atención que la tía Rita me dispensa. Es más, sospecho que esas mentiras que a mí me parecen maravillosas, una muestra de la ejemplaridad de nuestra vida cotidiana, y que posiblemente la tía Rita colocará en el catálogo más alto de la depravación –mi abuela fuma; mi padre le besa el cuello a mi madre mientras ella manipula los ingredientes de sus recetas exóticas, justo antes de tomar el aperitivo con nuestros perpetuos invitados; mi prima sale a bailar por la noche; me monto en la moto de un amigo de mis padres que está perdidamente enamorado de mi madre...–, esas mentiras que sólo lo son hasta cierto punto me pueden ayudar a escalar posiciones en la escuela, porque sé que lo que le cuento a la tía Rita será tema de conversación en los corrillos de las profesoras que hablan en valenciano. Siempre he sido mucho más ingenua de lo que me gustaría y no entendía por qué mi madre se enfadaba conmigo cuando yo, como un libro abierto, le explicaba cómo había pasado la tarde en el piso de la tía Rita.

–Hija mía, tú eres tonta. ¿Por qué tienes que decirle a nadie si yo preparo pollo al curry o si nos comemos los mocos?

Parece que estoy escuchando a mi madre. Está bastante alterada y eso que sólo le he contado mi conversación con la tía Rita sobre los menús. Mi madre me explica que interesarse por lo que se come o se deja de comer en una casa es de mala educación, a no ser que seas médico; que lo que las personas comen implica muchas otras cosas: por lo que alguien come puedes saber si es religioso o ateo, vegetariano o carnívoro, cuál es su lugar de procedencia, si es rico o pobre, descuidado o virtuoso, incluso si es limpio o sucio, si tiene prisa o mucho tiempo libre y cuál es su humor y su estado de ánimo. De la misma forma, sigue hablándome mi madre, no se debe escarbar en los cubos de la basura, porque, además de ser una cerdada, constituye un atentado contra la intimidad y está penado por la ley. Esta información me resulta fascinante y la archivo en mi cerebro para utilizarla en una ocasión propicia. Mi madre no da abasto conmigo, porque yo me creo muy lista pero en el fondo soy tonta de baba. Ahora bien, esto nunca podría decírmelo mi madre, porque a mí de pequeña si me decían que era tonta o me recordaban que era una niña y que aún no lo sabía todo, me daba una pataleta. O peor: me venía el resentimiento. Así que del atisbo de bronca de mi madre me quedo con la copla de los cubos de basura, mientras que a la tía Rita, que sí es mucho más astuta de lo que parece, sigo contándole lo que me da la gana sin reparos. A mi madre le digo:

–Sí, mamá.

Y sigo disfrutando de las conversaciones con Rita.

María Beneyto, al comenzar el curso, siempre está en el primer pupitre de la fila de al lado de la ventana. Yo casi siempre me siento en el primer pupitre de la fila de al lado de la puerta. Mi compañera es Mónica, que, no por casualidad, es una niña de Bilbao. Cuando acaban los cursos, por mi obcecación y por una disciplina que mis maestras no entienden, considerando las disipaciones de mi hogar, ocupo siempre el pupitre que originalmente le correspondía a María Beneyto, mientras ella ha sido desplazada al que está detrás de mí. Recuerdo la frase preferida de las profesoras para definir el buen rendimiento de una niña:

–Es muy aplicada.

Era lo mejor que podían decir de ti. La curiosidad, la inquietud, la rebeldía, la imaginación no constituían valores y, sin embargo, yo aprendí mucho a lo largo de esos años y a menudo me pregunto si esa educación no fue la mejor que podía haber recibido. Qué hubiera sido de mí si hubiese asistido a un colegio caro, creativo y liberal; tal vez, me habría enganchado a la heroína y ahora sería diseñadora de joyas, regentaría una casa rural y la mala conciencia me impediría hacer lo que deseo, es decir, lo que racionalmente he decidido y que tanto choca con lo que se supone que debo desear. Conozco muchos de estos casos, pero ahora aún permanezco sentada en el pupitre del colegio, mientras María se resigna a estar en el banco inmediatamente posterior al mío, consciente de que, después de las clases, cuando vamos a ver a su tía, ella es más lenta aunque también más minuciosa. María es una niña aplicada, pero le cuesta acabar las tareas porque le falta el otro ingrediente fundamental para el aprendizaje:

–¡María! ¡Discurre! Es que no discurres nada. Discurre, María, discurre, que no es tan complicado...

Discurrir es buscar caminos. Hay que aplicarse, hay que repetir, hay que memorizar y que mimetizarse, hay que destacarse sin subvertir el orden establecido, pero también hay que discurrir. Las señoritas nos daban buenos consejos quizá sin darse cuenta.

La fila junto a la ventana es la que permite mirar directamente a la profesora y seguir el juego de sus explicaciones con muecas que se van ciñendo al discurso docente. Mientras la señorita explica, nosotras asentimos y nos sujetamos el mentón con la manita, proyectando el cuerpo hacia delante como muestra de gran interés, riéndonos con los chistes –pocos, muy pocos– que sólo la señorita, los mayores o las alumnas más inteligentes captan. No es que nos complazca parecer mayores de lo que somos, es que nos encanta ser viejas. El primer pupitre de la fila del centro es desde el que mejor se ve la pizarra. El primer pupitre de la fila de al lado de la puerta es el de las corrientes de aire. Casi todas las niñas que ocupan esos lugares se constipan. Los últimos pupitres de esa misma fila están pegados a los percheros y las niñas condenadas se esconden entre la ropa y se duermen sin que nadie les preste atención. Supongo que sus sueños serán algodonosos y confortables. Una niña dormida es una niña doblemente despreciada. Nadie las despierta pero, a la hora del recreo, no se les permite participar de los juegos, y las niñas condenadas hacen piña y se esconden en los lugares más recónditos del patio. No se mueven mucho.

En esta sociedad, perfectamente articulada, irrumpe un día una nueva alumna. Ya estamos en cuarto de egebé y yo, todavía en el primer pupitre de la fila de la puerta –aún no ha comenzado la lucha de este curso para ascender en el escalafón–, veo cómo Mónica, mi compañera de Bilbao, es exiliada al banco de detrás y, a mi lado, colocan a la nueva. Mónica y yo entendemos los sentimientos de la nueva porque, aunque ya estamos bastante resabiadas, a nosotras se nos trata como si fuéramos nuevas al comienzo de cada curso escolar y quizá por eso en los recreos Mónica y yo sobresalimos por nuestra mala leche, por nuestra rabisalsera capacidad de mando, mientras que las niñas autóctonas son dulces y lánguidas y no están acostumbradas a pelear por un mendrugo. No tienen rabia. La decisión de la señorita de que la nueva se siente conmigo me enorgullece, porque posee un significado honorífico: la señorita decide que la nueva se siente a mi lado porque cree que a mi lado la nueva va a aprender y se va a familiarizar enseguida con nuestra legislación. Doña Angelita confía en mí, y la nueva y yo, las dos juntas, deberemos ir ascendiendo posiciones como dos prófugas unidas por unas esposas, desplazándonos por las filas de la clase hasta acceder al preciado puesto junto a las ventanas. Ignoro si la nueva va a estar a la altura, pero yo de momento me hago la buena y la simpática, para que la señorita ratifique lo maja que soy y lo que colaboro.

A veces me pregunto si en el colegio pasé miedo, pero a mí me encantaba ir al colegio e incluso un domingo, muy temprano, me vestí yo sola y me planté en la puerta a esperar que los bedeles descorrieran los cerrojos de la entrada. Me había despistado, pero mi despiste no era otra cosa que la expresión de una necesidad. Yo no pasé miedo en las clases; tan sólo desarrollé mi instinto de supervivencia. Encontré esta respuesta cuando, el otro día, uno de mis gatos se incorporó del sillón y se puso a toser, con la lengua fuera y las patas recogidas en un ovillo. Nuestra gata se cayó al patio y, aunque sobrevivió, se quedó tocada de los pulmones. La gata, al expectorar, abre mucho los ojos, con su lengua rosa que asoma entre el morrito triangular. Cuando un gato vomita o tose, crees que se va a morir, pero el gato, tras superar el mal trago, se queda tranquilo. Mi marido y yo nos quedamos mirando a la gata; después yo me levanté y le di al animal unas palmadas en el lomo, porque nosotros tratamos a los animales como si fueran personas –si no, no los tendríamos–, y él me preguntó:

–Marta, ¿tú crees que la gata tiene el mismo miedo que nosotros cuando nos encontramos mal, cuando creemos que nos pasa algo?

No supe responder a mi marido, que a veces es un poquito neurótico –no quise seguir jugando con él a un juego en el que yo misma tiendo a caer y del que incluso puedo llegar a disfrutar–, pero más tarde pensé que mi gatita, con los ojos tan abiertos, no tenía miedo, sino que sencillamente se resistía a morir.

Mónica no está demasiado alegre con su exilio al pupitre de detrás; le molesta que yo no me haya rebelado; que no haya fingido un poco de pena por nuestra separación. Mónica no entiende que no somos novias ni hermanas, que somos, tan sólo y coyunturalmente, compañeras de pupitre. A Mónica tampoco le ha gustado que yo haya invitado a la nueva a sentarse sin marcar la raya, separadora de territorios, sobre el tablón del pupitre en el que escribimos mensajes. Las compañeras de pupitre, pese a ser siamesas para tantas cosas, han de reivindicar su independencia y su insumisión en ciertos aspectos.

–No metas el codo en mi lado, idiota.

Era nuestra frase cotidiana: de Mónica o mía. Nuestro trato es exquisito y nuestra sociedad funciona: ella me hace los deberes de matemáticas –me fío mucho más de ella que de mí misma y esta confianza no me hace sentirme mal en absoluto– y yo le hago a ella todo lo demás. Me caía muy bien Mónica. Llevaba los vestidos con los nidos de abeja y los bordados más hermosos; las blusas mejor planchadas; y era una niña que olía a suavizante. La nueva huele a otra cosa –a mondas de patata y a raspas de pescado y a limaduras metálicas y a colonia nenuco y a boca de perro– y está tan apretada como todas las nuevas.

Más apretada incluso, porque no sólo es nueva, sino que además ha llegado tarde y no está familiarizada con el complejo funcionamiento de nuestro pequeño estado policial. Tampoco es una niña autóctona; procede de Albacete. Al menos yo disfruto de cierto prestigio capitalino y Mónica del de ser de Bilbao, pero Albacete es un inconveniente que hay que añadir a la lista de agravios que la nueva trae en la conchita de caracol que carga sobre los hombros. La nueva no es hija de un empleado de banca –como Mónica o María Beneyto– o de un profesional liberal –como yo–, no es hija de un comerciante de la zona –como Juani o Loli o Ana– ni de un policía –como Paqui D. o Calimero, que está en la clase de los chicos–: su padre es el dueño de un desguace y eso suena a grasa, a ruina y a proletariado. La nueva puede acabar dormida entre la ropa del perchero.

Pero la nueva me tiene a mí y además es salvaje. Parece que te va a echar una dentellada en cualquier momento y lanza miradas durísimas. Hay personas que poseen la habilidad de que te sientas honrado por el mero hecho de que te regalen su amistad: las personas que hablan poco y precisamente a causa de ese mutismo parecen inteligentes; las personas que tienen mal carácter o practican la ironía y la maledicencia y que te salvan de sus dardos, aunque te conviertan en cómplice de sus tiradas; las personas difíciles, que un día deciden que sólo tú les vales como interlocutor –me estoy acordando de Hannibal Lecter o de los chavales ingresados en un reformatorio–. Enseguida me doy cuenta de que esta niña no sabe fingir y la compadezco; a la niña agria, de entrada, mi compasión no le gusta, pero un poco más tarde le da calorcito y se abandona, porque desde el primer día empieza a sentir por mí una mezcla de envidia, dependencia y admiración. Este proceso psicológico se concentra en unos minutos. Es el resultado de una toma de contacto que yo culmino preguntándole su nombre, porque la señorita no nos lo ha dicho. Las nuevas carecen de nombre hasta que dejan de serlo.

–¿Cómo te llamas?

–Paquita.

–Pues no te pases de la raya, Paquita.

Paquita me suelta un bufido y me mira de reojo. Coge su boli y marca aún más la raya de separación que Mónica y yo habíamos establecido. Es una niña muy fuerte y marca la raya con tal empeño que la madera de la superficie del pupitre se hunde. La raya se convierte en surco. Sin embargo, parece que le gusto a Paquita porque, después de haber definido bien nuestro límite, se tapa la boca y se ríe, escondiéndose, para que yo no la vea. Mónica nos observa desde detrás y se comporta como una intrusa. Entromete su cabezón entre los nuestros y nos impide ser naturales. Olisquearnos para saber qué podemos esperar la una de la otra.

Paquita es agria y su voz es desagradable –cuando ha dicho que se llamaba Paquita casi me estallan los oídos–, pero le salen hoyuelos al reír, tiene un diente partido y los ojos rasgados. Es un duendecillo que refunfuña. Yo la observo por el rabillo del ojo y la voy fichando: si lleva o no lleva pendientes, si se muerde los padrastros, si va vestida de niña o de señora, la medalla que le cuelga del cuello, qué tipo de cuadernos ha traído en su cartera. Ella hace lo mismo conmigo. La primera hora transcurrida ha sido suficiente para cerciorarnos de que nos vamos a entender.

Durante su primera mañana en la escuela, Paquita da malas contestaciones a las otras niñas:

–Vete a la mierda, niña.

A mí empieza a sonreírme sin esconderse y yo acentúo mis instintos de protección. Durante el recreo, competimos, arriesgándonos en distintos juegos y con distintos relatos, pero lo dejamos pronto, porque ganar o perder no nos importa y, cuando cualquiera de las dos pierde, la otra se siente mal. Sin embargo, nos seguimos enzarzando en competiciones como cachorros de tigre. No es que nos caigamos bien, es que nos queremos mucho a primera vista.

De vuelta en el aula, me complace comprobar que las respuestas de Paquita, ante el interrogatorio de la profesora, suelen ser escuetas pero acertadas. Mónica lleva toda la mañana tirándome del pelo y dándome golpecitos para que me dé la vuelta; sin embargo, Mónica se desdibuja y empieza a ser para mí una figura remota. Pero Paquita está un poco harta –Paquita se harta a la mínima– y, entonces, vuelve la cabeza y grita a Mónica con esa voz de pito que es muy aguda y de repente se rompe:

–Déjala en paz, gorda.

Mónica cierra el pico, pese a que le acaban de comprar unas gafas que me parecen preciosas y que ella limpia con su gamuza y mete en su cajita y se pone sobre el caballete de su nariz, como mi abuela cuando cose. Cuando somos niñas, nos gustan las cosas de vieja y despreciamos a las jóvenes independientes que seremos en breve, las que se van a la playa a darse el lote con los muchachos; sin respetar las reglas del crecimiento, aspiramos a ser de golpe tranquilas mujeres, madres de familia, señoras que hacen punto con gesto de satisfacción, mujeres mesuradas que emiten frases justas, se cruzan la rebequita sobre el pecho y no han de reprocharse ningún experimento de juventud, ningún desliz. Más tarde todo eso se volverá contra nosotras. Ante la oportuna agresividad de Paquita, yo tampoco digo ni una palabra y dejo que Mónica se acurruque en los abrigos. Empieza a darme la impresión de que se le salen los pelos de los moños redondos que su mamá le sujeta por la mañana temprano. Veo a Mónica desgreñada, perdida entre las masas medias hacia la condenación, al borde de acumular suspensos en las asignaturas. Se dice que en la infancia los acontecimientos suceden muy lentamente porque todo es un deseo por llegar: los cumpleaños, la comunión, los regalos, las navidades, los quince, los dieciocho, el carné de conducir; sin embargo, también en la infancia, algunos acontecimientos se suceden a una velocidad vertiginosa y en un mismo día amas y odias a tus padres, buscas el método más limpio para asesinarlos y evalúas cuánto los echarás de menos, cambias de amigas y alteras las coordenadas de tu orientación profesional. Para mí, la llegada de Paquita desencadenó estos ritmos acelerados sin que me naciesen contradicciones en el corazón.

Mónica y María salen juntas de la clase y se van a jugar al lado de la fuente, quizá para darme celos. Las profesoras las observan y, cuando María llegue a su casa, su madre la regañará porque alguna maestra o alguna buena vecina le habrá chivado que María se ha parado a jugar con una niña de Bilbao que últimamente no destaca en clase. María es un pedazo de pan y yo conozco bien las artimañas y el carácter fuerte de Mónica. En cuanto a mí, estoy fascinada por la agresividad de Paquita y se lo cuento todo a mi madre. Revoloteo a su alrededor, mientras ella quita el pitorro de la olla y el vaho nubla la cocina. Sin verle la cara a mi madre, hago una auténtica apología de la nueva, que es guapa y leal, que parece muy lista; que les dice a las niñas vete a la mierda sin que se le mueva un pelo; que tiene pinta de ser rencorosa, pero conmigo no; que lleva en la cartera una navajita para hacerse su propio bocadillo y las llaves de su casa, porque cuando vuelve del colegio su madre no está; que es de Albacete y tiene una perra que se llama Chispa y un hermano mayor que se llama Manolo, como su padre. Mi madre hace un mohín:

–Esa niña no me gusta nada.

Mi madre consigue que mi entusiasmo se transforme en ardor de estómago: ya no me imagino mi vida sin Paqui, pero tampoco puedo soportar que a mi madre no le gusten mis amigas. En ese mismo segundo, decido callarme las aventuras que me queden por vivir con mi compañera de pupitre. Sin embargo, ni puedo ni sé mantener silencio. Puedo mentir por exceso, pero difícilmente por omisión.

La tía Pili, como la tía Maribel, como la abuela Juanita, también venía a visitarnos a Benidorm en su periodo de la magnificencia buena. El día que ahora rememoro está en nuestro piso, disfrutando de las vacaciones de verano. Abajo se oyen los berridos de los muñecos llorones y de las castañuelas que no dejan de repicar en las tiendas de *souvenirs*, como reclamo para atraer a los turistas. Las tiendas de *souvenirs* son otra enumeración caótica dentro de Benidorm como enumeración caótica en sí misma: gitanas, instrumentos musicales, flotadores, gafas y tubos de bucear, toallas, figuritas, bañadores, peluches, llaveros, petacas, *cassettes*, delantales graciosos, cremas para el sol, ensaladeras y bandejas, gorritos, túnicas, alimento para peces, semillas y bulbos. Desde la terraza, observo hipnotizada las mercancías. Los objetos me llaman, me están llamando, y yo utilizo malas y buenas artes para que quienes pasan por mi casa me compren una gitana, una colchoneta o un llorón. Casi nunca lo logro porque, cuando por fin un pariente se enternece, se pone los pantalones y va a bajar a la tienda de *souvenirs* llevándome de la mano para que yo elija lo que más me guste, mi madre me boicotea.

–Ni se te ocurra comprarle nada. ¿Tú has visto cómo tiene la habitación?

Mi habitación es un cubículo en el que se acumulan los papeles –recorto revistas y guardo los recortes dentro del armario–, las muñecas con los ojos pintados con rotuladores carioca y los retales que me sirven de túnica. Es un lugar que da un poco de miedo y a veces huele a infancia reconcentrada. Encima de mi mesa de estudio he colocado un microscopio que me regaló el único hijo de la tía Pili. El microscopio se guarda en una caja de madera con compartimentos para proteger los cristalitos sobre los que se depositan las muestras que analizo, no por el interés de los descubrimientos –para mí es irrelevante que el pelo arrancado parezca un arco iris, que la saliva sea un millar de anillos de espuma formando intersecciones: yo no le saco las tripas al reloj, sólo lo observo–, sino por el placer de jugar a ser científica. La pulcritud y el orden de las rutinas y protocolos que exige el trabajo con el microscopio me atraen, al colocarse en el extremo opuesto de lo que yo creo que son mis aptitudes.

–¿Para ser científica hay que estudiar matemáticas?

–Muchísimas.

Mi madre no es consciente de lo que puedo abatirme con el realismo de sus respuestas. Así que, como no tengo ningún futuro con las matemáticas, vuelco mi interés en el magisterio y entre mis juegos preferidos está el de ser una maestra que pasa lista; invento los nombres, con sus dos apellidos, de las imaginarias alumnas que figuran en el listado: Tatiana Suárez Cerezo, Leticia Basanta Pérez, Beatriz Muñoz Peregrino, Violeta Arnau Soldevila, que es siempre mi mejor alumna... Mi nominalismo y mi afición a la prosodia vuelven a quedar subrayados con este detalle. Pregunto la lección a una fila de muñecas, a las que a veces zarandeo y maltrato como creo que la señorita debería maltratar a las condenadas para ver si así despiertan de su letargo sobre los abrigos. También uso la presión psicológica, el insulto, la amenaza de conducirlas en presencia del director, de encerrarlas en el cuarto de baño o de ponerme en contacto con sus padres. Conozco bien esos mecanismos porque los he escuchado a menudo. Me gusta jugar sola; me molestan los testigos, aunque a veces Juani, una niña de mi clase, viene a casa y nos ponemos a estudiar como si jugáramos a ser maestras. El resultado es que aprendemos las lecciones sin la conciencia de estudiar, es decir, sin la carga de hacer lo que realmente estamos haciendo.

De mis observaciones desde la terraza también me queda un profundo conocimiento de las conductas comerciales, de modo que a menudo me transformo en la dependienta de una tienda de regalos. Cuando juego a este juego, me veo las uñas largas y arregladas con manicura francesa, como si no me las mordiera e incluso algunas veces mi madre no me sugiriese que me pasara un cepillito entre la carne y la uña:

–¿No ves que las llevas de luto?

Cuando juego a las tiendas, huelo a lavanda en lugar de a minas de lapicero; luzco un moño alto que deja a la vista la curva de mi yugular y mi nuca adulta, no llevo flequillo ni coletas de escoba. Y con ese aspecto, al que es imprescindible añadir una voz agradable para el cliente, envuelvo objetos regulares, rectilíneos y no muy voluminosos –ya he dicho que nunca fui mañosa– con falso papel de regalo. Los pelillos del cogote se me ponen de punta al oír cómo un trocito de papel celo gira y se rompe con la cuchilla dentada del soporte que lo sujeta. Envuelvo paquetes cuadrados, cobro y guardo mis ganancias en una caja registradora que no existe. Después me pongo las gafas de mentira para hacer números. Estoy muy ocupada. A veces el juego termina con el ingreso de la recaudación en una sucursal bancaria. Jugando a que entro en el banco, he pasado de ser dependienta a ser la dueña de mi propio negocio, una ejecutiva con cartera y tacones de aguja. La eficiencia y la seguridad en mí misma son los atributos que me caracterizan cuando soy la ejecutiva que entra en la sucursal bancaria con sus ganancias. También me caracterizan unos pechos grandes que llevo apretados por debajo del chaleco de mi falsamente masculino traje de chaqueta de raya diplomática. El cajero, seducido tanto por mi aspecto como por mi profesionalidad, dice:

–¿Quiere usted cenar conmigo?

–Lo siento, tengo una cita.

He oído millones de veces la respuesta y sé muy bien cómo debo contestar a ese cajero que no es un simple cajero, sino el director del banco, del que en realidad estoy muy enamorada –de hecho acabaré casándome con él y teniendo varios hijos–, pero al que también sé que no debo decir que sí sin hacerme de rogar. Suelo jugar a inventar historietas en las que estoy sometida a las tiranías de la moda –no sé dónde meter estas grandísimas mamas con las que la naturaleza me ha obsequiado–, del trabajo y de la seducción, y me siento muy feliz. Al alcanzar la edad adulta y ocupar cualquier puesto de trabajo –he dado clase, he hecho publicidad, he vendido cursos, he prestado atenciones psicológicas, he consolado a gente que lloraba, he revisado los pagos con tarjeta de crédito a una empresa, he leído novelas por dinero, he escrito informes y folletos y materiales formativos, he preparado la comida y limpiado el váter de mi vivienda– no he podido desprenderme de la sensación de estar jugando, de que podía romper la baraja cuando me diera la gana, de que todo estaba bajo mi control y de que, en cuanto dejara de divertirme, me podría marchar.

–Lo siento, tengo una cita.

También en los cortejos amorosos he sido Ana Karénina y Linda Lovelace y Sor Juana Inés de la Cruz y la flor del azafrán y la muchacha paralítica de *La piedad peligrosa.*

Pero el día que estoy rememorando sólo estoy enamorada de las mercancías de la tienda de *souvenirs* y las contemplo como si todas fueran mis posesiones, mientras mi madre se quita la arena de los pies –yo no bajo a la playa: no me gusta– y la tía Pili, también recién llegada de la playa, con su bikini de lunares, ha entrado en la cocina. De repente, oigo un estruendo. La olla a presión ha estallado y la tía Pili grita, pero grita como si se le hubieran enredado las cuerdas vocales y la voz no le llegara a salir. Corro hacia la cocina y me quedo paralizada, tratando de captar el sonido que emite la tía Pili. Mi madre me quita de en medio. Mientras trataba de oír sin llegar a escuchar nada, he visto cómo la tía Pili metía la tripa y arqueaba la columna vertebral. Cómo inclinaba la cabeza hacia delante y separaba los brazos del tronco, mientras su piel pasaba del color rosa al morado. Me quema todo el cuerpo. Soy como esos hombres que se agarran los testículos cuando ven que a otro hombre alguien le ha dado una patada en los cojones. Mi madre me chilla:

–¡Abre el grifo del agua fría! Prepara la bañera.

Pero yo estoy alelada –soy una pánfila, un cacho de carne en las situaciones límite, cuando ignoro a qué puedo estar jugando–, así que mi madre vuelve a apartarme, entra en el baño y abre el grifo para que la bañera se llene de agua fría. La cocina huele igual que cuando mi abuela chamusca las patas de los pollos en los quemadores de gas, y la fetidez del plumón y de las uñas achicharradas impregna las habitaciones. Es un día de calor húmedo y estoy sudando. Mientras mi madre prepara toallas, vendas y cremas, yo miro a la tía Pili sin saber cómo comportarme. Vuelvo la cabeza para ver si mi madre ya viene. No sé si alejarme o acercarme a mi madrina; si decirle algo o quedarme callada.

–¿Te duele mucho?

La tía Pili no me contesta. Si la acaricio quizá la lastime y además me da grima la superficie chiclosa de su piel. Parece que el cuerpo de mi tía se fuera a licuar. Mi madre entra otra vez como una exhalación:

–¡Aparta!

Me retiro molesta por el grito de mi madre, pensando que, cuando se pone nerviosa, la toma conmigo, mientras ella desabrocha el sostén del bikini de mi tía Pili, le ayuda a sacar los brazos por los tirantes sin que la rocen y le baja las bragas, tratando de que las gomas no le hieran los muslos. Mi madre sabe hacer camas sin que el enfermo se levante. Mi madre le va susurrando a mi tía:

–Tranquila, Pili, tranquila. No pasa nada.

Mi tía emite ese quejidito que el oído humano no puede percibir y se concentra en las junturas de las baldosas del suelo, como si no pensara y estuviera a punto de levitar, siguiendo obedientemente las instrucciones de mi madre. La tía Pili necesita que alguien le dé instrucciones, no pensar y ser dócil, no sentirse responsable de sus actos, obedecer, así que levanta los pies, para que mi madre retire del todo la braga. Hasta ahora mi madre sólo había deslizado la prenda muy suavemente por los muslos, las piernas, los tobillos de mi madrina. La tía Pili tiene el pubis negro como casi todo el mundo, al menos en España. Mi madre coge la mano de mi tía, que está como tonta, y la conduce hasta la bañera. La ayuda a entrar. La sumerge. La tía Pili, por fin, suelta el alarido que se le había quedado dentro, la carne se le pone de gallina y el morado de la piel se va haciendo gris bajo el agua. Cierra los ojos. Se tranquiliza. Ya no crispa los dedos sobre la loza. Mi madre le moja la cabeza y el agua se desliza por la frente de la tía Pili y se le mete en el agujero de las clavículas. El pelo del pubis flota como el musgo. Es un animal que se esponja y sube hacia la superficie para coger aire. Cuando a la tía Pili se le están arrugando las yemas de los dedos, mi madre le dice:

–Pili, yo creo que ya está. Sal.

Mi madre la seca con mimo y le da un linimento para las quemaduras; se las tapa con vendas flojitas que va sujetando con esparadrapo:

–Pili, ¿quieres que vayamos al hospital?

Pero no es necesario. La tía Pili ya está curada y, cubierta por la toalla, se mete en su cuarto. Mi madre quita el tapón de la bañera, la enjuaga, retira los pelos, recoge las tijeritas, las vendas, los linimentos, pasa la fregona por las salpicaduras. Después, entra en la cocina, recoge el desastre de la olla y se pone a preparar algo que comer a mediodía. Yo estoy pegada a su rabo, rezongona, porque no estoy segura de si está enfadada conmigo por haberme comportado como una pánfila. Pero mi madre me sonríe y no me pregunta qué quiero para comer, porque eso sólo ha empezado a hacerlo ahora, cuando ya soy una persona educada dietéticamente y algunos días, porque me gusta verla y porque mi marido y yo estamos apurados de dinero –quizá porque estamos hartos de jugar a trabajar y, sobre todo, de trabajar tomando conciencia de que eres tú y no uno de tus otros yoes quien a menudo pierde el tiempo en beneficio de otros–, mi marido y yo vamos a comer a su casa y mi madre no me hace reproches. No me reprocha decisiones que desdicen mis esfuerzos en el estudio o mis éxitos profesionales. Mi madre, ahora, me llama medio en secreto a la cocina y me pregunta si prefiero ropa vieja o acelgas rehogadas con jamón o un poquito de sopa. A mí se me hace la boca agua.

LÁGRIMAS

Siempre me he empeñado en ser alguien depresivo, pero no creo que lo haya logrado.

–Marta, sal del baño.

–No quiero.

Mi madre hace lo posible para que salga del cuarto de baño, donde me he encerrado para llorar a gusto. Estoy delante del espejo y me corren por la cara dos lagrimones. Cuando llegan a la altura de la boca, me los chupo, sacándoles su regusto a sal. Mis lagrimones saben a berberecho. Me miro los ojos líquidos y los sigo contemplando hasta que se desbordan y descubren el color de unas pupilas más brillantes que esmeraldas. Hipo. Sigo llorando. Las lágrimas resbalan por el filo anegado de mis ojos. Noto cómo corren sobre la piel de mis pómulos, por los mofletes, cómo se deslizan hasta la comisura de los labios, el mentón, la papadita. Me sujeto la cara entre las manos, como si mi cara fuese un ornamento precioso que, al caer, pudiera romperse. Cojo aire por la boca. Los mocos no me dejan respirar. Gimo y el sonido de mi gemir es muy dulce. Soy un cachorrito de cualquier especie doméstica.

–¡Marta!

–Déjame llorar.

Mi madre no sabe si llorar conmigo o ponerse a reír. Detecto su duda porque su voz la delata:

–Pero ¿se puede saber por qué lloras?

Por nada. No lloro por nada. Lloro porque me empeño en ser alguien depresivo y me enmaraño en la paradoja de que, al buscar la tristeza propia o la conmiseración de los otros, experimento goce físico. Lloro porque disfruto llorando. Porque cuando lloro, duermo mejor. Me fatigo. Me purgo. Lloro porque hoy me toca llorar y me gusta el rastro de caracol que las lágrimas me dibujan encima de las pecas, como si las sortearan.

–No llores, mujer...

Mancho el espejo con el vapor de mi respiración jadeante. El cristal se emborrona, me suaviza los rasgos, los esconde y, de pronto, el vaho se diluye en la superficie del espejo y vuelven a resplandecer mis ojos como dos piedras verdes. Las pestañas me pesan, porque de ellas cuelgan los lagrimones, chupones de nieve en la rama de un abeto, bolas encendidas de un árbol de Navidad. Las pestañas se oscurecen porque están húmedas. Mañana tendré agujetas de tanto llorar. No me acuerdo de nada ni de nadie mientras lloro. Sólo pienso en mí y en la lástima que me doy.

–Anda, sal y me lo cuentas. Lloramos juntas.

–Yo quiero llorar sola.

Casi no me salen las palabras. Me miro de nuevo en el espejo. Tal vez estoy pagando alguna culpa primitiva, pero no, no pago nada porque este rato, que quiero prolongar hasta su límite, es muy agradable. Se me hinchan los labios, se enrojecen. Cojo y expulso el aire por la boca. Siento calor. Jadeo.

–Ah, ah, ah...

Acabo la frase en un largo gemido de angustia. Me veo muy guapa llorando delante del espejo con mis labios abultados y, cuanto más lloro, más lágrimas me salen. Me miro en el espejo y me pregunto si lloraría tanto en el caso de que mi madre no estuviera detrás de la puerta.

–Por favor, hija...

A mi madre ahora le tiembla la voz. Me miro por enésima vez. Abro el grifo. Me lavo la cara. Me sueno los mocos con el papel higiénico. Me restriego los párpados, que están casi dormidos, picantes. Parpadeo diez o doce veces seguidas. Respiro hondo. Descorro el pestillo. Abro la puerta.

MORIR ASFIXIADA

A mi madrina no le quedaron marcas del accidente. Ni a mí tampoco, porque yo necesitaba que mi madre fuera así. Que me regañase, que me quitase de en medio, que se hiciera obedecer. Necesitaba que mi madre curara las enfermedades con las manos, preparara la comida, me quitase las liendres del pelo cada vez que cogía piojos en el cine. Necesitaba que mi madre me dijera que no, que fuera un poco arisca, firme, nerviosa y resolutiva, que me castigara. Necesitaba que alguien me inyectase los benzetaziles para prevenir el reuma y los soplos del corazón, que alguien solucionase los accidentes domésticos, supiera qué hacer cuando me subía la fiebre a cuarenta o cuando me descomponía quizá porque había comido demasiados tomates. Necesitaba que alguien me obligase a beber el caldo del arroz hervido, a desconfiar de mis amigas nuevas; alguien que me hiciese acumular argumentos, agravios y desagravios, para poderlo amar y odiar, aunque no exactamente en la misma proporción ni con la misma intensidad. Necesitaba estar libre de culpas, que todas recayesen sobre mi madre, y conservar, como gusanos de seda en su caja, un espacio donde ejercer el egoísmo. Si los niños no tienen motivos para odiar a sus padres, no crecen bien y se malogran. Por eso, hay un episodio que me esforcé en olvidar mientras fui una niña. Fue el día en que mi madre se dejaba morir sin oponer resistencia y yo nunca entendí por qué. Existe un nerviosismo práctico que provoca secreciones de adrenalina, calambres, y mueve los miembros y desencadena acciones; pero también hay otro nerviosismo con propiedades paralizantes que es el que debió de atenazar las piernas de mi madre y cortarle la respiración.

Yo vuelvo de la escuela con la cartera en la espalda. Me han comprado una de esas carteras de chico para que no se me desvíe la columna vertebral. Aunque mi madre sabe mucho de columnas vertebrales desviadas, yo hubiera preferido una bolsa, un cesto colgado al hombro, que es lo que llevan casi todas mis compañeras. Acumulo motivos para convencerme de que mi madre quiere complicarme innecesariamente la vida. Vuelvo del colegio, que está en la parte cerrada de la ciudad –la de las cofradías y el mercado–, bajando por una cuesta que me conduce hacia la parte sin cerrojos, la orilla del mar, el punto del plano en el que se sitúa mi casa. Algunos tramos corro como una loca. Otros ando a un ritmo normal. O me asomo a alguna parte. A veces voy por un camino recto y, en otras ocasiones, me desvío para pasar por calles por las que he pasado poco. Calles con tabernas de las que puede salir un extranjero borracho que se abalance sobre mí; con tiendas de tatuajes, llenas de agujas; con comercios que regentan padres de compañeras con las que nunca me he mezclado. Son pruebas que me impongo para superar el miedo y la timidez.

Al llegar a las inmediaciones del edificio en el que vivo, distingo una masa de humo. Hay un coche de bomberos. El portero de la finca permanece un poco alejado de nuestro portal, con los brazos cruzados, charlando con uno de esos vecinos que jamás nos dirigen la palabra. Me acerco y, aunque me da bastante vergüenza y a veces prefiero quedarme sin saber con tal de no preguntarle nada a nadie, interrumpo su conversación:

–Lamberto, ¿qué ha pasado?

–Nada, nada. Es que ha habido un incendio en la tienda de abajo y se ha hecho mucho humo, pero no ha pasado nada. Todo el mundo está bien.

En cuanto me da una respuesta, Lamberto, el portero, vuelve a su charla dejándome de lado. No quiere percatarse de que estoy sola y de que miro alrededor buscando a mi madre. Localizo a los dueños de la tienda de *souvenirs,* que se echan las manos a la cabeza y gesticulan. Los llorones están tiznados de negro, los plásticos se han recogido dentro de sí mismos y de las castañuelas tan sólo quedan ascuas. El dueño de la tienda tiene testuz de pájaro, una mata de pelo gris de punta, la nariz de águila y una boca de labios finos que deja entrever sus dientecillos de ave. Porque las aves tienen dientecillos y la descripción de este hombre no pretende ser retórica. Es el hombre con los brazos más rápidos del planeta cuando mueve un artefacto con un par de castañuelas en cada extremo y las castañuelas vibran atrayendo a los turistas. El hombre con las piernas más rápidas cuando quita los chupetes a la fila de llorones, a la hora de abrir el negocio, y se los vuelve a poner a la hora de cerrar. Justo después de que los llorones se queden mudos, este hombre que trabaja muchísimo arrastra los expositores de la calle para meterlos en el interior de su tienda. Las ruedecillas de los expositores producen un ruido insoportable al rozar contra las junturas del pavimento. Como quinientos obreros rastrillando, como tres mil niños patinando sobre la misma plaza. Veo al dueño de la tienda que, en este instante, se ha metido las manos en los bolsillos. La esposa de este hombre le cuenta a todo el mundo entre sollozos:

–¡Vamos a tener que volver a Segovia!

Localizo a los vecinos de arriba y por primera vez les pongo cara a otros vecinos que nunca he visto, pero cuyas voces puedo identificar. Estoy segura de que mi madre no está en ninguno de estos corrillos, porque esta gente no la saluda y tampoco mi madre se arrimaría a ellos. Es como si no supieran que existe, de modo que ahora tampoco la echan en falta. Voy abriéndome paso entre las piernas de los corrillos, me coloco en el centro, subo la cabeza, pero en ninguno veo a mi madre. Comienzo a perder la timidez. Los nervios se me han agarrado al estómago y odio con una intensidad difícil de medir a estas personas que, si mi madre desapareciera y yo no encontrase a nadie, me dejarían a la intemperie sin abrirme la puerta de su casa. Tengo ganas de vomitar. Corro hacia la cafetería donde a veces tomamos algo y ni siquiera doy tiempo al camarero para que me salude. Mi madre tampoco está allí. Siento el temor de no ser lo suficientemente rápida para salvar a mi madre; de no ser lo suficientemente lista para darme cuenta de adónde ha podido ir ahora que no está donde debería. Esa contravención de los deberes por parte de mi madre me irrita muchísimo. Estoy enfadada, creo que cuando la encuentre voy a gritarle, aunque ella después me castigue. Vuelvo a los corrillos y tiro de la chaqueta de un extraño con la esperanza de que, aunque yo no sepa quién es él, él sepa quién soy yo:

–¿Has visto a mi madre?

–¿Quién es tu madre?

Me quito la cartera de la espalda y busco a Lamberto otra vez. Ya no puedo estar enfadada. Pierdo incluso esa energía. Casi lloro al volver a interrogar al portero:

–¿Dónde está mi madre?

–No sé, no la he visto. Estará por ahí, no te preocupes.

Aunque me vuelve a dar mucha vergüenza decírselo, no puedo evitar ser insistente y tratar de verbalizar la sospecha que ha atenuado la irritación contra mi madre para sustituirla por el pánico. Cuando digo lo que digo es como si estuviera segura de que no voy a volver a ver a mi madre nunca más:

–No, Lamberto, mi madre no está.

–Pero ¿cómo no va a estar? Si hemos bajado todos. He llamado a todas las puertas y todo el mundo ha bajado.

–Mi madre no está. Mi madre no.

–Pues no sé, estará por ahí, comprando...

Lamberto se comporta conmigo como si yo fuera tonta. No se preocupa por mí, no me ofrece una cama en la que descansar en el caso de que mi madre efectivamente haya desaparecido. Ya no me fijo en los grupos de curiosos ni intento reconocer la silueta de mi madre detrás de la cristalera de cualquier comercio. Yo sé lo que sé y se lo voy a decir a Lamberto y, si le causo alguna molestia, que se aguante:

–Lamberto, mi madre está en casa.

–No puede ser.

–Mi madre está en casa esperándome, porque ella nunca sale hasta que yo vuelvo del colegio. Está en casa.

Lamberto se resiste a creerme y, entonces, yo salgo corriendo y entro en el portal y comienzo a subir por el hueco de la escalera. No me pican los ojos ni los pulmones, pero la boca me sabe mal y sólo tengo ganas de encontrar a mi madre, aunque me regañe, porque lo cierto es que hoy me he retrasado y quizá mi retraso ha sido el motivo de que ella se haya quedado dentro de la casa, sin poder salir, esperándome. Abro con la llave que llevo en el bolsillo de mi pantalón. En el recibidor hay bastante humo pero, según voy avanzando, el humo se disipa. Mi madre no ha abierto las ventanas y está sentada en su mecedora. Parece que le hubiera dado vergüenza salvarse del incendio, bajar a la calle y participar de los comentarios de uno de los corrillos. Mi madre no quiere hablar con nadie ni confesar que tiene miedo y sólo consigo que me mire cuando nota que alguien está de pie a su lado y ha detenido el vaivén de la mecedora:

–Hija, te estaba esperando.

Mi madre parece un pollito. Tiene ojeras de resignación y tiembla. Yo me acerco sin entender por qué está así, por qué no ha confeccionado una liana con sábanas y se ha descolgado por la terraza, por qué no se ha puesto un pañuelo húmedo en la boca, por qué no se ha tomado a sí misma la temperatura y, al ver que ardía de fiebre, se ha metido en la bañera para curarse. Cojo a mi madre despacito por los brazos y la ayudo a levantarse de una mecedora profundísima. Ella me da explicaciones:

–Es que no me podía marchar sin que llegaras.

Mi madre parece una niña más pequeña que yo, así que la agarro de la mano y la saco del piso justo en el preciso instante en que Lamberto, con ganas de pegarme un guantazo –cuando me he colado en el portal, antes de que saliera no con demasiada prisa detrás de mí, le he escuchado que se dirigía a su interlocutor para decirle «¡Mierda de niña!»–, sube las escaleras acompañado de uno de los bomberos. Sólo me queda una cosa por decir:

–Mi madre me estaba esperando.

Al alcanzar la calle, a mi madre se le acentúan los temblores. Esperamos juntas, sentadas en un bordillo. Yo me pego a ella por detrás y me agarro a su cuello. Cuando el humo ha desaparecido totalmente, subimos a nuestra casa otra vez. Mi madre se sienta en su mecedora y yo no sé si va a volver a ser la misma. Me aterroriza la visión de llevarla cogida de la mano a todas partes. Aunque me gusta preservar la intimidad de nuestra casa y estar a solas con ella sin que nos molesten los intrusos, hoy quiero que alguien llame al timbre para que se sienta obligada a disfrazar esta apariencia débil que conmigo no disimula. Mi madre, sobre todo cuando soy un poco mayor, conmigo nunca finge. No es de esas madres clementes que siempre les cuentan a sus hijos que todo va bien. Mi madre me cuenta todo –o casi todo– lo que le pasa. A veces me hubiera gustado que cerrara la boca. Al cabo de un rato, mi madre reacciona:

–Hoy tortilla a la francesa. Y no quiero guarrerías.

Me dan bastante asco las tortillas a no ser que me las sirvan sin ningún resto identificable de clara de huevo. Las despinzo con la punta del tenedor y separo los trozos blancos que no han llegado a mezclarse con la yema. Para comprobar si mi madre de verdad ha vuelto en sí, esa noche soy especialmente asquerosa con lo que me pone en el plato. Me la juego a propósito para que mi madre, que me hace mucha falta, vuelva a ser la misma. Con un poco de culpa, ella me castiga por destrozar la tortilla a la francesa casi sin tocarla, así que puedo olvidar su imagen vulnerable –me esfuerzo, de hecho, en olvidarla– porque esa imprecisión, esa muesca oscura y quebradiza de su manera de ser, me carga de responsabilidad, me impide jugar a que soy otras personas y me llena de dudas sobre dónde he de depositar una furia y un amor basados en la admiración, la constancia y en otros sentimientos que no sé cómo nombrar y que unifican los contrarios y separan los iguales, que son carne y son inteligencia.

Este episodio me ayudó a intuir ese tono menor de mi madre, que estaba ahí pero que yo era incapaz de ver porque aún no disponía de recursos para asociar la ira con el miedo o la competencia extrema con la falta de seguridad. Aún no sabía sacarle jugo a las paradojas ni comprender el significado de expresiones como fuego helado, dulce amargura o angélico Satán. La vulnerabilidad de mi madre, ahora que va envejeciendo –es inevitable, yo también lo hago–, emborrona su condición de icono y me la acerca para que yo la acurruque –mi seno es confortable pese a su esterilidad– como si fuera un gatito. A veces le hago cosquillas en la cabeza entremetiendo los dedos entre las fibras de su pelo cortísimo, y la felicito cuando por fin una taza se le escurre y se rompe. Mi madre se ha pasado casi la vida entera alardeando de no haber roto un plato, de no haberse descuidado nunca. Mi madre debía de estar agotada por el esfuerzo de conservar objetos que siempre eran demasiado valiosos, demasiado sentimentales, como esos espejos que al ser quebrados por una criada traen a la casa por lo menos siete años de mala suerte. Romper un plato significa, para mi madre, no sólo una falta de amor, sino que su personalidad se pone en entredicho. Le hago cosquillitas en la cabeza:

–Pero, mamá, no te culpes. No es necesario...

No sé de qué estamos hablando, pero no importa, estoy segura de que no es necesario. No es necesaria la culpa ni el esfuerzo colosal ni el exceso de preocupaciones. Mi madre, como todos nosotros, ha aprendido mucho con el paso del tiempo. Ahora también la felicito cada vez que olvida onomásticas imborrables o un recado importantísimo, no porque le suceda cada día y yo quiera excusarla –mi madre no está enferma–, sino porque, cuando rompe el platillo del juego de café que su tía le regaló el día de su boda, por fin ha aprendido a tomárselo con una pizca de sentido del humor, y yo me siento liberada para perpetrar mis olvidos y acometer, con una sonrisa de oreja a oreja, mis propias destrucciones del menaje.

PAQUITA FRIEGA LA BAÑERA

Paquita, por mucha manía que le haya cogido mi madre en esa época en la que aún me resulta incómodo reconocer que no es infalible y sufre sus propias angustias y se siente capitidisminuida a causa de la brutalidad de un sector representativo de su parentela directa –no una brutalidad física, sino una brutalidad de falta de cultura general y de exaltación de los instintos primarios, el cariñoso entorno en el que mi madre tuvo la suerte de crecer, gente que acude a misa vestida de domingo y que lleva una vida recta como el filo de una navaja, gente con todas las virtudes menos la de la elasticidad–, por mucha manía que le tenga mi madre, Paquita sí que dibuja bien.

–¿No es un poco cursi?

Es el juicio de valor de mi madre al mostrarle un dibujo de Paquita que a mí me parece una belleza y que le pido prestado para mostrarlo en casa y que mi madre se cerciore de que mi amiga es maravillosa y de que nadie tiene que llevarle la mano como a mí cuando pinto al óleo con mi madrina. Paquita es la mejor dibujante de cuarto curso y sólo en una ocasión, copiando la lámina que acompaña a una lectura de nuestro libro de lengua, consigo que la señorita me ponga la mejor nota. La lectura es un fragmento de Ignacio Aldecoa que se titula «Corralejo». Una vez que la maestra me ha dado el diez que no me corresponde –demasiada falta de naturalidad, demasiado forzamiento de mis aptitudes, borrar y volver a pintar el perfil de la bicicleta apoyada sobre la pared de una casa, demasiadas horas con el mismo dibujo resobado–, me arrepiento de mi esmero: yo he sacado mejor nota que Paquita en otras asignaturas y, por soberbia y obcecación, he invadido su territorio. No sé por qué a los niños se les felicita por estas superaciones personales. No son sanas.

Paquita puede dibujar del natural seres quietos o en movimiento, acciones. También puede inventar dibujos y nunca he visto pájaros más hermosos que los que dibujaba Paquita. Paquita lo hacía bien casi todo, pero no buscaba la aquiescencia de las maestras y no mostraba nunca más que lo imprescindible. Le daba lo mismo agradar o no agradar. Guardaba muchos secretos, sobre todo secretos familiares que yo iba descifrando por pistas sin que ella me hiciera jamás ninguna confidencia. Yo estaba segura de que el padre de Paquita pegaba a su madre, de que su hermano le pegaba a ella y de que, sobre la mesa de su comedor, se servían alimentos sangrantes. Quizá me lo imaginaba, pero esas intuiciones acrecentaban mi instinto de protección hacia mi mejor amiga.

Cuando regresé algunas veces a Benidorm, después de que ya nos hubiéramos instalado otra vez en Madrid, acumulé visiones neorrealistas de Paqui: a los catorce años, ella se da el lote con un novio, que lleva una navajita en el bolsillo y esnifa pegamento, en una casa derruida a las afueras de Villajoyosa. Los miro con las piernas apretadas. El amigo gordo del novio de Paquita me escruta, no parece tan mala persona como el de la navaja, pero yo comienzo a dudar de si saldré de ese sitio y me acuerdo de mi madre, a la que por supuesto no le voy a relatar esta escena que, como mínimo, me estomaga. Tal vez, lo mejor que pueda pasar es que el techo de esa casa ruinosa se nos caiga encima. El gordo se ha desentendido de mí –una actitud que, por otro lado, me ofende– y yo no entiendo por qué Paquita me ha llevado a esa casa, pero sé que me está ofreciendo lo mejor de una vida que me muestra después de que ha transcurrido un tiempo entre las dos, una distancia, que hemos de salvar. Paquita no pretende engañarme, pero ha sucedido algo triste: ya no percibimos de la misma forma lo bueno y lo malo. Dos años después, Paquita ya no vive con sus padres y comparte piso con una chica un poco mayor que nosotras. En el piso hay una especie de cuarto quirúrgico. Paquita y su amiga se encargan de colocar vendas frías y calientes a señoras con celulitis.

–El cambio del frío al calor puede producir paros cardiacos.

Me explica Paquita como si no me estuviera diciendo nada demasiado importante. Me acuerdo de María Móntez, difunta en su bañera, y sigo sabiendo que Paquita no me miente y que alguien le ha enseñado esa lección. Un médico, que paga el piso, supervisa las actividades de estas dos muchachas que juegan a las enfermeras. Veo rollos de vendas usadas encima de las sillas. En el piso hay un cuarto con una cama de matrimonio. No pregunto cuál de las dos duerme allí. Paquita parece contenta con su bata blanca de doctora, quizá consorte. A los veinte años, cuando vuelvo a Benidorm en el mes de agosto, ya no busco expresamente a Paquita pero me la encuentro en un pub. Se me acerca con una sonrisa que contradice esa discreción y ese mal encaramiento que a mí tanto me atraían. Si Paquita siguiera siendo Paquita, debería haberme escrutado, torva, desde el otro extremo de la barra mientras aguardaba a que fuera yo quien se aproximase. Paquita ya no es económica en su uso del lenguaje. Es un ser que se atropella al hablar como si quisiera contar muchas cosas y a la vez ninguna, y su tono de voz, además de ser tan picudo como cuando tenía nueve años, no suena muy inteligente. Me cuenta que es representante de vinos. Me enseña su catálogo y yo me quedo perpleja con la longitud de sus uñas y con el dulzor de su colonia. Paquita ya no es guapa;

lleva el pelo teñido de dos colores y le cuelgan de los lóbulos estirados unos pendientes grandísimos. La indumentaria importa porque, lo mismo que la comida delata a los que la ingieren –eso me lo ha enseñado mi madre–, la indumentaria manifiesta lo que nos esforzamos en aparentar, es decir, en ser –eso me lo ha enseñado Vonnegut–. Se puede conservar la discreción sobre lo que se come, pero la indumentaria es pública, estentórea. A Paquita se le han hinchado los tobillos. Es alguien que me da pena a mí, pero que también les da pena a quienes no la conocen tanto como yo y eso es lo peor que habría podido ocurrirle a una mujer con tanto orgullo. Paquita está un poco ausente mientras pasa las hojas plastificadas de su catálogo de vinos. Un amigo común me cuenta que se le acaba de morir un novio motorista. No sé cuántos novios más se le pueden haber muerto. La última noticia de Paquita me llega por mi padre. El mundo es minúsculo y, en los campamentos saharauis, mi padre coincide con el padre de Paquita, el dueño del desguace de coches. Mi padre se presenta explicándole que sus hijas eran muy amigas. El dueño del desguace corta la conversación.

Pero, a los nueve años, Paquita sí que dibujaba bien y llevaba la cabeza alta. Ése es un hecho que ni siquiera puede negar el ojo clínico de mi madre, que cuando murió su abuela, soñó que su abuela se estaba muriendo, y ese albur puede ser calificado de brujería, de magia o de ciencia tanatológica, como los vaticinios sobre lo que saldrá al final de las barrigas en forma de pera de las mujeres preñadas. Paquita y yo comenzamos a parecernos incluso físicamente: dos niñas delgaditas y con nervio. Sólo nos parecemos si se nos mira a cierta distancia.

Somos uña y carne pero todavía no he subido a casa de Paquita. Es como si ella tuviese miedo de que yo descubriese uno de esos secretos de los que se avergüenza. Lo que mi amiga ignora es que yo, por mi propósito de protegerla de los juicios negativos, voy a esforzarme en que cada indicio que observe sobre un sillón, a través del filo de una puerta entreabierta, el poso del culo de un vaso sobre una superficie, un olor a espuma de afeitar o el desgarrón de una cortina, me parezcan las pruebas palpables de que la vida de Paquita es ejemplar. Paquita ya ha subido a mi casa, aunque a mi madre no le caiga bien quizá por esa acritud que también disgusta a las profesoras o quizá porque adivina en Paquita ciertos comportamientos precoces que, para mi madre, no son un signo de inteligencia, sino la anticipación de la infelicidad y de la muerte a destiempo. Como si mi madre hubiese sufrido una pesadilla en la que aparece Paquita, con los tobillos hinchados, dejándose tocar las tetas por un chaval que huele a pegamento y al alcohol dulce del sol y sombra. Como si mi madre se hubiera despertado sudando, reprochándose ser tan malpensada, pero al mismo tiempo le angustiara la certeza de que su sueño se cumpliría y de que ella no sabría cómo protegerme.

Paquita sube a buscarme los sábados sobre las diez. Vamos juntas a la catequesis de la iglesia de Sant Jaume para recibir a principios de junio la primera comunión, que yo hago vestida de azul y con una guirnalda de ninfa, y Paquita, de blanco, con un gorrito por el que asoman unos tirabuzones más rubios que de costumbre. Su madre le habrá puesto agua oxigenada en el pelo. El vestido y el tocado de Paquita me parecen mucho más bonitos que los míos. Aunque vayamos juntas a la iglesia, Paquita ha venido a mi casa menos que Juani, que es una niña que a mi madre sí le gusta. Paquita no viene mucho a mi casa: no tiene tiempo. Me doy cuenta cuando, al salir de la clase por la tarde, la acompaño al negocio familiar. Sus padres, además del desguace de coches, son propietarios de una cuchillería. Pasamos deprisa por la tienda y nos metemos en la trastienda donde está la rueda para afilar. La madre de Paquita, que es una Paquita enorme y deformada, con la nariz partida como un boxeador y el pelo lacio, pasa los filos por la rueda que gira y chisporrotea.

–No os acerquéis, es peligroso.

Pese al peligro del corte y de la quemadura, Paquita ya está aprendiendo a afilar cuchillos y casi todas las tardes pasa un rato en el mostrador, atendiendo a los clientes. Ella es quien le hace los números a su madre, porque sospecho que la madre de Paquita no maneja ni siquiera las cuatro reglas. La madre de Paquita retira de mi vista las páginas en las que ha garabateado algún mensaje. Paquita esconde esos papeles dentro de un cajón.

La cara de la madre de Paquita es la encarnación de la mala leche. A veces me pregunto si de verdad Paquita será hija suya. Quizá el parecido entre las dos se debe a lo mismo que lleva a algunas personas a decir que mi madre y yo nos parecemos: los ademanes de la convivencia. En ocasiones, la madre de Paquita conserva ese rictus, la encarnación de la mala leche, cuando salimos de la cuchillería; otras veces, la oímos soltar una carcajada cuando ya estamos en la calle. La madre de Paquita muestra un extraño sentido del humor o quizá es que está desequilibrada y acaban de darle el alta provisional del manicomio donde el dueño del desguace la habría recluido.

–¿Está enfadada tu madre?

–No, qué va a estar enfadada. Está feliz.

En la trastienda, la piedra de afilar emana algo mágico cuando está inactiva. Dan ganas de rezarle una oración. Pero es más mágica aún cuando da vueltas y aviva los filos; su música pone los dientes largos. No es fácil saber qué ocurrirá allí de noche, cuando las luces estén apagadas. Allí viven los perros de Paquita. En la trastienda de la cuchillería tomo contacto de verdad con los perros. Mis narraciones ya son sólo mentiras a medias, la escritura es un conjuro, una anticipación, más tarde o más temprano la realidad acaba deformándose o nunca se miente porque la realidad contiene todas las palabras. En ese cuarto de atrás huele a perro. O a manta de perro. Chispa es una pequinesa negra que sacamos a pasear. Paquita a veces me deja llevar la cadena que sujeta al animal y yo me veo como una persona adulta que puede controlar las situaciones. Es falso; si la perra se revolviese o tirase demasiado de mí, yo soltaría la cadena. Un día Chispa se queda preñada y pare a sus cachorros en el cuarto de la piedra de afilar. Paquita y yo asistimos al alumbramiento y, mientras observo lo repugnante que es la vida y sus estallidos, me pregunto si a mi madre le parecería bien que asistiera a ese parto. Vemos cómo Chispa expulsa cinco perritos y los lava. La perra no llora, pero yo acumulo argumentos para afianzar mi promesa de no parir. Tengo entendido que a las perras les cuesta menos. Sin embargo, hay sangre sobre la manta de Chispa, que mientras amamanta a sus cachorros parece agotada. La madre de Paquita quiere mucho a su perra y le pasa la mano por la cabecita. Le dice palabras cariñosas y le da besitos en el morro. Vuelvo a sospechar que Paquita no es hija de su madre y que la madre de Paquita fue la mujer que parió a la perra Chispa y le dio de mamar la leche de sus pechos. Luego cogió una niña para tapar el error de la naturaleza, la condición monstruosa de una madre que a veces emite sonidos inarticulados, agudos, y no palabras. Chispa permite que la madre de Paquita les mire el sexo a las crías.

–Perro, perra, perra, perro, perro.

No quiero preguntarle a Paquita qué van a hacer con los perritos, pero imagino que los llevarán al desguace para que ellos solos se busquen la vida. No quiero saberlo. Bastantes mensajes recibo sin preguntar. Me empieza a repeler el comportamiento de la puta madre naturaleza cuando veo por la calle perros que escarban en la basura, gatos hidrofóbicos o niños con piernas metidas dentro de hierros.

La madre de Paquita conmigo es casi tan cariñosa como con Chispa, pero con falsedad. Se debe de creer que soy la hija de un hombre poderoso y me considera un buen partido:

–Mira Martita, qué guapa viene hoy...

Aunque me revienta que me llamen Martita, no protesto para no disgustar a Paqui. Detecto cierta ironía en la voz. No le pregunto nada a Paquita porque no quiero que hablemos de nuestras madres. No quiero desvelar que la mía no está contenta cuando salimos de paseo los sábados después de la catequesis, cuando vamos juntas al cine o cuando nos quedamos hasta las tantas jugando en el patio del colegio Dios sabe a qué. A Paquita y a mí nos persiguen dos chicos: a uno le gusto yo y al otro le gusta Paquita, pero a mí el mío no me gusta –Paquita me jura que a ella el suyo tampoco, pero no me lo creo: me lo dice tan sólo para parecer tan arisca como de costumbre– y, desde que tenía cuatro años, el de Paquita me encanta porque es como un Errol Flynn en miniatura. Me lo imagino con calzas y leotardos verdes, con un gorro con pluma y con un bigotito sobre el labio superior que le oculta un lunar precioso. El niño que me gusta aún es imberbe. Ni siquiera le han salido granos. Entiendo que mi pasión por Errol Flynn no tiene ningún futuro cuando un día, caminando con mi madre por una acera, desde la otra Errol Flynn me lanza silbidos a los que yo respondo mirándole con falso recato, encantadísima, lanzándole furiosas miradas para que deje de chistar porque mi madre nos va a ver, aunque en el fondo deseo que siga silbando y que la cuesta que vamos subiendo no se acabe en el locutorio de la telefónica. Mi madre me dice:

–¿Se ha creído que eres una vaca?

Errol y yo no tenemos ningún futuro, pese a que una tarde, en el patio del colegio, él me confiesa que le gusto y a mí me encantaría quedarme a pasar la noche a la intemperie, no subir a mi casa a la hora de cenar y disfrutar del privilegio de gustarle, de ser la elegida, durante al menos veinticuatro horas, que es exactamente lo que le dura a Errol Flynn su preferencia por mí. A los nueve años, gustarse veinticuatro horas es una eternidad, lo que Errol no sabe es que yo, desde que tengo uso de razón, soy una mujer sentimentalmente obsesiva. A los doce años bailo un lento con Errol en la mitad de la pista de una discoteca, justo el día antes de volver a Madrid después de las vacaciones. Al día siguiente, mando diez cartas urgentes –me gasto una fortuna en sellos– para que mi amiga Juani le comunique a Errol mi amor absoluto desde los cuatro años. Errol Flynn no se pronuncia y yo maquino una versión para su silencio: no es que Errol no me quiera, sino que está impresionado y, como a los doce años ya es un perdido –camarero en Benidorm–, no quiere destrozarme haciéndome renunciar a mi buena educación, a mi familia y al futuro que me aguarda. No sólo me parezco a la abuela Juanita, quizá también haya heredado algunos destellos genéticos de las magnificencias buenas y malas de la tía Pili.

Mi madre le mira las camisetas a Paquita porque cree que ya se le están abultando los pechos y le parece demasiado pronto. La madre de Paquita, cuando yo no estoy, supongo que me llamará pija, relamida, niñata, repipi e inútil –no sé atender a los clientes, no hago tantos recados como Paquita, aunque a veces me da la sensación de que paso horas y horas en la tienda de ultramarinos, comprando viandas tan absurdas como un bote de tomate natural pelado o doscientos gramos de jamón de york–. Paquita no me dice nada de lo que su madre piensa de mí.

Mis padres no poseen un negocio en el que se dejen los cuernos de lunes a sábado y yo soy la única de mis amigas que no trabaja. Esa carencia me infantiliza y me empequeñece. Tanto que, durante unas vacaciones escolares, me voy con Mari Cruz, una conocida de mis padres que nació en Calatorao, a vender en su puesto de la plaza Triangular unos búhos de barro a los que ella da forma, cuece y pinta con un estilo naíf que tiene mucho éxito entre los turistas. Consigo el permiso de mi madre. Pero me da vergüenza vender, mirar a los ojos de la gente y pedirle dinero. Las manitas de Juani y de Paquita meten en los cajones las monedas de cinco duros. Dan el cambio a sus clientes en sus tiendas y quizá por eso son tan buenas con las matemáticas. Juani y Paquita son como los enanitos que trabajan dentro de los cajeros automáticos. Yo les tengo mucha envidia, aunque les vayan a salir varices en las piernas antes de tiempo. Ellas son muy buenas. Son como las niñas que ayudan a sus hacendosas madres en los cuentos infantiles y atraviesan absurdamente un bosque de noche con una cestita que contiene un jarrito de miel y una servilleta. Es como si sus madres estuvieran deseando que muriesen jóvenes. Mi madre me dice:

–¡Las niñas no deben trabajar!

Pero mi madre está loca –de manera distinta a la madre de Paquita– y no entiendo por qué le gusta hacerme la vida imposible de manera tan innecesaria, ni por qué pone en tela de juicio la rectitud de mis mejores amigas, su manera de vivir y las decisiones de sus padres. Para mejorar la imagen de Paquita delante de mi madre, con las mismas intenciones con las que le he mostrado los pájaros pintados, un día le confieso que Paquita friega la bañera con polvos de Ajax:

–¡Pues muy mal!

Mi madre está enfadada. Como si no hubiera dicho lo que acaba de decir, se levanta, mete la cabeza debajo del fregadero y me da el estropajo y los polvos. Yo los agarro y me voy al cuarto de baño para eliminar del fondo de la bañera los restos de la piel de la tía Pili que sin duda, microscópicamente, aún deben de estar adheridos a la loza. Me inclino sobre el borde y restriego el blanco ajado que no termina de brillar. No consigo aclarar bien el jabón. Me pica la nariz y la tripa me duele a causa de la fuerza que imprimo a mis movimientos ya que, como mi cuerpo es corto, debo inclinarme mucho sobre el borde de la bañera que se me clava en las costillas y en los vacíos como si me hubiese apretado muchísimo un cinturón. No llego a las esquinas. Dejo la bañera sucia, pero salgo del baño con la idea de que he hecho un sacrificio que me hace buena en una época en la que creo que, cuando soy buena, me siento mejor y que, por eso, a menudo no termino de encontrarme bien. Vuelvo al salón casi en secreto. Mi madre se levanta para supervisar mis labores. Desde el cuarto de baño, me llega una carcajada que no es una carcajada de loca como la de la madre de Paquita. Percibo bien la diferencia.

Por fin, un día Paquita me invita a subir a su casa. La recogeré, antes de ir al colegio, y nos iremos las dos juntas. Aunque conozco perfectamente el edificio donde vive mi amiga y la calle y el portal, anoto en una libretita el piso y la letra para no llamar al timbre de una puerta equivocada. Subo las escaleras hasta el tercer piso, porque la casa de Paquita no tiene ascensor. Cuando llego, encuentro la puerta entreabierta, la empujo y lo primero que noto es un olorcillo a basura. Me adentro por el pasillo y choco con una silla. La casa está en semipenumbra. No me apetecería nada encontrarme con el padre o con el hermano de Paquita, pero parece que no hay nadie. Oigo el goteo de un grifo. El padre de Paquita es un hombre gordo de modales bruscos y su hermano tiene los ojos excesivamente azules y una costra perpetua en el labio. Estoy casi parada en medio del pasillo, palpando las paredes para poder avanzar. En la casa también huele a perro, a manta de perro, aunque Chispa esté en la trastienda de la cuchillería. No veo a Paquita. Tampoco la oigo y sigo avanzando hasta llegar al comedor. Me asomo y en un sillón descansa acurrucada su madre. Está roncando y sobre su pecho reposan algunas miguitas de pan. Ahora me llega a la nariz un olor a raspas de pescado. La mesa está sin recoger. No se lo pienso decir a mi madre. No quiero despertar a la madre de Paquita, que disfruta de un sueño muy profundo, casi enfermizo. No quiero que me haga fiestas como a su perra. Salgo andando hacia atrás y me topo con Paquita, pero no me sale el grito que llevaba guardado en la garganta. Paquita huele a colonia. Se le notan los bultitos del pecho debajo de su camiseta de deporte. Entre los dos bultitos, le cuelga la medalla de oro en la que me fijé el primer día. Paquita se pone el dedo sobre los labios para indicarme que siga sin hacer ruido –he andado por toda la casa de puntillas–, me agarra del brazo y me lleva hasta su habitación. Antes me señala la puerta cerrada tras la que está el dormitorio de sus padres. No me lo enseña. De su habitación, recuerdo que es un lugar oscuro y que, en una balda de la pared, está colocada su muñeca de la primera comunión y algunas muñecas más, ataviadas con trajes típicos de distintas regiones. Hay una falda escocesa abierta sobre la colcha. Mi madre debió de tener un sueño en el que aparecía la casa de Paquita. Nos vamos porque se nos hace tarde. Paquita no me pregunta qué me ha parecido su casa; es como si se hubiera quitado un peso de encima. De repente sé que, en algún momento, Paquita desaparecerá sin hacer ruido y no se volverá a manifestar. También sé que no me importará mucho. Es la primera y la última vez que voy a recogerla a su casa. Hoy me pregunto de qué le sirvieron a Yolanda, a mi tía Pili, a Paquita, su voluntad y su loco empeño por aprender. Hace ya casi veinte años que no sé nada de ella.

PAISAJES RURALES Y SEÑORAS DE LA LIMPIEZA

Nunca tuve pruebas de que a la madre de Paquita le pegase su marido o de que Paquita fuese feliz cuando su hermano la martirizaba; ella le adoraba tanto como a la piedra del cuarto trasero de la cuchillería, porque la piedra era el talismán que les daba el oro y el moro, el pan y la sal. Tampoco supe nunca si la madre de Paquita había parido una perra en lugar de una niña, allí en Albacete. Quizá mis ficciones partían de la intuición, que no de la vivencia, de que a las mujeres siempre se las había golpeado y de que los golpes aterrizan silenciosamente en la boca, en las costillas y en los espacios vacíos del cuerpo. Era ésa una sabiduría profunda que no se enuncia en los programas escolares, pero que anida en el occipucio de las hembras de la especie desde el principio de los tiempos. Una sabiduría que no se limpia, aunque los occipucios se laven con amoniaco, y que es como un presentimiento y una sospecha indelebles, un castigo merecido, un destino tan inexorable como la convicción de que de algo hay que morir y de que no nos vamos a quedar en la tierra para simiente de rábanos; una sospecha que retumba en la imaginación cuando una mujer se pone gafas oscuras o se niega a hablar o alaba en exceso a los hombres de su casa.

Hay mujeres desenvueltas, mujeres que ocupan un cargo en las jefaturas o mujeres con aspecto estatuario, con los pies grandes y la mandíbula firme, que parecen poder salvarse. Pero esas mujeres también tienen occipucio y, en él, llevan impreso un código, un signo que es el rastro de la acumulación de hechos repetidos, uno encima de otro, desde que se le puso fecha al primer acontecimiento protagonizado por la especie humana. Las feministas restriegan con amoniaco y las jóvenes mujeres que piensan que ésa ya no es su lucha –que han olvidado a sus madres, a sus abuelas y la existencia de su occipucio– y aspiran a ser jefas o ministras de Comercio, no saben todo lo que han de agradecerle al amoniaco.

Antonia era una mujer que, de lejos, se parecía a las estatuas; cuando la observabas de cerca, concluías que ninguna estatua consigue emular lo que pretende, porque el mármol encubre las varices, el olor a cebolla y los colores sucios. Venía a limpiar los martes. Era de Jaén y una nube lechosa le tapaba el iris de uno de sus globos oculares; la nube de Antonia era un trozo de materia muerta en un ser humano vivo y esas excrecencias –pieles colgantes, sangre solidificada, apéndices amputados del intestino, dientes negros a punto de desprenderse de la encía, niños muertos dentro el útero– pierden su significado en los perfectos ojos en blanco de las estatuas. No me acuerdo de si el ojo nublado de Antonia era el derecho o el izquierdo, pero sí recuerdo que me resultaba desagradable mirarla y que los primeros días la escudriñé, escondida detrás de las puertas, porque Antonia tenía cara de asesina. Antonia abriría el cajón de los cubiertos para degollarnos por la espalda.

Aquella mujer de la veladura en el ojo podía coger un cuchillo y hundir su filo en el cuello de un gorrino, tal como yo había visto en el pueblo de los padres de mi madre, desde la ventana del cuarto de baño de la casa de la carnicería, que era propiedad de unos primos segundos. Yo no quería verlo, pero de vez en cuando asomaba la cabeza por la ventana. Me tapé los oídos, porque los gritos del cerdo me iban a volver loca. También vi un cordero casi recién nacido –sólo había bebido las primeras leches de la madre–, con las patitas atadas por un cordel, balando, tirado en el patio como un bulto o como un saco de patatas, a punto de ser sacrificado con la dulzura extrema con que se mata a los corderos, echándoles suavemente la cabecita hacia atrás y clavándoles hasta el fondo la punta del cuchillo. Hay quien dice que su carne es muy sabrosa y su consistencia es la de una melaza que se deshace contra el cielo del paladar. Al fondo de una charca se lanza un saco con gatitos que aún no han abierto los ojos. La toxoplasmosis ciega las pupilas legañosas de los conejos. Las pulgas de la cabaña ovina saltan y me pican las piernas cuando me voy a acostar. Los líquidos de los partos de las vacas inundan el suelo. El suelo se friega de rodillas con un cepillo de púas. Eviscerar un ave. Sacarle la sangre al cerdo para hacer morcillas de arroz. Asar la cabeza del corderito partida en dos trozos, con sus dientecillos, su lengua, su ojo, el corte simétrico de sus dos hemisferios de sesos. Un comensal chupa la enquistada facultad de hablar de los corderos; el otro, su capacidad para el pensamiento deductivo: lo verde se mastica, mastico las hierbas que encuentro en el secarral. Azotar al mulo. Llevar al burro muerto al barranco para que ecológicamente se lo coman los buitres. Aprender a jugar entre las calaveras de los animales. Apartar las moscas de las raspas del pescado. Antonia, con su veladura en el ojo, me recordaba unas visitas al pueblo de mis abuelos que, para mí, nunca fueron felices: yo siempre he sido una señorita pequeñoburguesa y no siento culpa. Las gentes de los pueblos tampoco son Salicios y Nemorosos, nobles brutos, cultas pastoras Marcelas, santos inocentes que ordeñan las vacas con sus propias manos y cultivan sus lechugas sin meterse con nadie.

Nunca quise conocer esa forma de vida agropecuaria que, para mí, era la encarnación de la violencia y de la insensibilidad. Si tocas la tierra debes lavarte las manos porque, si no, en el culo te brotarán nidos de lombrices. Quizá es que nunca me debieron dar la lección de la matanza del cerdo. Yo quería comer sin enterarme de que hay mujeres que cortan los filetes palpitantes sobre la tabla de la carnicería y hombres que cada vez que electrocutan un ternero ni siquiera lo miran a los ojos o lo acarician antes de darle la última descarga. Yo quería ser como esos niños que, cuando en el colegio les piden que dibujen un pollo, lo dibujan asado; cuando les piden que dibujen una vaca, pintan un sonrosado bistec y, junto a él, un cuchillo y un tenedor. Los animales deberían serme presentados vivitos y coleando o, en último término, irreconocibles, laminados, con una salsa marrón por encima, cuando su naturaleza salvaje ya ha sido reducida a arte puro sobre una bandeja de horno. Con estas firmes convicciones, yo debería haberme hecho vegetariana, pero eso sólo me hubiese sucedido si hubiera vivido en un pueblo agropecuario que fabricase los mejores chorizos de la zona. Creo en el credo de los ojos que no ven y lo rezo por las noches.

Antonia me metía esas imágenes dentro de las habitaciones, aunque pronto descubrí que ella no era el verdugo y que todo lo que hacía lo hacía sin mala intención. Con la confianza que da el paso del tiempo, Antonia se bebía las botellas de coñac del mueble-bar y se ponía tierna. Yo miraba exclusivamente la mancha de su ojo. Le escatimaba los besos, porque Antonia olía a sustancias ácidas y era muy cariñosa sobre todo cuando bebía coñac. El olor a ácido y el amor son dos rasgos que unidos resultan incompatibles para esos niños maleducados que siempre dicen la verdad. Yo no le decía a Antonia la verdad, pero con una cortesía más que dudosa la empujaba cuando trataba de estrujarme entre los morcones de sus brazos. La cabeza de la digna Antonia –un nombre tan romano– estaba unida al pecho por una gran papada. Antonia era una masa a punto de reventar y tenía alto el azúcar. Supongo que sería diabética, aunque ni ella ni yo le diéramos a su enfermedad ese nombre:

–Estoy mal de la azúcar, hija.

Antonia hablaba a voz en grito y estaba casada con un vigilante del parque, que también era de Jaén y también se llamaba Antonio. El hijo de Antonia y de Antonio no se llamaba Antoñito, sino Antonio a secas, como un hombre. Antonia se quedó viuda y su alegría de vivir –Antonia no bebía para olvidar, sino por gusto– se transformó en un lamento largo, porque su hijo Antonio se puso los pantalones y en mi casa se decía que pegaba a su madre. Yo me representaba mentalmente a una mole como Antonia vapuleada por un chico de catorce años con cara de guardia civil. Pero Antonia no se sostenía sobre los grandes pies de las estatuas, sino que sus pies eran inverosímilmente pequeños. Mirándole los pies, uno se convencía de la fragilidad de Antonia. El hijo, sólo con apuntar hacia su madre con uno de sus dedos, podía conseguir que Antonia se viniese abajo, aunque a ella no le dolieran los golpes, sino las vísceras de madre. Aquella mujer se hubiera dejado arrancar las tripas por ese muchacho que quizá le pegaba porque era un enfermo y no entendía lo que ocurría al lado, delante, detrás de él. A Antonio hubiese sido absurdo preguntarle qué quería ser de mayor. Cada vez que oigo hablar a Antonia acumulo un argumento más para no procrear:

–¿Y no podría hacer usted algo por mi Antonio?

Le preguntaba a cualquiera que quisiera escucharla. Antonia no me ablandó el corazón y, en estas situaciones, esconder un corazón blando tampoco sirve de nada. Aquella mujer vocinglera y voluminosa que hablaba con un sistema vocálico y consonántico absolutamente ajeno a mi fino oído de amante de la zarzuela y de la canción sudamericana, no me daba pena. Sólo sobraba. Y me molestaba no tanto por ser una víctima –y es un hecho comprobado que las víctimas molestan–, como por el hecho de que hablase mal y de que su trabajo fuera el de limpiar la mierda de los otros. Por aquellos años, la zarzuela y *Angélica cuando te nombro* o *Sapo de la noche, sapo cancionero* –el misterio del *grotesco trovero que estás embrujado de amor por la luna* engendró en mí un amor por las palabras, un gusto por los sonidos enredados en la oreja, por el que ahora parece que es necesario darse golpes en el pecho y arrepentirse– eran mi música preferida junto con las *Danzas húngaras* de Brahms y *El lago de los cisnes* del histérico Chaikovski. Ahora me tengo prohibido escuchar *La Patética* sola en casa al atardecer. De aquellos años arranca también mi fobia por Bob Dylan, el músico idolatrado por la pandilla de becarios y encuestadores que me hacían la pelota, para que yo les tolerase en el interior de mi vivienda. Antonia me hacía daño en los oídos en una época en la que yo admiraba a las empleadas de las agencias de viajes y a las secretarias bilingües.

Un día Antonia nos invitó a su casa. Lo mejor era la terraza. Vivía en un ático desde el que se veían antenas de la televisión y tendederos. Me propusieron que saliera a jugar con Antonio a la terraza, porque supongo que aún no estaba claro que el chico golpease a su madre y había que concederle el beneficio de la duda. Yo miré con rencor a mi madre y me sentí como el cordero de las patitas atadas, el bulto tendido en el patio, y me sorprendió que mi madre se preocupara tan poco por mí. El muchacho se mordió el labio inferior con los dientes de arriba y dejó caer sus manos, enormes y abiertas, a lo largo del cuerpo. Pero no me tocó, no me rozó, no me habló. Cada uno nos situamos en un extremo de la terraza y yo fingía que no le miraba, mientras él me clavaba los ojos por todas partes como si quisiera fracturarme la mandíbula con el pensamiento. A mí sólo me preocupaba la posibilidad de que me pudiera dar una patada en las espinillas y no me interesaban ni la telepatía ni la capacidad para mover objetos con la mente. Si no se movía, el hijo de Antonia no me intimidaba.

No podía entender qué estábamos haciendo nosotros allí, por qué cruzábamos el umbral de una casa que nos degradaba, en lugar de quedar una tarde para merendar en el piso bajo de doña Rita o en el chalé de alguna de las maestras casadas con un alcalde de uno de los pueblos del interior de la zona: La Nucía; Callosa de Ensarriá; Finestrat, con su montaña a la que le faltaba un rectángulo cortado a cuchillo. Los comentaristas con vocación geológica decían que el corte se correspondía exactamente con el islote de Benidorm; los ufólogos, por su parte, mantenían que era el producto de la erosión de los aterrizajes sistemáticos de naves espaciales –en los setenta se celebraban romerías ufológicas hacia las laderas del Puig Campana–; y los devotos aseguraban que el tajo en el tierra era la marca de la patada del caballo blanco de Santiago. Pueblos del interior como Tárbena, con sus bancales de almendros, donde la naturaleza era un lugar para hacer excursiones y tomar fotos; Pego; Castell de Guadalest, el paisaje perfecto; Polop y sus fuentes... Doña Angelita era la esposa del alcalde de La Nucía y podíamos pasar con ella y con su hija Reyes –otro nombre hermoso, Reyes, la única niña rubia del colegio– una tarde agradable que repercutiría en favor de nuestro prestigio en la parte cerrada de la ciudad.

Antonia era un ser que nos desmerecía, que no nos hacía ningún bien, aunque fuera cariñosa y a una prima mía, dormilona y buena comedora, le apretara a menudo los mofletes:

–Ay, toronja, mi toronja....

Antonia a mí también me quería mucho, pero me ponía enferma verle el ojo y pedir por un hijo que la empujaba contra las paredes de su ático, y que me contara sus enfermedades como si yo fuese un adulto:

–Eque stoi mu maaala del asúca, hiha.

Ese acento, esos sonidos inarticulados, iniciaron mi repugnancia imperialista por los dialectos y sacaron a la luz mi faceta más didáctica y brutal:

–Pronuncia, Antonia. Po-ro-nun-cia.

Antonia no sabía que yo había abandonado a mi amiga Rosi, porque era murciana y no la entendía y me daba vergüenza que aquella niña dijese que era mi vecina y mi amiguita. Además la hermana de Rosi también asistía por las casas:

–Mi heehmana Caahmen se lo limpia tó.

Decía Rosi con orgullo. Cuando yo comprendí el significado de esas palabras, me aparté de Rosi en el colegio –era la época del parvulario– y Rosi, posiblemente tanto a causa de mi abandono como de sus propios estigmas sociales, acabó siendo una de las niñas que se acurrucaban bajo los abrigos. Compartimos clase durante cinco años, pero a partir del segundo Rosi se me hizo invisible. La lucha de clases es inclemente –tiene que ver con la invisibilidad y con los estratos geológicos, con la tierra que somos capaces de echar por encima de lo que no queremos ver– y casi me olvido para siempre de Rosi. No la hubiera recordado de no ser por sus similitudes con Antonia. Por lo que las unía a las dos.

–Pronuncia, Antonia. Po-ro-nun-cia.

Antonia murió de un colapso poco después de que su hijo tirase por encima de la barandilla de la terraza de su ático a la perrita de Antonia, que también era una perrita belfa y pequinesa. A Antonia, una mujer pobre e inculta, le pegaba su Antonio. También he conocido a mujeres ricas y cultas que han sido maltratadas: madres de esquizofrénicos, esposas de pilotos de aviación, traductoras de francés con vocación literaria. Todas tenemos occipucio –cogote–, pero a menudo las señoras de la limpieza sin estudios elementales lo tienen más grande y, paradójicamente, con una superficie mucho más cubierta por microgramas y anotaciones escritas con una letra apretada, que son el anuncio de todo lo malo que les podría pasar. Nos quedaríamos sorprendidos al afeitar la cabeza de cualquier asistenta, de cualquier mujer, y comprobar la cantidad de textos que se entrecruzan sobre la piel de sus cráneos, ocultos por el pelo, como manuales de dramáticas instrucciones.

Antonia fue la primera señora de la limpieza que pasó por mi vida. Hasta hoy he conocido a algunas más y sólo puedo afirmar que no todos los trabajos dignifican –de hecho, no dignifica casi ninguno–. De las señoras de la limpieza he aprendido, como persona dedicada a la escritura, que es muy complicado hablar de los pobres, porque de la misma forma que resulta inverosímil que tomen la palabra, si alguien la toma por ellos, el discurso se desliza por la pendiente de la sensiblería o de la condescendencia. Hoy estoy muy arrepentida de que Antonia me oliera a sustancias ácidas, pero prefiero confesarlo que hacerme la buenita.

VALLAR EL JARDÍN

Yo tenía la sospecha de que las baldosas del paseo de la playa habrían perdido la intensidad de aquel color rojo óxido. Y de que el islote sería más pequeño y en el mercado los puestos habrían cambiado de sitio. Temía incluso que las calles principales lo hubieran dejado de ser y que el centro urbano hubiese sufrido un desplazamiento hacia lo que antes llamábamos periferia a causa de la hipertrofia de esta ciudad turística. Pero las baldosas seguían siendo del mismo tono que la sangre seca y el islote era aún un borrón sobre la línea de un horizonte azul oscuro. Sin embargo, en el mercado ya no estaba el puesto del padre de Yolanda ni aquella tienda de carne congelada con la que nos alimentamos durante muchos meses. Ahora todo estaba pintado de colorines flúor. Regresé a Benidorm para escribir un reportaje o una crónica. Durante esos días lo que escribí fue un par de pequeños poemarios.

Viví mi infancia como una veraneante. A lo mejor es que la infancia es siempre un veraneo. Después, ya no me aferré a ningún lugar. Quise ahorrarme el desarraigo o la nostalgia. O, quizá, todo sucedió al contrario y me aferré con tanta fuerza a casi cualquier cosa que se me rompieron las falanges y las uñas de los pies.

El centro, después de veinte años que habían hecho de la ciudad y de mí misma dos territorios un poco más maduros –lunares en la piel, fachadas que necesitan una mano de pintura–, era aún el centro, aunque la ciudad se había derramado por sus antiguos límites. Como si un niño se hubiera salido de los bordes de una silueta al colorearla. Como si, sobre el suelo, hubiese quedado la mancha de un helado derretido. Como si la ciudad paradójicamente sobreviviera gracias a sus metástasis. El centro seguía siendo el centro, pero algunos puntos que marcaban las fronteras, más allá de las fronteras naturales del monte y el mar, habían quedado camuflados entre nuevas construcciones y habían perdido su antiguo carácter de torre vigía en la muralla: los magníficos bloques de apartamentos de los años setenta, con sus jardines y piscinas, olímpicas y azules, los inconfundibles nichos de diseño que no podían ser más altos, ahora se encorvaban entre rascacielos que llegaban a las nubes y arañaban un poco más, un poco más lejos, los bancales de algarrobos y la falda de las montañas donde aún acampan los escaladores y aterrizan los platillos volantes. La tierra estaba cada vez más mordida.

Antes de volver, telefoneé al que había sido mi colegio. Le tenía mucho cariño. Allí aprendí a jugar al pañuelo, al balón prisionero, al escondite, al paro disparo, al pase misi pase misá, a la solterona... Allí aprendí –muy bien– a hacer análisis morfológicos y sintácticos, a redactar, a copiar estampas de Freixas, a multiplicar con ceros, a dividir con decimales, los ríos de España y las provincias, y las características de las plantas fanerógamas. Telefoneé a mi colegio porque quería sacarlo en el reportaje. Sacarlo con mucho cariño. Con un intenso amor. Además quería que mi colegio se sintiese un poco orgulloso de mí. Que la ciudad, por fin, me adoptase, aunque no les hubiera salido rubia y con los ojos azules. Aunque hubiese perdido aquel acentillo desganado que se me fue pegando sin que yo me diera cuenta. El acentillo que exasperaba a mi madre.

–Niña, ¿por qué hablas así?

Confieso que tuve miedo de volver. Voy a intentar expresar los miedos que nos atenazan cuando regresamos al lugar en el que hemos crecido y ese lugar no es exactamente nuestro lugar. El lugar donde siempre fuimos extraños. Me daba miedo: mirar como una extranjera algo que formaba parte de mí, mirar como ajeno lo que me pertenecía aunque nunca me lo reconocieran. Me daba miedo: darme cuenta de que quienes me arrebataron lo mío tenían razón. Me daba miedo: encontrarme por la calle con alguien a quien no quisiera reconocer, encontrarme con alguien que no quisiera reconocerme. Me daba miedo: verlo todo a una escala reducida, como una cabeza jibarizada. Me daba miedo: oler algún olor demasiado familiar para mi pituitaria. Tener que volver a leer a Marcel Proust.

Pero lo que más miedo me daba era verificar que algunos paisajes soñados eran efectivamente imaginaciones mías. Que no existían por mucho que se hubieran quedado anclados en algún terco, terco, terco lugar de mi memoria. Las casas abandonadas donde jugué de pequeña, los descampados, los huecos de las alcantarillas, las calles peatonales, los resquicios entre las rocas del espigón donde los gatos se relamen con las cáscaras de los erizos y las conchitas de las lapas. Creo que alguna vez vi el destello de los ojos de los gatos en su mundo subterráneo. Creo que lo vi. O a lo mejor me lo imaginé y fue como si lo hubiese visto. También algunas veces sueño con ciudades y luego no sé si existen realmente. No sé si son imágenes, grabadas de una forma rara en la memoria después de un viaje fugaz, que se resisten a desaparecer y persisten en el sueño mezclando Praga con Estambul y Ávila con Catania. O si esas ciudades por las que camino de noche, siempre como una turista, nunca fueron edificadas, conquistadas, arrasadas, refundadas, reconstruidas ni hermanadas con ningún otro municipio. Sencillamente no, no existen. Por eso, puedo soñar con una ciudad blanquecina que arranca en una cuesta donde hay un palacio y un museo de aspecto gótico-catalán. Las calles se asoman a barrancos. Los bordean. Me asomo a las barandas y observo el vacío y otras vistas de la ciudad: terrazas, plazas, tejados y vericuetos. Apoyándome en las barandillas, con un poco de ese vértigo que humedece las palmas de las manos y seca la boca, llego a una plazoleta donde hay un gran edificio labrado con filigrana blanca: es precioso –una diputación abandonada, una antigua lonja, me dicen– y, no obstante, el barrio que lo rodea es tabernario. Nocturno. Laberíntico. Las casas son bajitas y las paredes tienen desconchones. Los bares se iluminan con farolillos y adornan sus fachadas con mantas de bandolero. En un valle de esta misma ciudad, se abre otra plazuela en cuyo extremo se alza una torre de planta octogonal o de algún otro tipo de polígono. La salida de la plazuela es una cuesta arriba que desemboca en la fachada de una catedral de piedra rosa. Esa visión es de Salamanca. El resto del collage quizá sea una mezcla de Granada y Londres. De un urbanismo imaginario y sin mar. Yo qué sé. También por ahí ando perdida.

En Benidorm siempre hubo mar. Y medusas en septiembre. Las lapas son ya una especie en extinción. Lo he visto en un cartel del museo de ciencias naturales junto al esqueleto de la ballena. Y me he sonreído al pensar que antes nos las comíamos mientras jugábamos a vivir aventuras sobre las rocas peligrosas de uno de los extremos de la playa de Levante. Sabían a mar y a aceite bronceador de coco. Me daban asco. Pero me hacía la valiente.

–Mira, como lapas.

Las madres hacían advertencias:

–Cuidado, niñas, os podéis cortar los labios.

Algunas veces las comisuras nos escocían y la boca nos sabía a sangre.

Mientras subía por la cuesta que conduce a mi antiguo colegio, sintiendo aún la carga de mi mochila en la columna, temí cruzarme con una antigua compañera de clase. No con una en particular, sino con cualquier compañera de clase. Temí que se le hubieran borrado los hoyos de las mejillas. Que se le hubieran hundido y apagado los ojos. Que las lorzas se le marcaran bajo una camiseta de licra y que, sin embargo, yo fuese capaz de recuperar su rostro infantil bajo el carmín encarnado y las capas de polvos de Egipto. La niña con el babi de cuadritos azules y la trenza bien gorda. Temí que de pronto afloraran todas las diferencias que ya existían entre nosotras a los diez años. Las diferencias que ya estaban ahí, aunque nosotras fingiésemos e hiciéramos como si no las percibiésemos. También temí cruzarme con un antiguo amor. Corroborar su fealdad y mi torpeza. O mi fealdad y su sentido justo de las cosas. Temí que alguien me preguntase por gente de la que no me gusta hablar con conocidos. Gente que guardo en lo más hondo de mí y que no quiero compartir con nadie. Temí ser reconocida. Interpelada. Obviada. Apreté el paso. El corazón se me salió por la boca. Me subí las solapas de la chaqueta. Anduve con pies de plomo.

Me hubiera gustado ser la mujer invisible. O una cucaracha capaz de penetrar por agujeritos de una estrechez inverosímil. Para comprobar cómo es la vida de todas esas personas que me dejaron por el camino. A las que dejé por el camino. Colarme por las rendijas de pisos que no están acondicionados para las bajas temperaturas. Porque se supone que en una ciudad de vacaciones bañada por las aguas del Mediterráneo, un vergel, un paraíso, el trozo de mapa que se colorea con el color que se asigna en la leyenda cartográfica a los microclimas, nunca, nunca hace frío. Es mentira. No hay infiernillo ni estufa catalítica que combata la humedad. El moho que va rodeando los huesos mientras hacemos el infructuoso esfuerzo de crecer.

Dice Wikipedia: «Benidorm es una ciudad de la provincia de Alicante, en la Comunidad Valenciana, España. Está situada en la comarca de la Marina Baja, a orillas del mar Mediterráneo, a 49 kilómetros de Alicante y 140 km de Valencia.» Dice Wikipedia: «Una buena parte de los atractivos iniciales de Benidorm se debieron a su situación, en la costa del Mediterráneo, frente a una bellísima bahía, partida en dos por la punta rocosa del antiguo castillo y con una orientación hacia el sur, mientras por el resto de los puntos cardinales encontraba la protección de otras tantas cadenas montañosas (...) con lo que el microclima que se disfruta, sobre todo en primavera, invierno y otoño, es sumamente benigno, con temperaturas sensiblemente más altas que en el resto del litoral y con el agua del mar dentro de unos límites que permiten el baño en todo el tiempo.» Dice Wikipedia: «El atractivo de Benidorm radica en sus tres playas dotadas de bandera azul, máxima distinción que otorga la Unión Europea. Estas tres playas son: Levante, Poniente y Mal Pas, a las que se suma la pequeña cala del Tío Chimo. También por un animado y variado ambiente nocturno.» Dice Wikipedia: «Benidorm ha experimentado desde mediados del siglo XX una transformación urbanística extraordinaria, que ha hecho que su población pasara de los 5.000 habitantes a finales de la década de los 50, hasta la cifra actual. Por otro lado, Benidorm es la localidad con más rascacielos por habitante del mundo y la segunda en cuanto al número de ellos por metro cuadrado, después de Manhattan.» Según la Wikipedia, son ciudadanos insignes de Benidorm: Guillermo Amor, ex jugador del Barcelona, y Leire Pajín. Entre otros pocos. Apago el ordenador. Yo sé mucho más de este lugar de lo que dicen las máquinas.

Esta historia la he contado mil veces. Es probable que nunca la deje de contar. No es algo que me traumatice: sólo es un momento y un lugar de mi vida que aún no he llegado a entender bien. Nómada en una tierra de expulsión. Hija repudiada. La ciudad como una vagina, acostumbrada a los partos, me expulsa. Fuera. La ciudad es una hembra que no me lame los restos de grasa y de sangre. Me aparta con su pata sucia. No me agrupa en su regazo con el resto de la camada. Me hubiera gustado ser reina de las fiestas. Poner una tienda de *souvenirs* y muñecas mecánicas. Estar pendiente de la llegada de la bombona del gas y de cuándo florecía el azahar en los naranjos. Era importante vestirse con la misma ropa que el resto de las niñas. Era importante tener los mismos gustos. Era importante hacer la primera comunión y bajar a la playa del puerto. La playa colonizada por los auténticos moradores de esta ciudad. La playa sin topless ni noctámbulos suecos que duermen la mona al sol. La playa de las tarteras y los bañadores de cuello alto. La playa de los que viven en el corazón podrido de una manzana que, por fuera, refulge. Espectacular y brillante. La playa de los que bajan las persianas para no ser vistos. La playa más sucia: los barcos que entran y salen del puerto manchan el agua con trazas de combustible. Allí chapotean los cachorros aceptados por la madre. Los de toda la vida. Los que hablan con una entonación y un acento que se me pega al oído, poco a poco, sin darme cuenta. No tengo que fingir ni disimular mucho. Sólo mi madre me dice:

–Niña, ¿se puede saber por qué hablas así?

Me acuerdo de una discusión recurrente en el patio del colegio:

–Tú eres de *Madrit*.

–No, yo soy de Madrid.

–Entonces serás de *Madriz*.

–No, yo soy de *Madridd*.

–De *Madrit*.

–No, no, no. De *Madriddd*. De *Madrided*. De *Madrideded*. Con «d». De Madrid.

–Pues eso. De *Madrit*.

Nunca supe a qué vino tanto empeño en la precisión fonética. Posiblemente el empeño tenía que ver con otra cosa.

Al lado del antiguo ayuntamiento, el callejón de los gatos sube hasta la iglesia donde tomé la primera comunión. El mirador del castillo en la punta del Canfali. Un castillo que ya sólo es la planta imaginaria del castillo con sus balcones al mar, sus magníficas escaleras de subida y de bajada, y el pavimento de un salón donde quizá alguien ensayó unos pasos de baile. Tenemos que levantar fantásticamente los muros del castillo y la hiedra que repta por ellos. Levantar almenas y torreones. Los nidos de golondrina camuflados en las ranuras de la sillería. Abajo, en el inicio del callejón de los gatos, junto al extremo de la playa donde rebañaba el cuerpo mocoso de las lapas mientras hacía el papel de la sirena de Ulises, con las algas como extensiones del pelito de roedor, allí abajo, aún estaba la casa con la verja pintada de verde, con su jardincillo, sus rosales, su fuente y sus persianas cerradas a cal y canto. La casa que nunca supe a quién perteneció. Muy cerca, en el ojo de buey de uno de los sótanos del callejón de los gatos vivía la niña Juana Mari Gascón. Quizá ella no pudiera dar crédito al hecho de que yo aún recuerde su nombre. Nunca fuimos muy amigas y, a mi modo, la despreciaba. Aunque siempre me pareció buena persona. Pero Juana Mari sonreía y yo notaba que le faltaban un par de muelas. Las sonrisita mellada de una niña pobre. Juana Mari no era la hija del alcalde ni del puericultor ni del dueño de la panificadora ni del director de la banda municipal ni del estanquero jorobadito ni del notario ni del constructor que comenzaba a hacerse muy, muy rico por aquellos años. Si me encontrara con Juana María Gascón subiendo las escalerillas del callejón de los gatos, me moriría de vergüenza. El callejón de los gatos sigue oliendo a lo que siempre olía. Alcohol. Moqueta llena de lámparas. Vómitos. Grifos de cerveza rubia. El olor que dejan los cuerpos y la ginebra con que se limpian los mostradores en un lugar cerrado. Con mala ventilación. Volver al lugar donde pasaste tu infancia, volver a ese falso punto de partida, a ese paréntesis, es poner a girar las ruedecillas dentadas de un montón de verbos. Volver, reconocer, buscar, rebuscar, evitar, comparar, recordar, presentir, temer, sospechar, decepcionarse, sonreír, lagrimear, sorprenderse, ignorar, reparar, romper, medir, evaluar, sopesar, revivir. Tal vez, en una palabra: reconquistar. Pero ya no lo quiero. No, yo esto ya no lo quiero. También escribir es reconquistar un espacio. Acotar con la palabra una parcela. Vallar un jardín. Ponerle nombre. Hacerlo tuyo. Volver es revolver. Revolver un cajón. Sacarlo todo. Desechar lo ajado. Dudar. Sonrojarse al comprobar en la propia carne que los objetos –los lugares, las sensaciones– tienen un valor sentimental. Reconocerse en la silueta del fetichista y del vicioso. Fernando Rey huele un zapatito blanco. Volver a ordenar las prendas que han sobrevivido. Agotador. Me siento en un banco del paseo marítimo. No quiero creer que yo también soy así. Tampoco sé si tengo ganas de llorar o de reírme. Sensación de hueco en la boca del estómago. Muchas ganas de volver a casa. Acurrucarme. Acurru. Carme.

Mientras hago el reportaje, me siento en las terrazas y trato despóticamente a los camareros. Reviso el catálogo de postales que quizá debería quemar de una buena vez: los veraneos de la adolescencia cuando ya regresaba a este pueblo como una especie de artista invitada. La calle peatonal de piedra amarilla donde un chico con los ojos muy bonitos y los dientes muy blancos me dio mi primer beso de lengua. Casi me muero de asco. El pub alemanoide –justo al lado de la casa de la verja pintada de verde– donde me dieron otro beso que casi me caga la vida. Recuerdo que estaba bebiendo una tónica con una rajita de limón. La playa donde jugué con los chicos a las persecuciones, los empujones y estiramientos que ya eran una especie de conato sexual. Violencias que mi madre contemplaba desde lo alto de la terraza. Regañinas. El puerto de noche. Las cañas de pesca. Los pubs del centro del pueblo que fueron cerrando poco a poco. La escuela de calor y los vestiditos de tirantes. Una canción romántica de Ultravox: Ohhhhhhhh, Viennaaaaaaa.

Poder andar medio desnuda. Los espejos de los váteres donde me miraba borrachita y veía a la mujer más hermosa del mundo. La tienda donde un hombre en un torno labraba sus maderitas de San Juan. Aserrín aserrán. Las jaulas de los monos en el parque de Elche y el barquito que lleva a la isla donde viven gallinas de Guinea y otras aves absurdas. Los pasadizos comerciales. La plaza Triangular y las discotecas que eran el escenario para rodar películas de ciencia ficción. Majestuosidad del plástico, de los neones y de esos rinconcitos de la calle que se transforman en un sitio para jugar a los detectives, a las madres y a los padres, a las secretarias de dirección políglotas. El callejón donde un niño me subió a caballito. Los patios de butacas de los cines de verano. El colegio. Las aulas, los dibujos de las baldosas de los pasillos, el recreo, el baño donde una vez me quedé encerrada. No pude parar de llorar ni de gritar. Cada vez recuerdo menos cosas pero estoy segura de que, si hiciese el esfuerzo, otra vez lo recordaría todo. Punto por punto. Aterradoramente.

Dos detalles me hacen muchísima gracia en este retorno. La ciudad ha sido invadida por personas mayores de sesenta y cinco años que se gastan un dineral en las peluquerías, en los centros de belleza y en las cafeterías con vistas al mar que tienen baile con orquesta veinticuatro horas sin interrupción. En el hotel comen cada día una sopa de sobre de un color diferente. Lunes amarilla, martes marrón, miércoles verde, jueves roja. Danzad, danzad, malditos. Éstas serán, tal vez, vuestras últimas fornicaciones. Intentos flojos. Imaginaciones vuestras. El segundo detalle es que no han cambiado los carteles para anunciar comidas. Platos combinados, helados, hamburguesas, paellas, *fish and chips*, pollo a *l'ast*, bufé libre con croquetas como balines de la Primera Guerra Mundial y cóctel de gambas con hebras de lechuga y mucha salsa rosa, copones de fresas con nata, tartas y pastelillos, combinados con sombrilla y bengala chisporroteante. Estampas de cada alimento coloreadas con filtros fotográficos inverosímiles. Panecillos de oro. Nunca el naranja de la yema de huevo fue más anaranjado. Nunca el verde acumuló mayor cantidad de clorofila. La calle huele a cebolla frita y a grasa animal.

He vuelto a esta ciudad, como si nunca hubiese vivido aquí, para escribir un reportaje. Me cito con las concejalas del ayuntamiento. Me hago la tonta mientras ellas me explican cosas sobre este sitio que yo me sé mejor que ellas. Me exaspero con sus palabras y con sus circunloquios. Pero qué me van a contar a mí. Qué me van a contar. Es como si me enfadase por no ser reconocida. Cuando llamé a mi colegio, me dijeron que el director no estaba. Que llamase otro día. Llamé otro día y otro y otro. El director estaba en Valencia. De baja por enfermedad. Allí, a esas horas, sólo quedaba la mujer de la limpieza.

–No, yo no sé nada.

Insistí hasta que oí una voz, al otro lado del hilo telefónico, que no se dirigía a mí:

–Dile que no estoy, que no estoy, que me he ido.

Fueron todos muy amables. Muy tiernos. Muy considerados. Mientras hacía el reportaje en el que no saldrían las aulas de mi vieja escuela nacional, maltraté en todas las terrazas a los camareros y volví a ser un corazón despechado. Por un montón de motivos. Aunque lo peor fue que, pese a mi empeño en ir de incógnito y en ser de verdad una niña turista que no se atreve a jugar con las muñecas de una alcoba que no es suya, a pesar de la distancia y del escepticismo en el que anduve encapsulada un par de días, no me tropecé con nadie conocido. Lo lamenté mucho.

Me siento en un banco. Es de noche y no se ve nada en el paseo marítimo. Está más oscuro que cuando yo era pequeña y aún no existía el concepto «contaminación lumínica». Son tiempos de ahorro o de conciencia ecológica. Sólo se escucha el sonido del mar. Barrunto a lo lejos una tormenta y me recojo los brazos: el Mediterráneo también puede ser un mar tenebroso. Ahogar a los nadadores. Un hombre borracho tocado con una cresta de gallina me pide que nos bañemos juntos. Me da miedo y me halaga. Declino su invitación. Me río. Escribo un poema. Hay reportajes líricos, libros de viajes imaginarios y poemas basados en hechos reales.

Segunda parte

Los gusanos de seda

INGLATERRA

Me acuerdo perfectamente de por qué Belén y yo estábamos discutiendo. Ella mantenía que pasarse el cepillo por el pelo era, para ella, una actividad muy dolorosa, porque su pelo oscuro y abundante se encrespaba en contacto con la almohada, se anudaba sobre sí mismo y, al despertar, resultaba casi imposible deshacer los nudos. Más, lo suyo era más, y yo no podía permitir ni ese más ni el hecho de que Belén se hubiera puesto tan discutidora, cuando casi siempre me daba la razón. No sabía cómo habíamos podido llegar a ese punto ni qué habría soñado Belén aquella noche, qué residuo tóxico de la cena se le habría instalado en el hígado para que fuera tan persistente y estuviera a punto de llorar de rabia, frente al escepticismo que yo estaba mostrando ante sus absurdas explicaciones. Extremando mis aptitudes de filósofa sofista, contraargumenté que lo mío era muchísimo peor, que mi pelo fino y pobre se electrizaba y que las chispas me quemaban los cabellos, de modo que, antes de los quince años, era muy probable que me hubiese quedado calva como una pelota de billar. Aquello sí que era un destino desgraciado y no los tirones en el cuero cabelludo de Belén, que aunque dejara en el cepillo miles de pelos, enredados y rotos, siempre podía contar con que le saldrían más: en el occipucio, en los parietales, dentro del hipocampo –si le diseccionaran el cerebro, encontrarían mechones prendidos de la víscera–, pelos nacientes hacia el ángulo alargado del rostro y en el pecho, como les salían a los gorilas de África.

Los niños españoles de la *school* inglesa, en la que estábamos pasando las vacaciones de verano, primero observaron atónitos y, al entender por fin los argumentos de las contendientes, se aliaron en uno u otro bando manteniendo silencio. A mi espalda había muchos más niños que a la espalda de Belén. Los niños son listísimos y captan enseguida quién lleva las de ganar. Belén lloraba y yo me mantenía inamovible en mi postura, después de haber insinuado que mi amiguita era una mona y de haber omitido que, desde hacía bastante tiempo, mi abuela Rufi no sólo intentaba infructuosamente adornarme la cabeza con esos tirabuzones que yo quería lucir, sino que además me depilaba los brazos con una cera caliente, que hervía en un cacito metálico, para que mis tíos, mis primos y otros hombres cariñosos de mi entorno familiar no se burlaran de mí.

Estábamos susceptibles en el Chilton Cantelo House porque por primera vez tanto Belén como yo nos habíamos separado de unas madres que nos ayudaban a escribir los comentarios de texto. A mi madre le pusieron un siete en su disertación sobre las *Coplas a la muerte de su padre*, mientras que la madre de Belén sólo consiguió un cinco con cinco. La madre de Belén, que era profesora de Historia en la Universidad Complutense de Madrid, se quedó sorprendida ante esa diferencia de casi dos puntos, sobre todo cuando se enteró de que mi madre era fisioterapeuta, y sin perder un minuto telefoneó a mi casa para tratar de entender cómo una sanitaria, que había abandonado su profesión hacía años, podía redactar un comentario de texto de notable –el profesor era endemoniadamente exigente–, mientras que a ella le habían puesto un cinquito. La madre de Belén no contaba con que la mía fuera una lectora hipercrítica, que enjuiciaba los libros del mismo modo que los mensajes y reacciones de la vida cotidiana; así captaba al vuelo el significado de los dobles sentidos, de las malas intenciones y tenía clarísimo el concepto de verosimilitud. Mi madre sabía leer, encontrando las pelusas debajo de la alfombra, y no se dejaba impresionar con las metáforas ni con los apuntes escatológicos ni con el sentido del humor ni mucho menos con los ríos que van a dar a la mar. A mi madre las coplas de Manrique no le sonaban sinceras.

Belén, que era muy estudiosa, estaba disgustada y un poco ausente a causa de ese cinco con cinco que le habían puesto por culpa de su madre, que era profesora de Historia y la esposa del mejor decano que tuvo esa facultad. El doctor Estébanez fue el único que no toleró el acceso de la policía al edificio de Filología B, aquel curso 86-87, en que las manifestaciones de estudiantes en Madrid se resolvieron a tiros.

Así que tanto Belén como yo, en 1979, estábamos abatidas por nuestras soledades inglesas. También nos abatía la circunstancia de que la dueña del Chilton Cantelo House sólo nos permitiese, poniendo bastantes reparos, telefonear a nuestras madres al llegar de Madrid y de que nos pusiese mala cara al avisarnos de que nuestras madres nos habían llamado. La sonrisa estirada de la patrona se le fruncía a la vez que el ceño cuando mascullaba:

–*Phone.*

Como la que dominaba el inglés era Belén, yo me parapetaba tras ella, cada vez que la dueña del Chilton se acercaba con aquella cara que invitaba tan poco a la comprensión de una lengua no nativa:

–¿Qué ha dicho?

–Ha dicho que *phone*.

Yo no entendía la pronunciación de la patrona, pero la de Belén sí, y me sentía estúpida, incomprendida, con unas heridas sangrantes en el amor propio que justificaban, más aún, mi susceptibilidad. Cuando en otras circunstancias no había entendido a las personas que se dirigían a mí, mi reacción había sido el miedo: miedo en una casa en Galicia, donde me alojé con mis padres, en la playa de Carnota, otro de esos paisajes, brumosos y verdes, que me daban tiritonas y que me hacían pensar en la humedad del morirse y que nada tenían que ver con la luz y con el calor y con la sequedad desértica, con los espejismos producidos por el deslumbramiento y la temperatura que, para mí, siguen siendo el símbolo del paraíso. La dueña de la casa era una gallega solícita que me hacía arrumacos, mientras yo contraía mi cuerpecillo, como si la intención de la mujer fuera clavarme un machete para sacarme grasa con la que preparar el unto. El marido de aquella mujer era pescador y su hijo, que padecía cretinismo y era de mi edad, me espiaba. Nada sensible a las cuestiones sociales y a las desgracias de aquella pobre mujer que se veía obligada a alquilar cuartos para sobrevivir, de mi viaje a Carnota sólo me quedé con el lado siniestro de las películas de terror: con los ojos del cretino, tan parecidos a los del hijo de Antonia que defenestró al perrito de su madre; con los ruidos de los goznes de las puertas y de los golpes de mar contra las rocas; con el destello de un cuarto de baño, blanco e inmenso, que nadie había usado nunca, un baño antinatural, sobredimensionado, listo para ensuciarse con las salpicaduras de la sangre de los cerdos en la matanza o de las niñas que, como yo, todavía usaban medias de perlé enroscadas en los tobillos; me quedé con las arañas, cuyas telas mimaba dentro de mi alcoba, para que se enredaran en ellas aquellos mosquitos, agrandados por la lente de una lupa, mitológicos como los esqueletos de los dinosaurios en el museo de ciencias naturales; mosquitos que, si no eran devorados por las arañas, me acribillaban las piernas por las noches. Me alié con las arañas en Galicia y, desde entonces, son insectos a los que cuido entre los libros de mi casa. Todo eso me sucedió en Galicia y, en Inglaterra, a causa de mis limitaciones con el idioma, yo volvía a estar temosa y a la vez resentida, porque nadie se daba cuenta de que yo era una niña muy inteligente por mucho gesto de ojo avizor, de muchacha espabilada, que articulase por los pasillos del colegio cada vez que me cruzaba con un habitante del condado de Somerset, sur de Inglaterra. Mi orgullo estaba despedazado y, cuando me dirigía a Belén, era desagradable:

–Pero ¿es mi madre o la tuya la que llama?

–No sé.

–Belén, ¡no te enteras!

–Sí me entero, es que no lo ha dicho.

El teléfono era propiedad de la patrona y, aunque Belén y yo entendíamos que no quisiera gastar su dinero en las llamadas mimosas de los niños, lo que no alcanzábamos a comprender era por qué se enfadaba tanto cuando nuestras madres, que lo estarían pasando mal separadas de sus hijas, se atrevían a marcar el prefijo de Inglaterra para comprobar que dormíamos y comíamos y que estábamos aprendiendo mucho inglés en las lecciones matinales.

–My grandmother went to the market and she bought...

–Apples.

–Apples and butter.

–Apples, butter and coconuts.

–Appels, butter, coconuts and donuts.

–Appels, butter, coconuts, donuts and eggs.

–(...)

–¿Martha?

–(...)

–¿Martha?

–¡Perdón! *Fish*, la *granmoder* compró *fish*.

Y todo el juego de retención léxica y de repaso del alfabeto se iba al garete porque, aunque Belén y yo acumulábamos buenas razones para estar abrumadas ante la separación de nuestras madres, las mías eran mucho más poderosas. Belén y yo estábamos abrumadas por la impresión que nos produjo esa casona inglesa que ocultaba en sus bajos búnkeres de la Segunda Guerra Mundial y cuyo umbral se franqueaba tras pisar las lápidas musgosas de uno de esos cementerios ingleses tan poco recatados; una casa inglesa cuyas maderas crujían por las noches –eso lo notaba yo, no Belén, que roncaba, y a quien tampoco le había dicho que lo que más terror me producía era la chimenea de nuestra habitación, por la que se podían colar almas en pena, muertos resucitados o murciélagos, y esas ventanas de vanos góticos idénticas a las de los castillos de los condes de Transilvania–. Belén y yo estábamos abrumadas ante la cocinera que nos daba de desayunar huevos fritos con espaguetis, mientras un pitillo colgaba de sus labios; abrumadas ante la profusión de actividades deportivas, que nos quitaban el aliento de pájaro de los pulmones, y ante los jerseicitos de pico de nuestros compañeros santanderinos. Pero aunque las dos vivíamos una experiencia en la que no hubiera sido imposible que nos retrotrajésemos a la primera infancia y nos meásemos en la camita, yo tenía más derecho que Belén a estar hipersensible.

Cuando al fin había descifrado los enigmas y estaban a punto de entregarme las llaves de esa ciudad cerrada contra la que apliqué mi ariete durante al menos ocho años fundamentales en mi crecimiento; cuando había empezado a dominar los resortes y las fórmulas de mi proceso de socialización en un territorio enemigo, por motivos laborales de mi padre y por necesidad afectiva de mi madre, habíamos regresado a Madrid. Yo me sentía demasiado cansada para acometer, en una tierra donde de nuevo era una extraña, la misma lucha en la que me había enfrascado durante mis primeros años. Así que, cuando me matricularon en el colegio público que me correspondía en Madrid y conocí a Belén, a Elena, a Mari Mar, que de un curso para otro pasó de lucir canesúes de nido de abeja a embutirse dentro de unos vaqueros que le marcaban la obscena redondez de los glúteos, conocí a Gema, cuyo padre alojaba una solitaria en los intestinos, y me sentaron en el pupitre de una clase mixta, yo estaba asténica, exhausta, rota y cabreada y dejé de ir al colegio sin que nadie lo supiera durante dos meses.

A veces me pregunto qué hubiera pasado si no nos hubiéramos ido de Benidorm y creo que todo sería más o menos igual. Yo habría ido a estudiar a Alicante o a Valencia, me habría hecho bilingüe y sería alguien muy parecido a quien soy ahora. O tal vez no, y me hubiera sido difícil concentrarme, mi madre hubiese aflojado las riendas o, ahogada en temores, las hubiese estirado tanto que me habría convertido en una muchacha estúpidamente rebelde, que habría caído en las rutinas previsibles de un lugar, hipnótico y sensual, anestésico y turbio, en el que no era posible construir una burbuja y colocarse en el centro, para salvarse del ruido martilleante de los graves de las canciones que se van incrustando en algún punto del tórax o de la cabeza hasta que dejas de oírlos. Un lugar que continuó siendo el sitio al que siempre se quiere regresar, hasta más allá de mis veinte años. Posiblemente, si no nos hubiésemos mudado, sería una consumada bailarina de música disco, el mundo de la hostelería me hubiera succionado como a Alicia el agujero y, con el salario que ganase sirviendo copas en los pubs o fregando platos en los restaurantes especializados en paellas, me hubiese pagado, sin rendir cuentas a nadie, mis rayas, mis cubatas, mis inhalaciones, y quién sabe si, en una noche loca, hubiese olvidado mis promesas infantiles y me hubiese dejado preñar por un turista sueco o por el encargado de un local, barbilampiño y con barriguita. Perfectamente integrada en el entorno gracias a mi proceso de desintegración.

A veces es importante rendir cuentas; que te pasen revista. De hecho, es de las mejores cosas que pueden ocurrirte y quizá no sea tan insano no disponer de una habitación propia. Esa carencia te salva de la obcecación y de los fantasmas. Sigo creyendo que es preferible no adentrarse en el lago con los bolsillos del abrigo llenos de piedras. La imagen es visualmente hermosa, la bruma, las flores, el abrigo que flota antes de que el agua cubra por completo a la mujer; también representa una acción dañina e inútil. Tan dañina y tan inútil y tan egoísta y tan autodestructiva como esos dos meses de ausencia de la escuela, que hicieron llorar a mi padre cuando por fin me descubrieron. Mi madre se mostró más sobria. Era necesario. Alguien tenía que corregir mi cansancio y mi rabia. No se puede tolerar que una niña nerviosa no quiera despertarse por las mañanas y que, poco a poco, se duerma para siempre.

Belén, a mi retorno a la escuela pública, tras mi conato de suicidio moral –dos meses con la angustia y el deseo de ser descubierta, aunque no fuera fácil porque yo era lista y me lastimaba con mis mentiras minuciosas, con mis cálculos perfectos–, me acogió y a su misantrópico modo me ayudó a formar parte de la sociedad escolar. Pero Belén era muy rara. Llevaba a todas partes una prensa de flores y, cuando íbamos andando por la calle Antonio López rumbo al colegio, se paraba para recoger, de las rendijas que quedaban entre el asfalto y la tierra de los descampados, flores amarillentas, ramitas grises, que inmediatamente aplastaba con su prensa portátil y guardaba entre las páginas de un libro, ante mi mirada primero incrédula y, más tarde, teñida de vergüenza ajena. Había que ser muy paciente para aguantar aquellas excentricidades. Belén era aceptada entre las compañeras porque la conocían desde el parvulario. Le tenían cariño y cierta admiración: Belén era la empollona de la clase, la que sacaba diez en todas las asignaturas. Belén iba a estudiar biología y se iba a especializar en botánica, en una época en la que yo me iba decantando por los estudios literarios, aunque también me interesaban las ciencias políticas, la pedagogía, la antropología, la sociología, las bellas artes, la historia del arte, la lingüística, la arqueología, la psiquiatría, la música antigua, el periodismo, el cine y, al llegar al instituto, incluso las ciencias físicas. Me consta que Belén logró sus propósitos, porque no hace mucho una mujer se acercó a mí en una caseta de la Feria del Libro y me preguntó si me acordaba de ella. No me acordaba.

–Soy Belén.

Me inclino sobre los ojos de Belén, me meto dentro de ellos y sus ojos me tragan para mostrarme las diademas de Belén, sus vestiditos camiseros, sus zapatillas de deporte, sus manos de yemas castigadas por el aprendizaje de la guitarra, su manía de chuparse el dedo al dormir, la letra picuda de sus cuadernos escolares, la letra infantil con que Belén escribe respuestas sobre hojas de distintos colores, las ciencias en azul, la lengua en rosa, las matemáticas en verde, hojas distribuidas en los distintos compartimentos de la carpeta de anillas: la mayoría de edad llega a los dedos infantiles cuando son capaces de usar un cuaderno de anillas sin que las hojas se rasguen por sus agujeritos. El clic clac del abrir y cerrar las anillas está lleno de sensualidad y nosotras somos estudiantes que jugamos a ser secretarias o archiveras, y demostramos nuestra eficiencia en el mimo con que sacamos y metemos las hojas sin rozar la punta dentada de la anilla. Me inclino y compruebo que Belén es Belén, la misma de los doce años, aunque, si me hubiese cruzado con ella por la calle, no la habría reconocido. Me inquieto al pensar que sólo somos capaces de reconocer las cosas previsibles, que no importa que no se hayan producido transformaciones relevantes, porque sólo se reconoce lo que se espera. Aquella mujer, que era Belén, me sonríe, pero aparta sus ojos al volver a hablarme. Para acercarse hasta la caseta, Belén ha hecho acopio de su valentía. Es posible que yo no me hubiera atrevido a dar un paso, aunque la hubiese reconocido de lejos.

–Te imaginas lo que estudié, ¿verdad?

Belén ha perdido kilos y está más pequeña que cuando era pequeña; sin embargo, conserva su propensión a los sofocos y una mochila, en la que no sé si guardará una prensa de flores, pero de la que saca una libretita. El gesto de sacar la libretita de la mochila, con esas manos un poco temblorosas que me llevan a pensar que no va a encontrar nada de nada, ese gesto de revolver el interior de la mochila es muy suyo, muy de esta Belén que es Belén y que apunta mi dirección. Nunca imaginé que me la volvería a encontrar. Sentí ternura.

–Belén, sentí mucho lo de tu padre.

–De eso hace ya mucho tiempo.

Yo me divertía con los despistes de Belén –no se limpiaba con la servilleta los bigotes después de beber leche ni se daba cuenta de si llevaba un lamparón en la camisa–, con sus perfeccionismos –Belén podía pasarse horas resolviendo una ecuación o corrigiendo el estilo de un texto– y con una inteligencia que mi amiga no aprovechó para convertirse en una mujer soberbia, sino en una persona buena y humilde que me ayudó sin alardear nunca; pese a todo, Belén a los doce años era muy rara y no entendía –posiblemente no le interesaba o quizá sufría mucho por ello– que a esa edad, además de ser una empollona frente a la que los chicos se sienten minusválidos, también conviene practicar algún deporte y comenzar a pintarse, sin que te vea tu madre, la raya del ojo. Si tu madre te ve y te lo consiente, ya no sirve de nada.

Por eso en aquella época en que me apoyé en Belén, también me hice amiga de Elena, cuyo padre era un militante del PCE –eso nos unía mucho porque el mío también lo era– que había muerto de penosa enfermedad, dejando solas a la madre de Elena, a Elena y a sus dos hermanas. Elena ya empezaba a darse el lote con algún niño por los rincones oscuros. También trabé amistad con Eva, que no se daba el lote con nadie, pero llevaba unos pendientes largos en los lóbulos de las orejas, se pintaba una raya azul en la línea del párpado inferior y tenía una hermana que le enseñaba pasos de baile, porque era bailarina profesional del programa *Aplauso*. Por mucho que mi madre se empeñara, yo era tan vulnerable a la precocidad en Benidorm como en Carabanchel. Ni la climatología ni la topografía ni la capitalidad frenan los instintos ni las ganas de consumar –sólo hasta cierto punto– lo que ya se sabe de memoria. Y me fui apartando de Belén, aunque siguiéramos compartiendo ratos de estudio porque, como yo era plana como una tabla de planchar, un único pelo negro me acababa de nacer en el monte de Venus y mi aspecto era el de una niña muy niña, necesitaba la muleta de alguna mujer exuberante de doce años.

Yo hice, por rabia y por melancolía, novillos en sexto, y en séptimo, tras algunos comentarios de clásicos de la literatura hispánica compartidos por nuestras madres, Belén y yo fuimos juntas para mejorar nuestro inglés al Chilton Cantelo House; allí discutimos y, en octavo curso, nuestra amistad ya no fue igual. Éramos dos niñas, pero yo hago todo lo posible por dejar de serlo, mientras que Belén parece sentirse cómoda en el abrigo de serpiente de su infancia: me da miedo que el abrigo se la coma. En el Chilton Cantelo House aprendemos juegos para aprender inglés de los que sólo recuerdo la dinámica pero no los contenidos. Me parapeto en Belén cuando alguien me habla, y ella me descifra los significados, tarea que no le agradezco, sino que ambas consideramos una obligación por su parte; en el Cantelo House, acomplejada ante los anglohablantes, doy el do de pecho en las actividades físicas: corro como una loca para cubrir las bases del campo de béisbol, aprendo a manejar el bate de madera, placo al contrario –es decir, incrusto mi cabeza dura contra el estómago de los contrincantes– en los torneos de rugby, aprendo a dar saltos mortales en la camas elásticas. También me baño con mi bañador de competición Venus en una piscina de agua verde. Me exhibo nadando. Me tiro de cabeza, de lado y hago la salida de los espaldistas. Hago largos en la piscina verde, con los ojos abiertos bajo el agua y, cuando voy a chocar contra el muro, doy la voltereta con la que los nadadores profesionales cambian el sentido de sus brazadas. La piscina verde se me queda pequeña. No encuentro rivales y escondo los latidos de mi corazón bajo la palma de mi mano, para que nadie sea capaz de calibrar mi esfuerzo y todo el mundo crea que mis aptitudes exceden a mis voluntades. Soy verdaderamente una sirena. Belén anda por ahí, flotando en una esquinita de la piscina. A veces, me tropiezo con su cuerpo y tengo que desviar la línea recta de mi largo.

En el Chilton Cantelo House escribo cartas a mis padres en las que les cuento que me ducho todos los días –hasta hace poco mi madre me metía en la bañera un día sí y otro no–, alardeo con la magnificencia buena heredada de mi tía Pili y les digo que la nutella inglesa es exquisita y también las galletas del *supper*, y las natillas calientes con las que cubren los *cakes*. Odio los dulces, pero les digo que como muchísimo y, aunque es verdad que como, Belén come más que yo y se deja churretes de comida en la comisura de los labios. Escribo que nuestras excursiones son maravillosas: los ejércitos del mar en Portland, el encanto de Sherbone con sus casitas bajas, sus colorines y sus viejecitas bebedoras de *gin* y de *tea* indistintamente. Les digo que les echo de menos pero que estoy muy contenta. Todas las noches me angustia no poder hablar por teléfono con mi madre pero me aguanto. No quiero que se ponga triste al pensar que no me acuerdo de ella y que, si no la llamo, es porque no me da la gana. Cada vez que mi madre me llama, insisto en que no me dejan telefonear. No estoy muy segura de que me crea y, quizá por esa razón, me decido a escribir cartas desde el Chilton Cantelo. Belén no escribe cartas, sólo postales, se la ve tranquila y por las noches duerme como un angelito.

En las *parties* que nos preparan los profesores, bailo desenfrenadamente el *rock and roll* con Mr. Manathon, que es un profesor grande y canoso, con cara de cerdo de York, que convierto en mi objeto de deseo, dado que estoy en la época de la vida en la que es imprescindible contar con un objeto de deseo, después de haber asumido que el Errol Flynn al que le fui fiel desde el parvulario hasta quinto ya nunca volverá a silbarme como si fuera una vaca y posiblemente acabará liándose con Juana Amparo, que es la única niña tan bella como él, la única que podía haberme hecho sombra en el corazón de Flynn; pero yo traicioné, desacralicé y quité el halo luminoso de encima de la cabeza de Juana Amparo cuando le robé un papel en la representación escolar de quinto curso –de qué poco vale la fascinación, aprendí entonces–, cuando a ella le asignaron el papel del estudiante y a mí el del aldeano, y conspiré con la señorita hasta conseguir el papel del estudiante, porque pensé que el aldeano era el tonto de la representación y el estudiante el listo. Había leído tan mal la obra que al final era exactamente al revés. Pero, de hecho, dejé a Juana Amparo llorando y descubrí que las niñas que nos creemos muy listas somos subnormales profundas.

También en las *parties* del Cantelo House tocamos la guitarra, reunidos en círculos y bebiendo zarzaparrilla, y yo me desgañito entonando *Chogüí,* una canción que entusiasma a Miss Cheryl, quien en la clase, entre la *butter* y el *cheese* de la *grandmother* consumista, ha confesado estar enamorada de Clint Eastwood. Si Miss Cheryl ama a Clint Eastwood, yo puedo amar a Mr. Manathon, aunque sea un hombre casado, al borde de la andropausia, que me levanta como a una pluma mientras hacemos nuestras piruetas, y a quien miro directamente a los ojos mientras me desgañito cantando *Chogüí*. Todos cantamos juntos, en un tono moderado, el texto inicial de la canción:

–*Cuenta la leyenda que en un árbol se encontraba encaramado un indiecito guaraní...*

Pero cuando llega el momento del estribillo, sólo se oyen mis agudos y me dejan sola:

–*Chogüí, Chogüí, Chogüí, Chogüí, qué lindo es, qué lindo va, volando va, cantando así volando se alejó... Chogüí, Chogüí, Chogüí, Chogüí, qué lindo es, qué lindo va, perdiéndose en el cielo azul turquí.*

Belén, que es la que sabe hacer lo difícil –tocar la guitarra–, me acompaña en el cántico con una convicción conmovedora, inclinada sobre un instrumento más grande que ella. Pese a mis trinos, mi velocidad en las carreras y mis saltos mortales –verídicos– no me nombran la niña más popular del curso, tal vez porque me he aplicado demasiado para serlo. Ese galardón tan británico recae en Betty, que no sabe hacer nada en particular y es la hermana santanderina de Alfredo y de Pepe. Belén, que ha pasado por las competiciones con una actitud parecida a la pachorra y que ha demostrado que no tiene el menor interés en ganar nada, me mira por el rabillo del ojo. Belén está en todas partes y en ninguna: detrás de los setos del campo de rugby, en la esquinita de la piscina, al fondo del cuarto. Como si pasando desapercibida exigiera toda mi atención. Me irrita no saber qué estará pensando cuando me mira por el rabillo del ojo. Por fin, casi al final de las vacaciones, estalla la bronca de los enredos del pelo. Al hacer las maletas, dejo olvidada en el gancho de detrás de una puerta una bata corta de hilo, con florecitas azuladas, que mi madre me ha prestado. Todavía no me lo he podido perdonar.

El viaje a Inglaterra me ayuda a volver a mi ser tras mi prolongado conato de suicidio y, tal vez por el corrosivo proceso de volver en mí, cuando mis padres van a buscarme al aeropuerto peso treinta y dos kilos, las clavículas parece que van a salírseme de mi caparazón de pollo, tengo bracitos y piernitas, pellejitos, estoy consumida como si me hubieran metido en una olla a presión para quitarme la grasa y la humedad y dejarme mochos los huesos, soy un tomatito escaldado al que se le puede separar la piel de un tirón, y la cara y el cuero cabelludo me los ensucian pústulas que me dan el aspecto de ser la víctima de un accidente. Mis padres enseguida me llevan a un dermatólogo, que me prohíbe el chocolate y el chorizo, y me receta una pomada abrasiva que debo aplicar sobre mis granos y mis pústulas cada noche. Aunque no me han quedado marcas de aquella enfermedad de la piel que contraje en el Chilton Cantelo House a causa de la alimentación o de los estafilococos flotantes en la piscina verde, ahora, cuando me acuerdo de aquello, me doy pena. Porque creí ser felina y taimada y lo único que conseguí es ser como un perro que mueve el rabo para que le acaricien el lomo. Belén era una niña mucho más digna que yo y no le reprocho que, aunque tendríamos mucho que contarnos –Belén y yo no hablaríamos exclusivamente de recuerdos–, todavía no haya revisado su libretita y, haciendo un segundo acopio de valor, me haya escrito.

PEDAGOGÍA MODERNA

Además de que el patio de recreo sea una hondonada en la M-30 –desde el foso los niños observamos cómo los coches derrapan y los camiones cogen la curva–, dos son las cosas que más me sorprenden en el colegio público Concepción Arenal, situado en la glorieta de Marqués de Vadillo, Madrid. La primera: compartir la clase con chicos. La segunda: la clase no es el espacio de un profesor, sino un territorio del que los profesores entran y salen y que, como tal espacio, sólo pertenece a los niños descuidados que se reconcentran en él, desprendiendo, a causa de la edad y de la superpoblación, un inconfundible olor a choto. En el colegio de Benidorm, cada clase era el feudo de una maestra que aportaba su impronta decorativa: las disposiciones de los tiestos sobre los poyetes de las ventanas; el jarroncito con flores; la grapadora de metal; la regla de madera para castigar a las niñas o pegar golpazos con los que reclamar silencio; el cojín en la silla de la profesora, recubierto de una malla de ganchillo o sencillamente forrado con tergal; el retrato de Francisco Franco, conservado después del óbito, al lado del de los reyes, junto a Cristo crucificado; el vano de cristal de la puerta de acceso, velado por un papel de distintos colores, para que nadie desde el pasillo pueda ver qué pasa, en la intimidad del aula; en Navidad, el belén en una esquina y el espumillón por las paredes; la exposición selecta de trabajos manuales de las alumnas. Cada maestra personalizaba su aula con pequeños detalles de cuarto de estar –doña Dolores era austera, doña Encarna, barroca– que conseguían que nos sintiéramos orgullosas de pertenecer, al menos durante un curso, a la clase más bonita del colegio.

En el colegio de Madrid, el aula es un lugar con pupitres, tarima y encerado, mesa del profesor y silla. El puesto en el que se sientan los alumnos no es un galardón ni el reflejo de las acciones meritorias. Los niños se colocan en los pupitres de la izquierda, las niñas en los de la derecha. Ése es el único principio de segregación. Compartimos una clase mixta que no lo es en realidad. No nos mezclamos. Ninguna niña se sienta con un niño, porque sería una puta; ningún niño comparte pupitre con una niña, porque sería un braguitas o un baboso. Sin embargo, la disposición de los alumnos en los pupitres pone de manifiesto la voluntad de la dirección del colegio y de las altas instituciones encargadas del gobierno de la enseñanza pública de aplicar los principios de la pedagogía moderna: los bancos delanteros los ocupan los malos estudiantes, los más rezagados, mientras que los listos estamos detrás, olvidándonos de que tuvimos la oportunidad de enterarnos de todo en primera fila. El mundo se ha vuelto del revés y yo no entiendo por qué se me infligen esos castigos.

En el aula de mi nuevo colegio, nadie deja allí nada suyo. Los profesores vienen con su cartera, imparten su asignatura y se marchan. Algunos ni siquiera se aprenden nuestros nombres; otros pasan el dedo sobre la superficie de la mesa para quitar el polvillo acumulado de la tiza. Don Mariano, el de ciencias sociales, trae su propio cenicero para fumar sus cigarrillos Rumbo, mientras diserta, monótona y pastosamente, sobre el sector primario; doña Emilia nos da, nervuda, lecciones de matemáticas y de ciencias naturales. La pedagogía moderna nos coloca a cada niña un grifo en la mano en la clase de pretecnología, mientras que a cada niño le encarga la tarea de elaborar un estuche, en el que han de coser un botón y colocar un cierre de cremallera. Imagino que las madres de los niños fueron muy hacendosas, pero juro que ni mi madre ni mi padre sabían cambiarle la zapatilla a un grifo. España ya era un país plenamente democrático.

Sólo una profesora, doña Carmen, la de inglés de séptimo, me resulta familiar porque, a pesar de que tiene una mala leche terrible, es la única maestra que me recuerda a las señoritas de Benidorm. Doña Carmen es la encargada de preparar los belenes vivientes de Navidad –va seleccionando pastorcillos por todo el colegio– y organiza el coro. Doña Carmen recorre las aulas del segundo ciclo de la egebé y nos obliga a cantar de uno en uno el estribillo de la canción con que Massiel ganó eurovisión. Doña Carmen lo entona como si de un fragmento de ópera se tratase. Debe de haber pasado por la Sección Femenina y a mí me gusta, aunque la preferida de doña Carmen es Elena María, una niña con bigote, que canta canciones de Dios y de Jesucristo en la parroquia del barrio. No es envidia, pero a mí me parece que desafina un poco, aunque todo el mundo le dice:

–Muy bien, Elena María.

Le están haciendo un flaco favor: Elena María es patética.

La lengua y el inglés son las materias de don F. Don F es otra de las razones por las que yo decido dejar de ir al colegio durante una larga temporada. Odio a don F. porque es psicólogo y benevolente. Detrás de su carita bien afeitada, se esconde un monstruo que cree saber muchas cosas sobre mí, que cree conocer mis secretos y poseer una radiografía de lo que guardo por debajo de mis costillas. Pero don F. no es más que un ignorante que ni siquiera me llama por mi nombre. Durante sus horas de docencia, don F. realiza actividades obscenas y escandalosas, con el pretexto de aplicar los métodos de una pedagogía moderna. No quiero decir con esto que don F. palpe los genitales de los niños y de las niñas por debajo de las tablas del pupitre o que nos siente sobre sus rodillas o que nos susurre al oído frases sucias y se toque la bragueta jadeando. Ése habría sido un comportamiento relativamente fácil de asumir y sencillo de denunciar. Las actividades de don F. son peores. Mucho más comprometidas y difíciles de explicar a una persona mayor de la que reclamar ayuda. Don F., que había mandado muchos deberes el día anterior y nos tenía a todos nerviositos porque nadie había sido capaz de acabarlos, entra en el aula y ordena:

–Vamos a relajarnos.

Nos obliga a cerrar los ojos, nos pone música hindú y nos invita a inspirar y espirar profundamente como si estuviéramos en una clase de preparación al parto. Don F. se coloca a mi espalda, me pone las palmas de las manos sobre los hombros y respira pegado a mí, porque mi corazón late a cien golpes por minuto y don F. está empeñado en que se adapte al ritmo de su respiración adulta. Como si una niña de doce años pudiera contener su ansia por acaparar el oxígeno, su voracidad y su prisa. Ningún alumno se toma a broma las relajaciones de don F. Si alguien se ríe o se distrae, don F. se le coloca detrás, como hoy me está pasando a mí, durante los quince minutos de relajación. Don F. me echa el aliento en el cogote, mientras yo noto sobre la espalda las ascensiones y caídas de su diafragma. Comienzo a detestar el calor humano y, sobre todo, rechazo la levitación y las búsquedas forzadas de la tranquilidad. Estamos diez o quince minutos cogiendo aire por la nariz y soltándolo por la boca, hasta que los pequeños monjes budistas de la clase de sexto comenzamos a padecer dolores de flato y alelamiento. Alelada yo también, percibo cómo las palmas de don F. se levantan de mis hombros, las palmas de don F. han ascendido y mi cuerpo deja de soportar una carga húmeda y pesadísima. Crecer es comenzar a tener vergüenza. Como estoy creciendo a pasos agigantados, me abochorna que mis compañeros observen que don F. me ha prestado una atención especial, como si estuviera enferma o fuese estúpida. El oxígeno y la humillación me atolondran y, si me tuviera que levantar de la silla ahora mismo, caminaría en zigzag. Las respiraciones de don F. me han secado la saliva y han llenado las palmas de mis manos y el pliegue incipiente de los botoncitos de mis glándulas mamarias de un sudor como una pomada que, si no corro enseguida a lavarme, comenzará a oler a queso... Entonces, don F. da comienzo a la lección de inglés que consiste en la revisión de los deberes asignados.

–*Peich namber zri.* Martínez Camacho, Alfonso. *Biguin, plis.*

Don F. hoy ha empezado a preguntar por la mitad de la lista. Ahora puede continuar bajando o subiendo pero, como se supone que ya estamos completamente relajados, no importa –para aprender lenguas extranjeras es fundamental bajar el filtro afectivo y evitar el bloqueo emocional, eso lo sabe muy bien don F., que es un paladín de la pedagogía moderna–. Martínez Camacho completa el ejercicio de huecos del *Peter and Molly*, y el sugestopédico don F. asiente o disiente, comprobando las respuestas correctas en el libro del profesor. Cuando don F. disiente no sólo disiente, sino que además se enfada. En las clases de inglés sigo descubriendo los misterios de la pedagogía moderna: don F. es al mismo tiempo Gandhi, profesor de gimnasia, lector de refectorio, psicólogo y policía. Estoy como un flan, porque no sé a qué atenerme ni cómo comportarme con ese profesor poliédrico que ignora el funcionamiento del genitivo sajón o el orden de los adjetivos en inglés. Tengo ganas de hacer pis y de dormirme. Me gustaría meter la cara entre los abrigos colgados en el perchero. Pero don F. no me consiente ni siquiera ese imaginativo remanso de paz:

–*Peich namber for.* Sanz Pastor, Marta. *Camón!*

Don F. se ha saltado el orden de la lista para desconcertarnos más. Martínez Camacho ha completado su página de frases. A mí me toca la siguiente. No sé si alguien habrá llegado a construir las frases de la página diez, pero me compadezco del compañero a quien le toque esa fatídica décima página, en la que inexorablemente don F. recalará. El silencio de la víctima de la página diez nos revelerá a todos como culpables. Nadie ha acabado los deberes y don F. se levantará de la silla y saldrá del aula sin decir buenos días, tras encargarnos veinte páginas de ejercicios para el día siguiente. Pero de momento estoy con la página cuatro, pronunciando mi inglés con vocecita temblona. Debo de parecer tan tímida que empiezo a caerle bien a todo el mundo, aunque con los chicos de la clase no entablo ninguna relación hasta casi octavo.

En sexto curso, los chicos están ahí, pero las chicas no les hablamos ni ellos se dirigen a nosotras. Los niños estudiosos de la clase tienen un aspecto mucho más repulsivo que las niñas estudiosas: son pocos, relamidos y molestamente redichos. Llevan corbatita y son el objeto de las burlas –yo lo entiendo y también me río– de la gran masa masculina. Los chicos huelen a tabaco, coleccionan cromos de fútbol, se pegan golpes, son como hombrecitos encanijados, apostados en la barra de un bar, que pelan una gamba, echan un gargajo al suelo y esperan que les salgan las tres sandías en la máquina tragaperras. En mi nuevo colegio de Carabanchel, no sé si mi madre se habrá enterado, pero comparto el aula con esnifadores de pegamento y con malos malotes, con atracadores de jugueterías, con eternos repetidores de curso y con algunas niñas tan memas como yo. Sin embargo, pese a que fingimos no mirarnos los unos a los otros y pertenecer a universos diferentes, los niños y las niñas comenzamos a compartir cierta prevención respecto a la pedagogía moderna. Esto nos une y nos iguala. Tal vez por eso, en octavo curso, Aurelio, el niño que roba en las jugueterías y tiene frenillo para pronunciar la erre, se convierte en mi protector y casi en mi amigo.

A finales de octavo curso, paso un periodo en el que he de volver a casa de mis abuelos en metro y, como todavía soy pequeña y tengo aspecto de pequeña y soy un poco palurda con los transportes públicos, mi madre me espera en la boca de metro de Marqués de Vadillo, cogemos la línea cinco hasta Gran Vía y transbordamos a la línea uno, hasta Estrecho, que es el barrio donde viven los padres de mi madre. Aurelio me acompaña desde la puerta de la clase hasta la boca de metro y espera hasta que mi madre llega desde más allá de Cuatro Caminos. Si mi madre está ya allí cuando nos vamos acercando, él se da media vuelta y se marcha. Si no está, espera hasta que la ve aparecer y se despide de mí con un golpe ascendente de cabeza. No puedo imaginar en qué pensaba Aurelio cuando acompañaba a una niña como yo un ratito a diario. En ese lapso que compartíamos me contaba sus estrafalarias aventuras delictivas con esa erre arrastrada y gangosa que a mí, cómo no, me daba vergüenza ajena:

–Estuve en el *ggastggo* el domingo y mangué un *peguito*, ¿lo *quiegues*?

Aurelio me lo ofrecía casi todo, pero yo no aceptaba casi nada. Aurelio llevaba repitiendo octavo tres años y estaban a punto de echarle del colegio sin que hubiese llegado a obtener siquiera el graduado escolar. A Aurelio no se le quedaba nada, aunque llevase tres años escuchando lo mismo. Nunca atendía. Siempre estaba hablando con el de delante o con el de al lado. A veces, incluso le sentaban solo para que no pudiese entretenerse con nadie y Aurelio alargaba el cuerpo hacia la otra fila de pupitres y se ponía a charlar con los que tuviera más a mano:

–¿A ti te gustan los *macagones*?

Aurelio es un tío muy sociable y, en lugar de evitar las palabras con erre doble, hace todo lo posible por usarlas continuamente, no sé si porque quiere practicar, porque lo que se repite muchas veces termina pasando desapercibido o porque espera a que llegue la ocasión de partirle a alguien la cara, como si sus *egues* fueran una provocación y tocarle la *egue* a Aurelio fuese más grave que mentarle a una madre que Aurelio también tiene continuamente en la boca:

–Me cago en mi puta *madge*.

Cuando llegaba la hora de preguntar las lecciones, Aurelio no sólo no se sabía las respuestas, sino que se meaba de risa si alguien se tomaba en serio el interrogatorio, ya fuera uno de los empollones relamidos con corbatita –a esos los tenía enfilados– o una de esas niñas que, a la altura de octavo de egebé, se estaban poniendo esplendorosas y llevaban tampones en el bolso y habían dejado atrás los sujetadores peter pan. Aurelio, que disponía de una corte que le reía los chistes, frenaba en seco a sus acólitos cuando era yo la niña a quien le tocaba dar una respuesta. Yo podía levantar la mano impunemente. Tenía patente de corso con los niños de mi clase. Aurelio me cuidaba. A lo mejor es que había descubierto, encerrada en la tabla de mi pecho y en mis rodillas con mataduras, a la enana vieja y voluptuosa, a ese residuo infantil que se me estaba consumiendo en el occipucio para dejar paso a una mujer con cuerpo de mujer y rejuvenecido, tímido, vergonzoso, ingenuo corazón de niña. A lo mejor es que Aurelio era listísimo y poseía la sabiduría secreta de que las doncellas, como yo, son oscuras y sólo en el momento de dejar de ser doncellas se purifican al fin. En el desvirgamiento que purifica, las doncellas empiezan a acumular un pasado y a dejar de tener cuentas pendientes. El Pepito Grillo de la niñez, esa perdida concentración de maldad, de vez en cuando invita a las doncellas liberadas a regodearse en sus malos pensamientos. Sólo a veces. Yo creo que Aurelio, sin saber explicarlo, estaba captando esas transformaciones. Quizá, entre tantas reacciones químicas, yo desprendiera algún olor especial atractivo para el olfato un poco perruno de Aurelio que lo mantenía pegadito a mí o a lo mejor es que Aurelio era sólo un niño, el más pequeño de la clase, o que las niñas le dábamos más confianza que las mujeres y, entonces, sí que era bobo de verdad y cuadra a la perfección el hecho de que estuviera repitiendo por tercera vez octavo curso.

A algunas personas Aurelio les daba miedo –tenían miedo de que Aurelio les escupiese–, pero la verdad es que era un niño muy cariñoso. Aunque llevase una navajilla de risa en el bolsillo del chándal. Porque Aurelio casi siempre vestía un chándal.

–*Paga trgepag pog* las *cognisas, Magta.*

Cuando mi madre asomaba la cabeza por la boca de metro, Aurelio fingía que no estaba conmigo, levantaba su cabecita de ajo en señal de despedida y me decía en voz baja y secreta:

–Hasta mañana, *Magta.*

Aurelio no quería intimar con mi familia ni dar explicaciones. Por otro lado, era evidente que a mi amigo no le gustaban las clases de toda la vida, pero tampoco le gustaba la pedagogía moderna. No asistía a las sesiones de expresión corporal, no creía en la igualdad entre los sexos y, en general, las personas que se aplicaban le parecían necias e inconsecuentes. A P., el más relamido de la clase, que se juntaba con nosotras porque tenía el proyecto de que hiciéramos una revista escolar, Aurelio le miraba con lástima, como con ganas de darle un capón:

–Chico, tú es que *egues* tonto.

El colegio del que me ausenté durante dos meses tenía cosas buenas. Por ejemplo, Belén; por ejemplo, Aurelio. Pero, en sexto, Aurelio no está con nosotros porque es la primera vez que está matriculado en octavo curso. No sé qué pensaría él de las respiraciones de don F., pero el día que a mí me pregunta la cuarta página del *Peter and Molly,* don F. acaba la clase casi furibundo: nadie ha llegado a terminar los ejercicios de la página diez. Sin embargo, la mayor obscenidad de la que nos hacía víctimas don F. eran los tests de inteligencia.

–No sirven para poner notas.

Nos aclaraba don F. cuando abría sus grandes sobres blancos y nos sometía a sus experimentos. A lo mejor es que don F. estaba tratando de acabar su tesis doctoral, pero nosotros, yo, no éramos tontos y estábamos seguros de que los resultados de aquellos papeles contaban. Y mucho más que las notas. Había varios tests de inteligencia: el más común consistía en completar series de fichas de dominó siguiendo una secuencia lógica;

otros se basaban en la memorización de listados de letras y de números. En los exámenes podía prepararme, activar mi voluntad, pero ante estas pruebas me encontraba indecorosamente desnuda frente a la carita tersa de don F. Yo no quería dejar al aire mis vergüenzas de dentro, lo que aún estaba a medio cocer, mis vacilaciones. Reivindicaba y reivindico el privilegio de mentir: me parece inmoral someter al ser humano a una prueba en la que la mentira es imposible. Así no se puede sopesar ni la astucia ni la honestidad. No existe la interacción con quien formula las preguntas. No hay ni el menor resquicio para la igualdad y sólo resta el frío que se le mete en el cuerpo a quien responde y la envidia que dibuja un círculo en las pupilas del que, leyendo las respuestas, se percata de que el interrogado es muchísimo más listo que él. Yo tenía derecho a encubrir mi estupidez con un velo; mi dificultad para las operaciones matemáticas o para atarme los cordones de los zapatos, con un paño de pudor. Ésa era mi energía, mi mérito y mi habilidad –mi inteligencia verdadera, al fin y al cabo– y nadie debía traspasar ese umbral y archivar la información. Era como si don F. observase, a solas, fotos de niños desvestidos a la fuerza. Los resultados de esos tests nunca llegaban a nosotros ni tampoco a nuestros padres. Don F. era una especie de pederasta solitario que valoraba sus resultados en secreto y se regodeaba con nuestras oscuridades interiores, con las posiciones provocadoras de los rabos de los cincos y los sietes que poblaban nuestros cerebros, formando las enmarañadas figuras de los torsos sudorosos en la orgía. Los tests de inteligencia de don F. constituían una agresión a mi sensibilidad. Nunca me atreví a dirigirle la palabra a ese profesor, coincidiendo con una etapa de mi crecimiento en la que comencé a taparme la nariz con la manita y a perder, progresiva e inexorablemente, el desparpajo. Me estaba brotando un corazón ingenuo en mis vacíos, a la vez que crecía mi pelo negro en el pubis.

En el curso de orientación universitaria vuelven a someterme a un test de aptitudes profesionales y me divierto mucho; consiste en una serie de preguntas, en la que ejerzo el derecho de mentir y construir la imagen de mí misma que considero conveniente. En esta ocasión, me envían unas recomendaciones: los psicólogos me invitan a que estudie arte dramático en la RESAD. Confirmo mi desconfianza en los psicólogos. En vista de que me matriculé en Filología Hispánica y de que me he dedicado a la enseñanza y a practicar una modalidad más de la pedagogía moderna, he llegado a la conclusión de que los psicólogos no andaban desencaminados.

La pedagogía moderna, los tests y las respiraciones profundas conviven en mi nuevo colegio con las revisiones sanitarias. Una brigada de mujeres con guantes de plástico recorre las filas, inspeccionando las pelambreras de los alumnos: el pelo espeso de Belén, mis pelitos eléctricos de rata, la coronilla rapada de Aurelio. Con golpecitos y empujoncitos poco sutiles, te bajan la cabeza, la hacen oscilar de un lado a otro, te escarban con los dedos la nuca, la rastrillan y se concentran especialmente en la zona de detrás de los pabellones auditivos. Las mujeres enguantadas te retuercen las orejas con un movimiento sin piedad que es, al mismo tiempo, profesional y escueto. De vez en cuando braman:

–¡Aquí hay liendres!

Yo, en el momento de las revisiones, ya he cogido piojos dos veces y sospecho que se me va a notar o que quizá algún huevecillo persista agarrado al pelo. He cogido piojos en el cine Imperial de la Gran Vía, donde mi abuela Juanita durante las vacaciones de Navidad me lleva a ver las películas de Walt Disney. Mis preferidas son *La bella durmiente, Alicia en el país de las maravillas, Peter Pan* y *La bruja novata*, una película belicista protagonizada por Angela Lansbury, en la que tres niños viajan encima de una cama voladora. En sexto de egebé no puedo decir ni que me gustan esas películas ni que he tenido piojos dos veces. Tener piojos significa que todo el mundo piensa que eres sucio, aunque no te lo diga a la cara. Cuando cojo piojos

–el más promiscuo y fértil de los animales– mi madre me peina y la loza del lavabo se llena de puntos negros. Es una experiencia visual tan impactante como abrir una mandarina con muchas ganas de comértela y que esté plagada de gusanos. Mis familiares se alejan de mí y mi madre me mete en la cama con polvos de Baygon por todo el pelo. Encierra el amasijo en una bolsa de plástico hasta la mañana siguiente. Después, mi madre pasa días y días desprendiendo de cada pelo las liendres muertas. Las mujeres de los guantes de plástico gritan:

–¡Aquí hay liendres!

Me estremezco: no me extrañaría que dentro de un segundo lo gritaran al revisar mi cuero cabelludo. Cuando se acercan a mí, estoy a punto de confesar, como si los piojos no se muriesen nunca y fuesen una enfermedad crónica que las mujeres enguantadas pudiesen detectar en mi piel cubierta de cicatrices provocadas por las carreras y los mordiscos de los piojos. Sigo dócilmente las instrucciones que va marcando la presión de los dedos de la mujer enguantada que me ha correspondido. No digo ni una palabra y espero, temiendo el fatídico anuncio. Oigo:

–¡Aquí hay liendres!

Y me da un retortijón, pero enseguida relajo mis esfínteres porque la mujer que está escarbando mi cuero cabelludo va corriendo hacia el lugar del que proviene la voz. Donde hay liendres es en la cabeza de David Sánchez, un niño con patas de gallo que, al reír, se le marcan hasta la altura de la boca. David Sánchez suele usar pantalones bombachos y botas altas. Las mujeres enguantadas empujan a David Sánchez. Parece que le fueran a meter en prisión. Lo sacan de la clase. Las niñas murmuran que David Sánchez debe de vivir en una chabola y una de las señoras enguantadas toma nota en un cuadernito. Yo, con mi naciente corazón inseguro, empiezo a dar forma al límite entre lo público y lo privado, lo viejo y lo nuevo, el amo y el criado, la víctima y el verdugo, las formas y los fondos. Empiezo a intuir el alcance de la pedagogía moderna. Al poco tiempo, me esfumo y nadie me busca ni sabe dónde estoy. Es como si no me hubiera ido.

MOMOS EN EL TANATORIO

Por aquellos años nos visitan en nuestro piso de Madrid muchos de los familiares que han pasado con nosotros los veranos en la playa. Es un continuo reencuentro que no sabemos hasta cuándo durará. Nuestros familiares temen que volvamos a marcharnos y apuran los minutos que quedan o quizá, como somos todavía un poco extranjeros, se apresuran para darnos el primer punto de vista sobre todo lo que no hemos vivido. Llevarnos a su territorio, fundar una opinión. Si yo en esa época hubiese sido adulta y hubiese recibido de golpe tantos mensajes, habría hecho de nuevo las maletas sin darle a nadie mi dirección ni mi número de teléfono. Pero mi madre está hecha de otro material. El día menos pensado van a acabar por volverla loca. Porque no nos hemos ido. Porque todavía estamos aquí de una forma cada vez más definitiva. Como la raíz del árbol.

Llama al timbre la tía Marisol, otra de las hermanas menores de mi abuela. Marisol es pelirroja, huesuda, espástica. Marisol se pinta los labios de color naranja y los párpados de verde. Llega a nuestro piso desde el barrio de la Estrella. Se clava en el sillón: cada uno de sus movimientos es un cuchillo que corta. Lleva un bolso muy grande y al inclinarse sobre él para sacar el tabaco, parece que Marisol se va a colar dentro y a desaparecer como un conejo en la chistera del ilusionista. Mi madre actúa de anfitriona:

–Marisol, ¿quieres una cervecita?

Marisol acepta la cervecita con su voz entre chillona y rasgada. Enciende un pitillo y se retira una hebra de tabaco que se le ha quedado pegada al naranja untoso de la boca. Mi madre trae la cerveza. Marisol se la sirve y, en la acción de verter el líquido en el vaso, desplaza todo su cuerpo. La cadera se alza, el codo se inclina, el hombro se levanta. Mi tía se ladea porque el contenido del botellín pesa mucho y, de un único trago, apura más de la mitad de la cerveza. Tiene mucha sed y, antes de ponerse a conversar, mi madre trae otra cerveza para la tía Marisol. Marisol sorbe la espuma, bebe y se limpia con el dorso de la mano que se mancha con el naranja untoso de la boca. Vuelve a meterse dentro de su bolso y saca un pañuelo de papel para limpiarse. Después, sin dejar de hablar de sus viajes al otro lado del Atlántico, se repinta. Marisol alaba la comodidad de los pinkis que las azafatas reparten entre el pasaje de los vuelos transoceánicos.

–Aquí no he visto yo una cosa igual. Chica, los busco y no los encuentro.

Los pinkis son unas zapatillas blandas o un calcetín más grueso de lo normal. En pleno vuelo, Marisol se descalza y se coloca sus comodísimos pinkis para atenuar la hinchazón de los pies. El detalle de la hinchazón y de la anómala circulación de la sangre me pone enferma y empiezo a notar que los líquidos del cuerpo me corren con dificultad por los muslos, como si dentro estuviera llena de charcos y obstrucciones.

–Las niñas ¿pueden tener varices?

–No.

–¿Y las niñas de trece años?

–Tampoco.

Aunque mi madre quiere tranquilizarme, me tapo los oídos y dirijo la mirada hacia la zona de mi pubis, la bragueta, el interior de mí misma, disimulando lo mala que me he puesto de pronto, mientras Marisol comenta las ventajas de viajar en primera clase.

Antes de que nosotros empezáramos a viajar por un lugar que no fuera España, de que yo empezara a viajar por motivos de trabajo, engañándome como si hiciera turismo, la tía Marisol era el único miembro de la familia que abandonaba el país durante largas temporadas. Iba sobre todo a Argentina, porque su marido trabajaba en una compañía aérea. No recuerdo con exactitud si era un chupatintas o mecánico de aviones, pero el relamidísimo esposo de la tía Marisol a veces volvía de sus viajes con el deje y el ademán de un chulo de San Telmo. A Marisol le cambia la cara cuando afirma:

–Él siempre es tan impertinente...

A mí no me cuadra la impertinencia con la imagen de un señor que anda suave y habla suave y fuma suave y que, cada vez que se descuida, le pasa a mi madre el brazo por el hombro y le asegura que a su sobrina preferida no va a faltarle de nada. Marisol lo mira con desdén:

–Mi sobrino no se ha muerto...

–Tú no entiendes lo que digo. Eres una estúpida.

Marisol se pone a hablar por lo bajo y, unos segundos más tarde, el hombre que anda suave vuelve a recuperar sus maneras y, dirigiéndose a mí, me llama cielo, princesa, cariño... Cuando nadie la mira, mi madre se limpia las hombreras como si estuviesen manchadas de caspa, como si retirase una suave película de gelatina, y se pone una rebeca porque le entra frío.

Marisol toma su cerveza y enciende otro de los chester sin filtro que el estanquero de su barrio encarga especialmente para ella, porque ya todo el mundo fuma con boquilla. El estanquero no traería este tabaco si no fuera por la tía Marisol. Ella adora a su estanquero. Marisol saca una fotografía de sus nietas y nos la muestra con orgullo.

–Ya soy abuela.

Marisol se retira un mechón de pelo de la cara. Nos muestra un pómulo terso y una sien tirante. Hoy, reviviendo el momento, me acuerdo de Marlene Dietrich en esa escena de *Testigo de cargo* en la que le revela a Charles Laughton que ella, la germánica Christine, era la mujer que le vendió las cartas en la barra del bar de la estación. Para convencer al abogado de su impostura y de sus aptitudes como actriz, retirándose el pelo del rostro y cambiando el timbre de la voz, le muestra una mejilla surcada por una cicatriz y le hace, con acento *cockney*, la misma proposición que el día en que le embaucó:

–¿Quieres darme un besito, encanto?

Marisol se ha operado la cara en su último viaje a la Argentina. Su marido se ha jubilado. No va a volver a viajar en primera ni a beber cervezas rubias sobre una mesa de mármol del café Tortoni. Los caballeros no le van a besar nunca más sus manos pecosas y ella se remendará los pinkis viejos para caminar sobre la moqueta de su casa. Marisol nos enseña las cicatrices de detrás de las orejas. Mi madre permanece callada, mientras yo la miro para saber cómo debo reaccionar; si digo algo inconveniente, cuando Marisol ya no esté mi madre me pondrá uno de los calificativos más caros de su vocabulario:

–Metepatas.

También soy una contestona y una egoísta y una llorona y miento más que hablo. Así que cierro la boca cuando la tía Marisol nos relata cómo, para operarte, te dibujan la cara con un lápiz de ojos negro que marca las patas de gallo y los trozos de piel que comienzan a despegarse de la calavera. Las caras pintadas con el lápiz de ojos negro son un bodegón barroco en el que los alimentos, las perdices que aún no han sido desplumadas, los bueyes abiertos en canal y las manzanas a punto de pudrirse revelan la condición corruptible de la carne y la inexorabilidad de la muerte. Como los pétalos de las orquídeas y la música sacra. Sin embargo, Marisol adopta otro punto de vista:

–No duele.

Me paso los dedos por detrás de las orejas y después me quedo hipnotizada con la dentadura de la tía Marisol. Ella abre y cierra la boca para contarnos su operación. Ya no sé si quiero ir a la Argentina. Estoy imaginando la presión de los puntos, pequeñas picaduras. Las incisiones del bisturí al rasgar los vasos sanguíneos de la epidermis. Vuelvo a sentirme enferma y me tapo los oídos como si padeciera migraña. Cierro los ojos y arrugo mi carita de mono. Creo que debo irme al retrete para ahorrarme más sufrimientos, pero a la vez no puedo evitar seguir escuchando, atenta a la boca que se cierra y se abre de la tía Marisol, a su dentadura. Mi madre le pregunta qué le ha parecido la operación a su marido.

–Es un impertinente.

No entiendo por qué se ha operado la tía Marisol, pero empiezo a encontrar sentido a lo que mi abuela siempre decía de ella:

–Mi hermana está loca.

Sin embargo, mi abuela cuidaba a Marisol. Descubrió su cadáver. No le hizo falta mirarle las cicatrices de detrás de las orejas para reconocerla. Tampoco hubo de comprobar la tonalidad caoba oscuro del tinte que Marisol utilizaba para cubrir el blanco total de su pelo. Marisol iba a casa de mi abuela Juanita a la hora del aperitivo y tomaba una cervecita y le pedía dinero prestado. No le decía a mi abuela que lo quería para jugar en las máquinas tragaperras de los bares. A mi abuela se lo contaban las vecinas, los tenderos, la gente del barrio. Mi abuela se lo daba a regañadientes, porque las adicciones de Marisol le desarreglaban el presupuesto semanal. Luego, un día, sin venir a cuento, Marisol se presentaba con unos pendientes de bisutería fina, los mejores del mundo, o con un magnífico pañuelo, y entonces mi abuela le entregaba a cambio una moneda para conjurar la mala suerte:

–Si alguien te regala un pañuelo, tienes que darle una moneda o te terminarás enfadando con quien te lo ha regalado.

Pese a la moneda, mi abuela se enfadaba con la tía Marisol. Le seguía dando dinero, aunque la jubilación del marido de mi tía fuera sustanciosa. En cambio, mi abuelo salía y entraba de casa siempre con el mismo billete de mil pesetas, que mi abuela le guardaba en el bolsillo, al lado del bono-bus, por si le pasaba algo. Mi abuela sabía que su hermana llevaba el monedero vacío. La tía Marisol obtuvo, a los doce años, una beca de estudios en las escuelas Aguirre. Era una niña muy inteligente. Después estalló la guerra, se quedó embarazada y se casó con el hombre que suavemente la preñó. En la foto de bodas, Marisol, con un traje de chaqueta, el pelo ensortijado y la boca dibujada de un rojo que en el papel fotográfico es negro, sonríe agarrada del brazo de un galán de bigotito fino y ojillos diminutos. La tía Marisol disfruta de una buena posición social y compra un piso de casi doscientos metros cuadrados en el barrio de la Estrella. Le pide dinero a mi abuela. Siempre lleva vacío el monedero. Mi abuela ve que su hermana está escuálida, aunque disfruta de los mejores electrodomésticos del mercado y se ha estirado las arrugas y a veces le regala pañuelos por los que mi abuela le da, a cambio, una monedita. Entonces, las dos se ríen como cuando eran adolescentes y Marisol le cuenta a su hermana sapos y culebras de un hombre al que dejó de amar enseguida y con quien nunca más tuvo hijos. Marisol había dejado de ser una niña muy inteligente que obtuvo una beca en las escuelas Aguirre o tal vez seguía siendo muy inteligente y, por eso, todo a su alrededor estaba desquiciado. Marisol le decía a mi abuela:

–Juanita, no me da ni un duro.

Y mi abuela reajustaba su presupuesto semanal como si nunca hubiese tenido el dinero que le daba a Marisol para comprar tabaco o para gastar en las tragaperras.

Marisol está en el salón de nuestro piso y de repente, como un resorte, se levanta del sillón, se pone la chaqueta, se coloca los pelos que se le han salido del moño:

–Me voy, que tengo que preparar la cena.

Son las doce y treinta y dos del mediodía y vuelvo a mirar a mi madre antes de preguntar. Mi madre me hace un gesto que significa que ya me explicará después. Marisol se marcha corriendo con su monedero vacío y su cara tirante. Nos ha traído el último poncho de la Argentina y nos da muchos besos. Llegará a su casa y se pondrá a preparar la cena. Su marido la interrogará:

–¿De dónde vienes?
–¡Y a ti qué te importa!
El marido de Marisol cena a las cuatro de la tarde, se mete en la cama a las seis, se levanta a las tres de la mañana. Marisol le prepara el desayuno. Luego a las ocho come. Marisol saca productos congelados de su refrigerador y, mientras hierve el contenido de un paquete de guisantes o fríe unas empanadillas, blasfema e insulta a su marido.
–¿Qué estás rumiando en la cocina?
–Nada.
Marisol de vez en cuando se escapa de casa, como una niña que hace novillos, y le pide dinero a mi abuela Juanita o viene a visitarnos para contarle a mi madre las mil y una noches. Vuelve a su casa y saca los productos congelados para preparar la comida. Se pone las zapatillas para afelpar sus pasos y que nadie los oiga a las tres de la mañana, mientras hace el desayuno. Vive a oscuras con un hombre que sale de su habitación de noche y abre la puerta del cuarto de la tía Marisol y la espabila para que le prepare el café. Marisol presiente que el día será bueno cuando, al echar la leche, se da cuenta de que el tetra brik está caducado:
–Ojalá te mueras.
–¿Qué dices?
–No digo nada.
Cuando por fin el marido de la tía Marisol se muere de muerte natural –qué bella, es decir, qué artificiosa, habría sido la posibilidad de que Marisol hubiera cometido un asesinato–, vamos al tanatorio. Ella se burla del cadáver a través del vidrio. Se pone las manos en las sienes como dos orejas de elefante. Le saca la lengua. Le hace momos y un corte de mangas. Ni su hijo ni sus nietas se le acercan. Podrían fingir que su abuelita está mala. Pero hacen como si ella no estuviese allí. La familia se va aproximando para darle el pésame al hijo del difunto, porque si se lo dieran a Marisol, ella se moriría de risa y a ellos posiblemente se les contagiara la hilaridad...

–Te acompaño en el sentimiento.

–Pero ¡qué me estás diciendo, Manolito!

Al llegar al velatorio, Marisol nos da un abrazo y nos pide que la acompañemos a tomar una cervecita. Hoy invita ella. Marisol coge su bolso para bajar al bar, pero antes se despide del esposo muerto:

–Que te den dos duros, pedazo de cabrón.

Marisol no es una mujer hipócrita. Sin embargo, la alegría no le dura o quizá es que existe un dios vengativo o que la alegría puede provocar la muerte, porque enseguida a ella también le da un infarto. Mi abuela, extrañada por el silencio de su hermana, va a buscarla y llama al timbre. Nadie abre. Mi abuela baja de nuevo y se sienta en un banco a esperar. Pero su hermana no llega y mi abuela va a hablar con el portero. Abren la puerta y allí está Marisol, tendida en el suelo desde hace tres días. Es pleno verano. No vamos a su entierro porque estamos en la playa. Me quedo con la curiosidad de saber si alguien más hizo momos en el tanatorio. A lo mejor fue mi abuela su única acompañante. Mi abuela se cerciora de que su hermana está realmente muerta y, con esa comprobación, conjurará uno de los terrores más profundos de las mujeres de su familia: los ataques catalépticos. La familia de mi abuela siempre ha sido propensa a las dolencias cardiacas, a la superstición y a los hijos casi únicos, despegados o inexistentes. De Marisol he heredado sus dos adicciones: la cervecita y los chester cortos. Es una predeterminación genética. Espero que mi muerte no esté igualmente predeterminada. Quizá sea inevitable en estos tiempos: morirse sola en un piso donde, pasada una semana, entra la policía porque a los vecinos les ha alertado el hedor. El día que Marisol vino a visitarnos, Maribel también se pasó un rato por la tarde, pero se marchó enseguida porque tenía que irse a poner la lavadora.

Tras el despiojamiento de David Sánchez, hago novillos durante dos meses. Primero me oculto en un trastero; después entre los setos de un parque. Salgo de casa con mi cartera llena de libros y paso leyendo las horas lectivas: de nueve a doce, de tres a cinco. Me descubren. Duermo tres días apretando los ojos. Mis padres no entienden lo que está ocurriendo, temen que nunca supere este bache, pero tengo una increíble capacidad de recuperación y mi vida se normaliza pronto. Me hago muy popular en el colegio. Los chicos me admiran, porque ellos nunca se hubieran atrevido a tanto: como mucho se han saltado una clase para ir a jugar a las máquinas y fumar en una bocacalle de las que salen al río. Nunca utilizan mi falta como un arma arrojadiza. Al revés, en octavo curso, una profesora en prácticas realiza una encuesta, como parte de un proyecto de pseudoinvestigación de la escuela de magisterio, y salgo votada como la chica más apreciada de la clase. He sido rebelde y estudiosa. Hembra y varón. Dulce y agresiva. Empollona y gimnasta. Juguetona y adusta. Lo he logrado en un tiempo récord y comienzo a encontrar familiares los escaparates de las zapaterías de la calle Antonio López, las escalerillas, las cabinas de teléfono, las zonas de obras, los grandes carteles anunciadores, los semáforos, las bocas de metro, los bares de patatas bravas y los supermercados que contratan a un chico de los recados para que suba los pedidos a las casas. Para ir al colegio, camino desde el Puente de Praga hasta la glorieta de Marqués de Vadillo y el paisaje no me agrede. No tengo prisa y observo con tranquilidad. Es como si la línea negra del Manzanares protegiese mi barrio de los peligros: las excursiones más aventureras, para mis compañeros de clase, son la que obligan a atravesar el puente de Toledo hacia Pirámides y Acacias; sin embargo, uno puede subir cuanto desee por la calle General Ricardos sin nada que temer. Barrios cuadriculados con sus particulares legislaciones.

Límites, aduanas, tabúes, un sentido poco universal del espacio que invita a la razia conquistadora y al descubrimiento, y que también propicia la posibilidad de enquistarse y de no aprender ninguna lengua extranjera.

En octavo de egebé me entero de que le gusto a: Ibáñez, el lugarteniente o mano derecha de un niño malo, hijo de policía y rival de Aurelio, que para mí es como un hermano o un chico demasiado mayor y demasiado lumpen; a San Miguel, de quien prefiero ni acordarme; a Pedroche, que siempre me canta un estribillo de la orquesta Mondragón porque asegura que soy como Caperucita; intuyo que también le gusto a Castillo, mi pareja más verosímil, tímido y gordito, aplicado, pero no grimoso. Castillo tartamudea y me cae bien, porque en séptimo compartimos un taller de expresión corporal y él es como una apisonadora: se desinhibe al ritmo de la música. A esa edad ya no me da miedo que los niños me peguen: cuando era pequeña, corría como una bala dando vueltas al enorme patio del colegio, para que Errol Flynn no me alcanzara y me tirase del pelo. Corro, corro y corro y corro tanto y trazo tantos círculos, que acabo mareada –incluso estoy un poco jadeante, lo cual es extraño– y corro más, hasta que vuelvo la cabeza para comprobar si Errol sigue persiguiéndome –deseo que Errol siga persiguiéndome–, vuelvo la cabeza sin parar de correr y, al volver la vista al frente, me estrello contra el tronco de un árbol y me desmayo. Es verdad que pueden verse las estrellas. Yo las veo y no me acuerdo de cómo entre Errol Flynn y Paquita me llevan a la trastienda de la cuchillería. Allí despierto aliviada por los efectos salutíferos de la piedra de afilar y, cuando vuelvo a mi casa, me está empezando a salir un huevo en la frente. Mi madre me pone un hielo arropado por un trapo. Hubiese sido mejor que Errol Flynn me tirara del pelo y que, cuando hubiese logrado sus propósitos, hubiéramos cambiado los papeles y él fuera el perseguido y yo la perseguidora, reproduciendo el eterno ciclo de nuestras existencias. Pero, en octavo curso, ya no temo que los niños me peguen: sólo me preocupa que me humillen.

A causa de esa agresividad de los chicos que pasan de la patada en las espinillas al insulto falto de ingenio, me he ganado tres motes y ninguno de los tres es humillante. Me llaman caballo percherón, porque les da envidia la velocidad de mi carrera y porque en las pruebas de gimnasia, cuando trepo por la cuerda lisa y me reafirmo en los placeres de la masturbación, cuando me cuelgo de una barra y subo mi cuerpo con los brazos hasta tocarla con el pecho como mínimo diez veces, o cuando salto el potro, los chicos no entienden de dónde saco la fuerza. Yo sí lo sé. Me está brotando un corazón en mis vacíos y me estoy familiarizando con esa actividad dolorosa y no siempre buena de aprender a colocarme en el lugar de los otros. No me disgusta que me llamen así. También me llaman plato de lentejas, porque un antifaz de pecas sigue cubriéndome la cara; tampoco me humilla ese mote, porque es un mote que yo misma he difundido: me encanta ese rasgo de mi fisonomía que ahora –tengo cuarenta años– se trasmuta en un problema dermatológico, la mancha lenticular, que mi médico soluciona quemándome la piel con nitrógeno. Mi abuelo paterno también me llama plato de lentejas. Pero el mote que más me gusta es Demelza. Demelza es la mujer de Poldark y Poldark es el protagonista de una serie de televisión. La menuda y pecosa Demelza abre sus ojos claros para mirar con amor a su esposo. No sé si los chicos me llaman así con ánimo de agredirme, pero a mí cada vez que me llaman Demelza me transportan a la Inglaterra del siglo XVIII y me imagino a mí misma con el pelo muchísimo más largo y un gorrito de encaje. Los chicos del colegio, por su manera de nombrarme, están a punto de convertirse en el pintor que yo buscaba. Supongo que el crecimiento de mi nariz no había llegado aún a su punto álgido y definitivo. Quizá es que mi nariz tenía días.

Las relaciones de Demelza, plato de lentejas, caballo percherón con las chicas de la clase son un poco más complicadas. Hago los deberes y juego a los excéntricos juegos de Belén, en mi casa, al salir de clase. Con Belén juego, con las otras chicas ya no juego: maquino, miento, hablo, narro, paseo, espero, escucho, provoco. En el aula, mi compañera este curso es Clara I. Como en la dirección del colegio siguen obsesionados en aplicar los principios de la pedagogía moderna, tanto Clara I. como yo somos alumnas excelentes que nos sentamos en el último pupitre. Esta circunstancia nos concede intimidad y consolidamos un vínculo que se inicia en el taller de expresión corporal y teatro, donde Castillo se desinhibe danzando músicas de persistente base rítmica y en el que me asignan un papel que por fortuna nunca llego a interpretar: *El principito*.

Clara I. es otra de mis amigas altas y, en nuestra intimidad del último pupitre, me cuenta historias de sus hermanos mayores. Todos chicos. Todos muy grandes y de carácter fuerte, como la madre de Clara I., que es viuda y debe de ser muy vieja. La madre de Clara I. discute con sus hijos. Se oyen voces y palabras durísimas sobre todo por parte de los chicos, pero al final la madre gana las disputas. Invento la casa de Clara I. a través de las escenas de acción entre los personajes que ella me cuenta: el salón grande, las ventanas cerradas a cal y canto, el polvo sobre los aparadores, servicios de té de metal y alcobas que se iluminan con lámparas de araña; en la pared del cabecero de todas las camas alguien clavó un crucifijo. El padre murió y, aunque Clara I. es la niña pequeña, no la miman. Sólo la vigilan. La madre de Clara I. la obliga a cepillarle el pelo por las noches. Sus hermanos medianos se han alistado en el ejército de tierra. Tejero acaba de dar un golpe de Estado y, al menos por unas horas, nadie sabe qué puede ocurrir, pero estoy casi segura de que los hermanos de Clara I. serían nuestros enemigos.

Clara I. me cae muy bien. Me da igual que sus relatos sean verdad o mentira. Me fascinan sus historias que ella narra como si me estuviera revelando las claves de un misterio, a partir del cual yo puedo imaginar más y mal, y siempre acertaré. Tal vez, incluso alguno de los hermanos de Clara I. sea un hombre triste que se mete en su cama por las noches y la cela con excusas de protección. Me lo callo, pero me nace ese instinto que marca la diferencia entre mis buenas amigas y las mejores. Estoy dispuesta a darle a Clara I. todo mi cariño. Clara I. me cuenta sus historias en voz bajita. Yo casi no la oigo. Me acerco a ella para descifrar sus palabras y parece que, en la última fila de la clase, estuviéramos acurrucadas.

Pronto descubro que Clara I. guarda un secreto auténtico; su secreto me impide estimarla con esa devoción que poco a poco le he ido restando a Belén, que sigue ahí, en algún lugar de la clase y del patio del colegio, abstraída con su prensa de flores y sus espejismos de Vega, un muchacho imaginario.

–¿Te das cuenta? Tiene nombre de estrella, de constelación, de accidente geográfico cercano al agua. Vega.

Belén y su prensa de flores: la admiro y la torturo. También la quiero. Somos inseparables, pero sus rarezas, sus prensas de flores y su aspecto me apartan de los otros. Belén intenta amarrarme con sus amores culturales, pero yo no conozco a Vega; dudo de que exista y se me hace difícil interesarme por él. Me importa mucho más el secreto de Clara I. Cuando aparece Jimena, Clara I. se transforma en un lacayito deslumbrado que, mientras palpa con los dedos la tela del vestido de Jimena, susurra:

–Jimena, es que tienes tan buen gusto.

Jimena se ruboriza y enseguida se retira para ir a sentarse con Leti, que es su vecina y su compañera de pupitre. Leti pone los brazos en jarras y lanza rápidas patadas contra el piso. Cuando acaba octavo curso, sólo veo una vez más a Leti: en un programa de televisión, Leti busca pareja como si no hubiese aprendido nada en sus años de colegio. Espero que por lo menos le pagaran. En sexto curso, Clara I. y Jimena se sentaban juntas; después no vuelven a ser compañeras y Jimena se pone colorada cada vez que Clara I., en el taller de expresión corporal, le dice:

–Qué bien bailas, Jimena.

Clara I. trata de imitar los movimientos de Jimena, mientras Jimena busca la esquina de la clase de expresión corporal donde pueda esconderse de la vista y del tacto de Clara I. Jimena cierra los ojos, se concentra dentro de sí misma, marca sus pasos de baile y comienza a sonreírse sola. Clara I. encuentra un hueco para mirar a Jimena y, al verla, casi llora de felicidad.

En octavo curso, mientras Leti y Jimena hablan de sus cosas en su pupitre, Clara I. las vigila. Me da la espalda como si yo no estuviera allí. Cuando me canso de dirigirle la palabra sin que me conteste, me vuelvo hacia Aurelio e intercambiamos un montón de palabras con erre y con ere. De vez en cuando, Clara I. me pregunta:

–¿Por qué hablas con ése?

–Él también es una *pegsona*, ¿sabes?

Sin que Aurelio me oiga, he encontrado una respuesta para Clara I. que, por lo menos, consigue que me sonría. Aurelio vuelve a reclamar mi atención desde el otro lado:

–*Miga* que la *Claga* está buena...

Clara I. ha vuelto otra vez a interesarse por la conversación sin sonido de Jimena y Leti. No las oye, pero se remueve en el pupitre cada vez que Jimena coge la mano de Leti para tranquilizarla o darle la razón; cada vez que Jimena abre la boca para sonreír –la arcada dentaria de Jimena es más bien prominente– y echa la cabeza hacia atrás, exaltando la curva de su cuello. No sé cómo Jimena puede aguantar ser escudriñada. Tal vez, bajo su película de grasita bondadosa, esconde una gran vanidad. Estoy muy enfadada con Clara I., porque siempre que he tenido una compañera de pupitre, mi compañera se ha dedicado a mí en cuerpo y alma. Pero, para Clara I., sólo existe Jimena y, cuando habla de ella, es como si te estuviera contando un cuento. Clara I. es una cuentista.

Jimena toca la guitarra y canta. Cierra los ojos, frunce el ceño, aprieta el ano y consigue agudos más altos que los míos. Jimena dibuja muy bien y, junto con Elena María, es otra de las preferidas de doña Carmen. Las niñas que cantan y dibujan, como las cortesanas, como las geishas, como las señoritas del Romanticismo, con su delicadeza tísica y su palidez, siguen siendo el modelo más valorado por esas profesoras chapadas a la antigua que personalmente son las únicas que entiendo. Elena María debería depilarse el bigote. Pese a que estoy enfadada con Clara I., me siento orgullosa de codearme con la aristocracia de esta nueva institución escolar: una aristocracia –lo sé por propia experiencia– que lleva construyendo su pirámide desde el parvulario y que sólo ahora, cuando los corazones se nos van reblandeciendo a causa de los cambios hormonales, deja una grieta para que los advenedizos penetremos. Clara I. me explica que los secretos de Jimena son maravillosos. Yo escucho a Clara I. y me parece que ella es mucho más atractiva que Jimena: Clara I. también toca la guitarra y, aunque es verdad que desafina cantando, dibuja con pulcritud las figuras geométricas, es ordenada, tiene una memoria magnífica, habilidad con los números y sensibilidad para encontrar en los textos detalles que a mí algunas veces me pasan desapercibidos. Aurelio me chista desde la fila de al lado:

–Que te he dicho que *miga* que está buena la *Claga, Magta...*, *¡pgéstame* un poco de atención, *pog amog* de Dios!

Clara I. mide, por lo menos, un metro setenta y su cuerpo es eurítmico. Emana una dignidad de señora que le sirvió para obtener el papel de la diosa Ío en la representación de *Prometeo encadenado* que montamos en el taller de séptimo curso. El niño-Prometeo, con sus tripas al aire comidas por las águilas, se enamoró de Clara I., quien a finales de octavo curso le seguía despreciando. Clara I. ya menstrúa, se ha acostumbrado a menstruar porque sangra desde los nueve años, y estoy segura de que su pubis rubio estará mucho más poblado que el mío.

Pero Clara I. se pone las rebecas de sus hermanos militares, se da muchas vueltas a las mangas a la altura de los puños y esconde la mitad de sus manos entre la lana arrebujada. Clara I. se empeña en caminar escondiendo sus pechos y sólo se ilumina cuando ve a Jimena, y entonces su carácter, un poco mezquino, cambia y Clara I. se transforma en una persona complaciente que yo no reconozco, aunque ella siga hablando entre susurros. Cuando esto ocurre, pienso que si Clara I. fuese animal, sería una hermosísima cobra dorada. Leti se burla. Sé que a Clara I. le sucede algo delicado, a lo que sólo con el paso del tiempo he podido ponerle un nombre. O quizá no. O quizá es que en octavo de egebé yo ya conocía el nombre, pero aún no era consciente de que muchos tipos de rostros pueden ceñirse a una palabra, a una definición. En Benidorm, María Eugenia es una niña como el tronco de un árbol. Anda con las piernas separadas como si le pesaran los cojones. Juega con los chicos y se pasa el día subida en la bicicleta. María Eugenia habla como su padre. Carraspea y escupe. Algunas veces, la he sorprendido siguiendo con la vista los movimientos de esa mujer que se aprieta los pechos con esparadrapos por debajo de su camisa masculina y canta con un guitarrillo para ganarse algún dinero. Pero Clara I. no es así y eso es lo que no encaja. Pese a mi desconcierto y a que despreciaría a Clara I. si yo fuese Jimena, estoy celosa.

En estas condiciones preparamos la maleta para ir de viaje de fin de curso. Aurelio no viene. Es el único chico de la clase que no sube al autobús que nos conduce hasta Garrucha, provincia de Almería. En el autobús, contenemos esa emoción que consiste en que, por fin, vamos a vernos en bañador los unos a los otros. Sin chándales, sin faldas escocesas, sin pantalones vaqueros, sin parkas, sin jerséis de cuello cisne, sin chalecos, sin vestidos de punto, sin cinturones, sin corbatitas, sin camisetas de algodón. Experimentamos una emoción un poco tonta, porque vamos a descubrir lo que Clara I. oculta bajo las rebecas de sus hermanos, lo que a Jimena le brota al mismo tiempo que a mí, los pelos del pecho de P. o la grasa acumulada alrededor del ombligo de Andrés. Vamos a comprobar hasta qué punto somos niños. Vamos a vernos, a mirarnos, a reírnos los unos de los otros, a desilusionarnos. Yo, por mi parte, estoy dispuesta a mostrarlo todo. Dentro del autobús, me sobresalto, porque me he quedado dormida y me ha despertado un ronquidito. Tengo la boca abierta. Me limpio la babilla y miro a un lado y a otro para cerciorarme de que nadie me ha sorprendido en esa ridícula situación que puede añadir un mote más a mi lista de sobrenombres. Vamos a vernos durmiendo, bailando, nadando, despertándonos, lavándonos, reventándonos los granos, cepillándonos el pelo, decidiendo la hora a la que nos vamos a la cama, cabeceando, sufriendo pesadillas, subiéndonos la braguita del bikini, cogiendo postura sobre la toalla, en mil posiciones imposibles entre las cuatro paredes de la clase que desvelarán lo que somos. Hay que tener cuidado.

En una de las paradas, Elena, la hija del militante del PCE que murió joven de una penosa enfermedad, se pierde entre los arbustos con un chico que alardea de que su hermano fue guerrillero de Cristo Rey. No le perdono a Elena ese desliz. Ni siquiera la perdono cuando vuelvo a encontrármela en las aulas de Filología y es una de las activistas de la lucha estudiantil, aquel año en que sólo el padre de Belén prohibió la entrada de la policía en el templo de la universidad y las manifestaciones se resolvieron a tiros. Desde el día en que Elena sube al autobús, con el pelo revuelto y la camiseta descolocada, y el hermano del honorable guerrillero de Cristo Rey sube detrás de ella, relamiéndose y gesticulando obscenamente para sus amigos, entre los que se encuentran Ibáñez y el hijo del policía que es el rival directo de Aurelio, casi no le dirijo la palabra. Elena y el hermano del guerrillero no paran de darse el lote durante el viaje de fin de curso. En los rincones de las discotecas. En la playa. En las paradas del autobús para echar gasolina. Pese a sus gestos obscenos y sus risitas, el hermano del guerrillero de Cristo Rey se ha enamorado y quizá Elena es una chica curiosa y valiente, una estratega, que va a dejar hecho polvo al hermanito del guerrillero y que no se merece mi desaprobación. No sé si la pareja también se toca en las habitaciones –se oyen rumores de cruces extraños–, porque yo comparto el cuarto con Clara I., con Belén, con Jimena y con Leti y en esa alcoba no parece existir ningún interés por cruzarse con nadie. Magdalena, la señorita de ciencias y matemáticas, y don Santiago, el de lengua e inglés, nos acompañan al viaje de fin de curso y hacen la vista gorda cada vez que Elena se pierde con el hermano del guerrillero o cada vez que Mari Mar, la niña que pasó de llevar camisita y canesú a unos vaqueros ceñidísimos que se le incrustaban por todas las rajas del cuerpo, se pega unos morreos babosos con el hijo del policía. Tengo todas las papeletas para integrarme en ese grupo, sobre todo por la inclinación que Ibáñez manifiesta hacia mí, pero Ibáñez es tímido y me deja en paz.

La habitación de la pureza permanecía al margen de los magreos y las prospecciones del resto de nuestros compañeros de curso, que andaba experimentando con sus lengüecillas, sus dedos, sus mamas y sus orificios. También existían habitaciones de la pureza masculina. Resultaba cómico imaginar cómo P. y C. se harían el nudo de la corbatita el uno al otro, frente a frente, y cómo después C. se enfadaría en la discoteca porque P. lo dejaba solo y se iba por ahí a hacer como que era un hombre de mundo, pidiéndose en secreto un cuba libre –P. parecía un señor mayor– y fingiendo que se interesaba por alguna pobre chica. C. era un muchacho honesto; P. no. También a los chicos de trece años se les puede exigir cierta claridad de ideas y cierta dignidad. En la habitación de la pureza, no nos preocupaba el tacto, sólo la visión de nosotras mismas, como si hubiéramos dejado de amarnos las unas a las otras y ya sólo fuésemos una mujer reflejada en las aguas. Nos transformábamos hasta el punto de pasar el dedo por la superficie del espejo y después acariciábamos la propia piel para comprobar que el reflejo correspondía a la curva de nuestra cara. Estábamos guapísimas.

Yo le presté a Jimena un mono verde militar que me había hecho mi tía Pili, con el que incluso parecía que mi cuerpo era de mujer o, quizá, no es que lo pareciera, sino que ya se iba formando y yo no me percataba, porque creía imposible que los cambios anunciados por fin se produjesen. Sólo había sido capaz de constatar el nacimiento de mi pelo negro sobre un monte de Venus níveo, el ensanchamiento paulatino de los cartílagos de mi nariz y la aparición de esos granos contra los que había comenzado a medicarme tras mi verano inglés. Después todo se había estancado y tenía la certeza de que me iba a quedar así para siempre, congelada en un punto intermedio de la evolución, mientras me iba volviendo susceptible y ñoña, sobre todo, muy ñoña, muy comprensiva y muy blandita.

Cuando las ocupantes de la habitación de la pureza nos habíamos untado purpurinas en los párpados y vaselina en los labios, entrábamos en la discoteca, las cinco al mismo tiempo, y bailábamos en círculo. Algunos chicos de la clase se aproximaban para cerciorarse de que éramos nosotras y se detenían en Jimena y en mí, que habíamos crecido de golpe. Otras transformaciones eran menos espectaculares; algunas eran incluso patéticas: el carmín por fuera de la línea natural de los labios, un colorete demasiado fuerte, unas uñas mordidas pintadas de bermellón, unos tacones que se doblan al andar, niñas embutidas en palabras de honor de licra y medias con costura.

–¿Bailas conmigo, Demelza?

–No, yo no bailo los lentos.

Nos sentíamos orgullosas de nuestra inviolabilidad. De ser miradas sin profanaciones de dedos. De poner los dientes largos. En aquel gineceo, tenso pero bien avenido, encontré a mis compañeras para una estampa de Puvis de Chavannes. Sólo los hombres mayores de la discoteca nos inspiraban algún temor. No sabíamos gran cosa de los viejos y, al mismo tiempo que temíamos que nos esperaran a la intemperie para empujarnos dentro de un portal, apretarnos la carne y eyacular sobre nuestra boca cerrada como una cremallera, al mismo tiempo, no dejábamos de bailar y movíamos las caderas y el vientre con la elasticidad desarrollada en el taller de expresión corporal, a ratos con la blandura muelle de un poema de Meléndez Valdés, a ratos con la brutalidad de tribu de las musiquitas pop. Si la habitación de la pureza no se dispersaba, nada ocurriría. Nada ocurrió cuando uno de esos hombres del pueblo, viejos pescadores que quizá no llegaban a cumplir los treinta años, se acercó a Clara I. para ofrecerle el borde de su copa de coñac. Clara I. bebió un sorbito, el pescador le rozó la mandíbula, Clara I. se apartó y seguimos bailando. Al poco tiempo, el hombre se fue.

Un día comencé a encontrarme mal. Me dolía la tripa y sin darme cuenta me hacía caca. Clara I. fue a buscar a Magdalena, para que viniera a verme a la habitación de la pureza. Cuando Magdalena entró en nuestro cuarto, se quedó pálida. La recibí completamente desnuda. No sé por qué estaba desnuda, pero recuerdo que lo estaba y que no me importaba en absoluto. Magdalena se tapó los ojos, le entró la risa floja, corrió al cuarto de baño para buscar una toalla con la que taparme. Magdalena no entendía mi concepto del pudor. Para mí, lo impúdico no era estar desnuda en una alcoba, sino los tests de inteligencia de don F. Magdalena me pareció una mojigata. Ahora me doy cuenta de que tal vez Magdalena no fuera una mojigata, sino que contemplar un cuerpo a medio hacer es desconcertante. El único pelo del pubis, el terciopelo corto de las ingles, el abultamiento sonrosado de unos pezones que parecen heridos, la insinuación de una curva mínima sobre la tabla del pecho, el ombligo que poco a poco se va hundiendo en el vientre hasta convertirse en un agujero oscuro. El gusano se hace mariposa o quizá al revés; el pollito pierde el plumón, y la serpiente, la camisa; los huevos de los alacranes son transparentes y móviles. Magdalena experimentó la repelencia de las enfermeras que quitan la sangre y la grasa que recubre a los recién nacidos, la de encontrar un cuerpo regurgitado por una boa gigante, envuelto en una película de jugos digestivos que son como el celofán. A mí el rubor de Magdalena me era indiferente, porque me dolía la tripa y, en caso de enfermedad, por lo menos en mi familia y por la experiencia de mis visitas a los puericultores, la desnudez es un estado obligatorio. Magdalena me da unas pastillas para la diarrea y sale del cuarto de la pureza a todo correr. Yo comento con mis compañeras que Magdalena parece una niñita.

Cuando el viaje de fin de curso ha terminado y vuelvo a casa, mi madre descubre lo que yo no había descubierto: no tengo diarrea. Estoy menstruando y, pese a la información recibida, no lo he sabido porque mis primeras sangres tienen el color de las heces y, sobre todo, porque lo deseaba tanto, para ser igual que Eva, que Clara I. o que Belén, que creí que no iba a llegar nunca o porque era inverosímil que una niña como yo comenzara a menstruar; porque yo me seguía mordiendo los padrastros y me raspaba las rodillas contra el cemento del campo de deportes; porque mi madre me había dicho que hasta los quince años, nada, y que cuando se comenzaba a sangrar, se dejaba de crecer; porque yo quería crecer aún unos centímetros más y me aterrorizaba quedarme en la estatura de mi abuela Juanita y debía conservar el menstruo retenido para darles una última oportunidad a mis fémures. Estoy ilusionada y las circunstancias me invitan a sentirme distinta de lo que era hacía unas horas: en ese momento no asocio la menstruación a la fertilidad ni el ser mujer a la fertilidad; vinculo el ser mujer a la menstruación y a sus parafernalias: compresas, tampones, bragas dobles para ir a dormir, ibuprofeno, bidé, cambios consentidos de carácter, ropa interior, la antigua celulosa, una toallita debajo de las sábanas, inflamaciones de los pechos, no me roces, no me mires... Salto el paso intermedio de un razonamiento basado en la utilidad procreadora de la sangre. Mi madre llora de emoción, yo me voy a la cama, me hago un ovillito y desde ese día me recato un poco, pido que me compren un sujetador que nunca voy a usar aunque lo mire por las noches guardado en su cajón, y ralentizo todos mis movimientos. Un número.

EXPRESIÓN CORPORAL

Hay otro mundo más allá de los avatares de la fisiología. Comienzo a darle forma a este pensamiento filosófico en el lugar donde el cuerpo adquiere su mayor relevancia justo un año antes del viaje de fin de curso. Aún soy un cuerpo amenorrágico. En el taller de séptimo, don J. nos invita a expresarnos corporalmente. Después de las clases de ciencias naturales –el profesor, mucho más viejo que don J., luce orgullosamente un bigotito cano digno de otras etapas de la historia, sus lecciones consisten en leer el libro de texto en voz alta: a mí me trata con mimo porque leo muy bien en voz alta y yo no le digo quién soy en realidad–, subimos al último piso del colegio y preparamos obritas de teatro, zarzuelas, montamos *La Revoltosa*, y me quedo con las ganas de ser Mari Pepa; el papel se lo dan a Mercedes Cordero, que es la niña con la figura más torneada del séptimo curso, la que mejor llena el vestido de chulapa y mueve con más gracia el mantón de Manila. Don J. ha decidido que yo sea el Principito y me mantiene ocupada transformando el texto en una especie de monólogo teatral. Corroboro que mi aspecto no debe de ser muy femenino –estoy deseando ser una tía, pero no lo seré hasta mucho después del viaje de fin de curso–, porque ninguna de mis zalemas me ha servido para obtener el papel que le han dado a Mercedes Cordero, que no es más que una alumna mediocre a quien el físico le acompaña.

Yo me miro en el espejo y me corrijo: me rasgo los ojos y relleno su blanco con un verde hoja lisérgico y brillante, subo el color de mis labios, estiro la papadita, afilo la nariz, me borro las pecas hasta quedar convertida en nácar, mis pestañas se tupen como bosque, extiendo el pelo hasta más abajo de la cintura, inflo con aire mis pechos, me relleno las caderas. Abro otra vez los ojos delante del espejo, me miro y me remiro, y no soy así, como debería ser. Como si esa imagen se me hubiese quedado justo debajo de la epidermis, a medio camino de su eclosión, escondida en el fondo de una cabeza que me mira con buenos ojos. Marisol se corrige para recuperar lo que fue; yo me corregiría para llegar a ser lo que espero, pero me dan miedo las agujas. El pelo desprendido de mi antecedente simiesco me ha jugado una mala pasada: me florece uno en el pubis, muchos en las extremidades, algunos en una cabellera que no merece ese nombre. Ya lo he dicho: mi abuela Rufi, la madre de mi madre, calienta cera en un pocillo y me la extiende por los brazos, me quema, tira, me deja sin vello y con brotes de forúnculos en la piel. Ser el Principito ya es mucho: se premia mi aspecto andrógino, ni aniñamiento y mi memoria. Tal vez, se premia mi bondad, mi fondo, aunque a mí mi bondad y mi fondo, en ese momento en el que deseo ser alguien distinto de quien soy –Mercedes Cordero, Clara I., Jimena, incluso Leti...–, me importan un bledo.

Al acabar las clases de la mañana y antes de bajar al comedor donde servimos las lentejas con ajados cazos metálicos, porque somos los mayores, y llenamos hasta rebosar los platos de duralex de los niños pequeños que no pueden protestar y nos miran con ojos aterrorizados mientras las lentejas se salen por los filos de sus platos hondos y nosotros les contemplamos con una sonrisa de perversidad o como si no nos diéramos cuenta de su angustia, como si los castigásemos por su bien; antes de bajar al comedor y colocarnos nuestros delantales y empujar nuestros carritos de ruedas, cargados con cacerolas hirvientes de sopa de ave o de legumbres; antes de que el hermano de Teresa se saque el ojo derecho jugando a hacer palanca con el filo de un cuchillo y el comedor se quede inmóvil y el compañero del hermano de Teresa se ponga a vomitar; antes de todo eso, nos refugiamos en el último piso, que es como un invernadero sustentado por una estructura metálica que se ha cubierto con cristaleras. El acabado del último piso no se parece a las sobrias plantas inferiores de un edificio de la Segunda República que, en la Guerra Civil, se usó como hospital: me lo cuenta mi abuela Juanita, voluntaria del Socorro Rojo durante el sitio de Madrid. A partir del relato de mi abuela, buscamos agujeros, escaleras subterráneas y accesos escondidos entre los rodapiés, habitaciones condenadas, enfermos momificados que se olvidaron detrás de un tabique, restos de material quirúrgico almacenados en un armario que ya no se usa. Las aulas de abajo son enormes, de techos altísimos. Siempre hace frío. Las paredes lisas están pintadas de amarillo claro y el entarimado del suelo ha alcanzado tal nivel de putrefacción que la madera ha perdido su color para transformarse en polvo gris. Da igual lo que las señoras de la limpieza restrieguen el suelo porque siempre está sucio. La columna vertebral del edificio es una gran escalera: los niños suben por la izquierda y las niñas por la derecha, ante la mirada del director del colegio, un hombrecillo consumido que fuma con boquilla; después, coreográfica y ordenadamente, nos mezclamos sólo hasta cierto punto en el interior de las aulas. Cada piso del colegio se dedica a una edad: los más pequeños, en la planta baja; los mayores, en la zona del invernadero que, levantado mucho más tarde que la gran mole de ladrillo neomudéjar, es una galería abuhardillada. Hace calor en verano y frío en invierno. Las paredes están pintadas de verde, como los quirófanos y las batas de los médicos, porque propician la concentración. La pedagogía moderna nos persigue a cada paso, pero los mayores estamos orgullosos de contar con esta zona de aislamiento, donde nos ilusionamos pensando que el colegio no es el colegio y que nosotros no somos nosotros.

Allí, en el aula de expresión corporal del invernadero, es donde descubro que Castillo no es solamente un niño gordo con cara de buena persona. Castillo abre y cierra las piernas y los brazos compulsivamente. Me imagino que en su casa no lo cuenta. Sus padres no soportarían ver a su hijo moviéndose por el espacio de la clase, pateando con fuerza el suelo, a punto de lanzar una carcajada. Castillo cierra los ojos y realmente no ve a nadie. Se concentra y levanta sus pesadas rodillas y se desabrocha el botón que le aprieta el gañote. Castillo lleva pantaloncitos cortos y es imberbe. Detrás del flequillo pajizo lucen dos ojos muy claros y muy pequeños, enmarcados por unas cejas excesivamente alargadas hacia las sienes, como si a un payaso le hubieran decolorado con agua oxigenada los trazos negros de encima de los párpados. Castillo es el único niño sincero del taller de don J. No sé quiénes son sus padres ni a qué se dedican, pero me lo pregunto a menudo porque no sé ver más allá de él y estoy convencida de que todas mis hipótesis sobre Castillo yerran. El resto del grupo, en el taller de expresión corporal, se mira de reojo y recrea figuras artísticas, se exhibe para ser contemplado, impostando la elegancia de las bailarinas de ballet o la modernidad de los bailes de las discotecas. A los trece años resulta imposible ser elegante o sincero y caemos en la tentación de mentir sin pronunciar palabra; mentimos con los brazos, con los dedos de las manos, con la torsión de la cintura, con un movimiento del cuello; mentimos al echar la cabeza hacia atrás o al entrecortar la respiración: mentimos en un espacio concebido para que surja la más íntima verdad. Mentimos en el diván de psicoanalista, regodeándonos en la idea de que a quién demonios le importa curarse y de que lo prioritario es quedar bien. Los compañeros son el mirón que nos espía por el agujero de la cerradura mientras nos desnudamos como si no lo viéramos; pero lo estamos viendo y, lejos de turbarnos, ensayamos la pose seductora. Nos ponemos el camisón de encaje o el *déshabillé* rosado, prendas absurdas sobre nuestros cuerpos laminados de costillas y crecederas, y metemos la tripa y entreabrimos la boca sin enseñar del todo los dientes: todos, menos Castillo, que todavía es un niño que arrastra su camión con un hilito y saca la lengua y aprieta el lápiz sobre el papel cuando escribe una redacción con su letra de palo.

Jimena mueve sus brazos como palomas al compás de la música, cierra los ojos y separa los labios, ensimismada, y cuando nadie la ve, echa un vistazo para comprobar cuántos ojos reparan en ella; Clara I. imita los movimientos de Jimena y, de vez en cuando, finge que se emociona porque su vida interior es la más secreta, compleja y profunda, porque su alma es la más sensible y Clara I. llora para que alguien la consuele al percatarse de que es la muchacha más problemática de la clase; a Leti le entra la risa desternillante, no se toma nada en serio y don J. va a desterrarla al gimnasio para que se desfogue y dé gritos; los hombrecitos del séptimo curso ensayan la postura del guerrero que sostiene la espada, excepto P., que suspira como un poeta romántico, esgrimiendo su pluma de avestruz, a punto de arañar con un verso o con el inicio de un discurso memorable un papel con las esquinas rizadas; yo pongo el culito en pompa. Don J. teme que Castillo se haga daño con sus torsiones. Pero no quiere frenarlo por si esa represión le causa un daño mayor por dentro.

Don J. llega un día con una propuesta extraña. Hoy no tenemos que mostrar cómo somos –es decir, cómo nunca seremos– o cuál es nuestro estado de ánimo a través de la música. Jimena atiende, con la educación que la caracteriza, aunque me parece adivinar cierta contrariedad en un mohín que se le escapa. Tal vez ha ensayado en su habitación una de sus figuras de pájaro a punto de morir. Don J., sacerdotal e inmensamente respetado, fijándose en el gesto de Jimena, habla:

–Lleváis seis meses estudiando y os suspenden un examen. Expresad con vuestro cuerpo ese sentimiento.

Nos quedamos rígidos. P. levanta una ceja y se lleva la mano a la barbilla. Jimena se retira un poco; Clara I. la sigue y se ponen a cuchichear. Leti emite un silbido de pastor. Don J. no lo confiesa, pero sospechamos que está hablando de sí mismo. Nos miramos desde las cuatro esquinitas del aula de expresión corporal. En lugar de aproximarnos a don J., como cada vez que nos propone una actividad, nos vamos separando de él como si nos diese lástima y al mismo tiempo nos hubiese sorprendido desfavorablemente. Por su debilidad, incluso por su afán de protagonismo en un recinto donde nosotros, que estamos creciendo, somos las estrellas. Uno de los chicos se pone a hacer el jorobadito en su esquina; P. lo mira desaprobándolo; a mí, casi por primera vez en el taller, se me escapa una risita de bruja. Don J. concentra su atención en la esquina donde me he acoplado. Don J. me habla con desamor:

–¿Qué es lo que te hace gracia?

Clara I. deja de cuchichear con Jimena y se vuelve hacia mí, tapándose la boca con la manga. El jorobadito se yergue. Castillo me mira, pero no sé qué está pensando. Ninguno de los miembros del cuerpo de Leti tirita como de costumbre. P. se sonríe, disfrutando con mi inhabitual situación de desventaja, y yo dejo que brote una agresividad que me está subiendo desde los intestinos hacia la boca:

–Yo eso no lo puedo hacer porque no me entra en la cabeza.

Rígida, racionalista, judeocristiana, geométrica, disminuye en caída libre la admiración que siento por mi profesor, al que empiezo a representarme como un pobre hombre que pide un tazón de sopicaldo en un centro de beneficencia. Me niego a meterme en la piel de alguien que ha sido tan cretino, tan incompetente, como para que le suceda eso. Por su parte, don J. deja de verme como una niña adorable y comienza a dirigirse a mí con algo parecido al sarcasmo:

–¿Y por qué no te entra en la cabeza?

Nunca don J. se había asemejado tanto al ogro de un cuento, con su torso voluminoso, sus bigotes brunos, los ojos perdidos detrás de los cristales de aumento de sus gafas de miope, el rojizo interior de la boca. Don J. dobla su paquidérmica columna vertebral para poder verme y oírme bien. Hace un esfuerzo más que considerable. Yo, a la altura de su ombligo, bajo la cabeza para responder:

–Cada esfuerzo tiene una recompensa proporcional.

Será que, de pronto, he olvidado mi nariz. Será que de pronto he olvidado que estuve muchos meses sin asistir a clase, escondida entre los árboles de un jardincillo. Será que no soy un hada del bosque, libre y artística, sino una perfecta candidata a la contabilidad, la biblioteconomía o la investigación en torno al genoma humano. P. me mira con admiración por la corrección gramatical de mi sentencia. A P. le impresiona lo repipi. Creo que quiere casarse conmigo. A mí me echan para atrás su pedantería y la sospecha de que P. no me rozaría ni un solo pelo en nuestra convivencia conyugal. No me gusta gustarle a P. y empiezo a arrepentirme de haber contestado como una institutriz británica. Me sale un moño en la coronilla y un guardapolvo me viste. Me veo las manos con los mitones que calientan las manos de los profesionales que cuentan el dinero en los dibujos troquelados de algunos libros. Clara I., mostrando nuevamente el saco de su sensibilidad, mira con un poco de pena a don J. Le mira casi con la misma pena con que le contemplamos el día en que él, en lugar de quedarse sentado, mientras nosotros desarrollábamos nuestras piruetas y contorsiones, se unió al grupo, ocupando casi la totalidad de los huecos del aula; al levantar las piernas, don J. puso de manifiesto el grosor de sus muslos y, al girar sobre sí mismo, nos descubrió su absoluto desgarbo. También en esa ocasión todos, menos Castillo, congelamos nuestras posturas. Le perdonamos porque no lo volvió a hacer; se limitó a quedarse en su silla para ser el observador que daba sentido a nuestros giros –la violencia de mis ademanes, la retórica floral de los de Jimena–, juzgaba nuestra espontaneidad y tomaba anotaciones a propósito de nuestro carácter. Nosotros después le interrogábamos ávidamente como si fuera un astrólogo. Hoy don J., como un niño contrariado con los brazos en jarras, reacciona ante mi sentencia de rabino:

–¡Ja!

Don J. ha perdido su majestuosidad papal y ya sólo es ese pobre hombre que entra en la sala de exámenes con el carné de identidad en la mano y demuestra que hay preguntas cuya respuesta ignora. Ni Jimena ni Clara I. ni yo –ni siquiera Mercedes– estamos interesadas en conocer las razones por las que don J. nos eligió para su taller entre el resto de las niñas del séptimo curso. Ese honor ya no nos parece importante. Don J. nos advierte que la relación causa-efecto no se cumple en todos los casos y lo paga carísimo. No queremos escucharle: nos da grima meternos en el gabán, sin duda grasiento, de ese opositor que ha dejado constancia de su incompetencia. Don J. no hubiera debido ser tan confiado. Los profesores nunca deben mostrarse naturales frente a sus alumnos; dejar sus vergüenzas al descubierto, la rendijita por la que la herida se infecta. Don J. ha perdido autoridad para formular las preguntas de nuestros exámenes y, aunque está triste, no insiste mucho porque en el fondo no quiere cercenar la estúpida felicidad que nos corona, el brillante futuro que sin duda nos aguarda cuando no estamos pendientes de nuestros defectos físicos.

Mordiéndome las uñas en mi esquina, decido que mañana no voy a asistir al taller y me siento satisfecha de que mis compañeros me hayan secundado en mi propuesta racionalista de inmovilidad. Soy definitivamente una de ellos: al año siguiente, al acabar la egebé, mis padres compran una casa en el centro de Madrid y abandonamos el barrio de Carabanchel. Vuelvo a sentirme muy cansada.

Don J. da por finalizada la sesión. Las figuras de las esquinas se van juntando en el centro de la clase y salen silenciosamente. P. me propone estudiar en su casa. Castillo se ha quedado en su rincón dándose cabezazos contra las paredes. Es el único que ha sabido hallar una respuesta para el ejercicio propuesto por don J., quien por primera vez me adelanta a lo largo de la galería sin desordenarme el pelo.

INSOMNIOS

Salgo del taller de don J. y vuelvo al tiempo y al espacio en el que escribo porque algo de repente me quiebra la memoria. La incrusta en otro cauce. Un acontecimiento reciente fractura el orden cronológico y surge en mí una sospecha. Un malestar en el que la luz de la habitación se funde y las personas que me rodean dejan de ser perfectamente simpáticas. No hay amabilidad en la imagen que me saca de la rudeza de mis movimientos en el taller; quizá mis movimientos fuesen una premonición de lo que más tarde sucedería.

Siempre he tenido problemas para conciliar el sueño. Sobre todo si duermo en una cama que no es mi cama y no reina alrededor un silencio absoluto. Tolero la luz. Durante muchos más años de los que serían recomendables dormí con la luz encendida. Con la cabeza tapada. Con las puertas y ventanas cerradas a cal y canto. Con un crucifijo debajo del colchón. Con cabezas de ajo dentro de los cajones. Con un abrecartas en forma de estilete. Con los espejos tapados por un trapo. Si duermo sobre una almohada que no es exactamente mi almohada me duelen las orejas. Mis brazos no se ajustan a los huecos de mi cuerpo y me pican los mosquitos. Algo o alguien me acecha: la ropa colgada del perchero, las sombras, los ojos de un retrato clavado en la pared. Lo más intolerable son los ruidos. Los repentinos y los monótonos. Los durmientes profesionales son capaces de interiorizar los ruidos monótonos, sincronizarse con ellos hasta dejar de escucharlos: el tictac de los relojes, el motor del aire acondicionado, el goteo de un grifo, el come come de las termitas en los cabeceros de madera, una conversación íntima, monocorde, inacabable, al otro lado del tabique, que para los durmientes profesionales termina transformándose en un arrullo. Ésos son los sonidos que me desquician, amplificándose en el tímpano como el bombeo del corazón. Puedo saber si hay, en la colonia de termitas, una más voraz, distinguir cada palabra de esa conversación secreta y susurrante que un matrimonio mantiene en voz baja para no despertar a los niños.

Estoy en la casa que mis padres tienen en la playa; intento dormirme anulando de mi conciencia el repiqueteo de los cubiletes de parchís, los maullidos de los gatos, las voces de los aparatos de televisión, los tubos de escape de las motos... Lo estoy consiguiendo, me adormezco, me dejo ir de modo que el absurdo incipiente de mi sueño interior se va solapando con lo de fuera; se sobrepone a lo de fuera. Mis deformaciones de las cosas cotidianas van ganando terreno a las voces del exterior, pese a que aún soy consciente de que mi inconsciencia se desliza sobre una superficie de hielo a punto de quebrarse. Pero lo estoy consiguiendo. Hasta que un alarido rompe el agua helada, me empapa, lo desbarata todo.

–¡Guarraaaaaaa! Que eres una puta guaaaaarrra.

–Que te dejas sobar. So cerda.

–Puta asquerosa, pero ¡qué asco das, joder!

–Anda, vete, que hueles mal, tía cerda.

–¡Cachonda! Salida, que eres una salida...

–Vete a hacer la calle, Bimba, que eres una perra.

–¡Una perra cachonda!

Es un coro de seis o siete chicos. Tendrán unos quince años. Se les nota en la voz ese sonido de cáscara de huevo que se rompe contra el borde de los platos. Tizas que rechinan contra la superficie de la pizarra. Sílabas entrecortadas, pronunciación deficiente: un significado nítido. Me imagino sus caras salpicadas de puntas de pus, los pelos recortados que acaban en una coletilla en el cogote, las manos ya grandes, adornadas con sortijas de metal, desproporcionadas en cuerpos medio sacados del horno, bollos sin levadura, con engordaderas y un olor ácido en las axilas y en el aliento. Los chicos quizá mastican chicles y esconden un cigarro detrás de la oreja. Un llavero de moto se deja ver por el agujero del bolsillo de sus bermudas caídas hasta la rabadilla; al aire, la goma del calzoncillo con la marca del puesto de un vendedor ambulante. Los chicos tienen la lengua gorda de comer pipas con sal. Por la tarde, seguramente habrán matado el tiempo exterminando terroristas con sus metralletas frente a la pantalla de los ordenadores de un salón de juegos recreativos. Lenta nostalgia de los billares y de las máquinas de bolas que me invade aunque no me pertenezca. No salgo al balcón a mirarlos. Sé cómo son y me dan miedo y me dan asco y me impongo el deber de que me den un poco de lástima. No lo consigo. Enseguida entiendo por qué.

–¡Sois idiotas! Idiotas, idiotas, idiotas...

La voz de Bimba –sí, seguro que es ella– me obliga a incorporarme. Bimba anda detrás de ellos, pero no puedo precisar qué distancia los separa. Deseo que sea mucha. Bimba no llora, pero cada vez habla con menos autoridad, como alguien que no entiende bien la pregunta que se le ha formulado. Está irritada y a la vez desconcertada. Teme. No sabe cuál ha sido su error. Se le escapa el sentido de su castigo. No quiere ser un animal: necesita que vuelvan a meterla en el cuerpo de una persona. Va detrás de los chicos, rumiando una mala contestación de esas que cuando se pronuncian desencadenan la violencia del padre: ella no sabe si llegar hasta el final o recogerse. Mientras, ellos, si pudieran escucharse grabados en una cinta magnetofónica, tal vez se avergonzarían. Tengo cierta fe en el género humano y espero que, si pudieran escucharse, se morderían la lengua y seguirían caminando deprisa y con la cabeza gacha. Pero no.

–Que te lo has hecho con todos, so perra.

–Sucia, que ni siquiera estás buena.

–Pero qué asquito que das, Bimba.

–Bimba, la perrita salida.

–Guau, guau, Bimba. Gu-a-u.

La última intervención es muy aplaudida por el coro, que se va alejando al mismo ritmo que percibo que la voz de Bimba se arrastra detrás de ellos. Quizá mañana los chicos salgan de casa con sus padres cazadores y lleven una perrita perdiguera como Bimba que, obediente, recogerá las piezas moviendo el rabo. Los chicos irán al instituto. Son chicos normales que asisten a clases mixtas, ponen mensajes con sus teléfonos móviles, exterminan terroristas islámicos en los juegos de ordenador y comen pipas apoyados en una tapia. Les gusta el deporte, montar en bicicleta, jugar al fútbol. Son chavalotes sanos, a los que sus madres les preparan bocadillos para merendar, mientras piensan que sus hijos se están haciendo unos hombrecitos. Buenos chicos que se rasuran el vello de los pectorales y beben zumos con vitaminas. Alguno cursará estudios universitarios; otros se quedarán a mitad de camino en la barriga de un taller o detrás de la barra de un bar en el que se preparan las mejores paellas de la costa mediterránea. Con el paso del tiempo, cuando por fin pierdan su aspecto encanijado, se casarán con una novia de seda salvaje y, el día de su boda, posarán para una foto artística que colocarán en marcos de alpaca en sus hogares sin una brizna de polvo y con el salón reservado para las visitas del domingo. Sus hijos comerán en la cocina y desayunarán cereales con leche; colarán una pelota por el aro de baloncesto colocado justo al lado de la puerta del garaje. El hilo de voz de Bimba se va quedando en nada:

–Idiotas, que sois unos idiotas.

La protesta de Bimba se empequeñece. Bimba empieza a darse cuenta de que su persecución no tiene sentido. Tal vez acabe mal. La euforia de esos muchachos me permite presagiar una escena en la que uno pega a Bimba o le escupe o patea, mientras ella se traga la última sílaba de su insulto. Ojalá Bimba tema lo mismo que yo y se quede quieta. Mientras, los chicos, perseguidos por una Bimba cada vez más debilitada, se mueren de risa y dan órdenes:

–Calla, perra.

–Cabrones...

–¡Bimba! ¡Pimba, pimba!

–Cabrones....

–Chúpame la pinga, Bimba.

Bimba se revuelve. Bimba no entiende y sigue persiguiendo al coro de canijos porque piensa que es una broma y que, dentro de un momento, los muchachos se van a dar la vuelta para rodearla por la cintura y acompañarla a casa. Sin embargo, los muchachos siguen animándose, buscando el insulto más vejatorio, el tono más rudo. Agarrados por los hombros, pisando fuerte sobre el asfalto, sacan la lengua con oscilación de serpiente y levantan el dedo corazón de la mano derecha, dirigiéndose a Bimba que, tambaleante, los sigue sin esperanza. Trato de rebuscar entre las voces, una, sólo una, que le diga a Bimba «vete a casa»; porque tengo cierta fe en el género humano, rebusco para encontrar una voz que vaya un poco más allá y se revuelva contra el coro. Pero ellos se jalean a un ritmo cada vez más acelerado que, llegado a su punto de máxima intensidad, les hará olvidar a Bimba, ojalá que para siempre. Bimba borrada, con un saco en la cabeza, detrás, desaparecida, arrojada por la compuerta del helicóptero en pleno vuelo. También deseo que Bimba olvide. Con su paso más corto, más fatigado, insiste en su persecución para defenderse, para restituirse. Sigue desorientada. Bimba quiere llegar y tiene miedo de llegar, de apurar el paso para encontrarse frente a frente con esos rostros aún sin definir, hombros estrechos y pechitos de tísico, frente a las manos grandes adornadas con sellos de plata y redondeles pintados a bolígrafo que emulan tatuajes carcelarios. Bimba se queda medio afónica de dar voces.

–Bimba, Bimba, chúpame la pinga.

Bimba por fin se para en la esquina y se sienta en un bordillo, con la cabeza metida entre los brazos. Está mareada y quiere vomitar. La veo, desde el balcón, y me tranquilizo pensando que ya no los persigue. La fila de alegres muchachos, cada vez más compacta, se aleja a lo largo de la línea de la carretera. Son muchachos que están creciendo. Deseo que sigan creciendo muy lejos, que no vuelvan nunca. Me gustaría consolar a Bimba, decirle que ella no ha hecho nada malo.

–No has hecho nada malo, Bimba.

Se lo digo bajito apoyada en este balcón desde el que ella no puede oírme a causa de los cubiletes de parchís, de los gritos de los muchachos, de los tubos de escape. Bimba y yo estamos solas en medio de la calle. Nadie ha dejado sus juegos de mesa ni sus conversaciones. Ahora, Bimba y yo oímos los mismos sonidos y casi podríamos ser la misma persona. Me meto en el recoveco del seno de Bimba y me calienta su respiración agitada. Bimba no entiende la pregunta que le han formulado. No sabe responder y se cuenta a sí misma lo que le ha sucedido porque le resulta imposible contárselo a nadie más. Ni siquiera podría contar que la noche había empezado de otra manera. Un círculo de muchachos, tal vez sus amigos, rodea a una Bimba complacida, que se ha dado brillo en los labios. Bimba es sensual y poderosa y puede elegir, porque esos muchachos son pajarillos ávidos de alimento y le guiñan los ojos y se dan codazos y aletean, perdiendo el plumón de golpe. Los muchachos impostan las maneras viriles que han visto en películas de luchadores profesionales. Bimba se acerca a uno, mucho más pequeñito que ella, y lo besa con dulzura. El chico le ocupa la boca entera con la lengua y más hacia dentro, como si hubiese perdido uno de sus anillos de plata en el desagüe del lavabo; se la lleva detrás del murete de la playa y Bimba, allí, es dócil porque se encuentra hermosa. El muchacho y la chica viven un romance de diez minutos. Ella puede aplastarlo entre sus brazos y, sin embargo, se deja manejar como si fuese muy leve y chiquita, sin importarle si la arena le escuece la piel o si casi se le corta la respiración. Es muy probable que se hurguen los genitales, que el chico penetre a Bimba con los dedos y le chupe las clavículas. A Bimba no le importará oler a pobre o a lavaditos de gato cuando la saliva se seque sobre su piel. Después se levantan y vuelven al círculo y vuelven a bailar y Bimba elige y se entrega al siguiente de la lista, pequeño y nervioso, con el deseo de que todos se enamoren de ella; después, vuelven al corrillo y Bimba ya no elige pero está embriagada y feliz por ser el centro de atención, por estar jugosa y bellísima bajo la luz de la luna. Le gusta el roce de una piel caliente sobre su ombligo, los ritmos tan distintos del jadeo, la prisa, el olor al suavizante con que las madres de los chicos les lavan la ropa. Bimba vislumbra las braguetas abultadas y la desproporcionada precipitación de fluidos, casi instantánea, de los niños con pechitos de tísico. Los chicos son vulnerables: Bimba lo sabe por esa vena gorda que les late en la frente. Como si de un momento a otro se les fuera a parar el corazón.

La ronda llega a su fin y, al levantarse de detrás del murete, los débiles, los nerviosos, los precipitados muchachos se vengan de Bimba, la insultan, la vejan, la dejan sola. Ella, que podría haberlos aplastado de un solo manotazo, soltarles las costuras del ombligo para que se desangraran, asfixiarles contra su pecho, no entiende la pregunta y quiere que se la repitan, no entiende y se dispone a perseguirlos con todas sus fuerzas, de pronto, agotadas. Yo la escucho, me incorporo en la cama, me desvelo, salgo al balcón, me parece que llevo mucho tiempo olvidando algo, hay algo que olvido y que sé que debo hacer. Pero no consigo recordar de qué se trata. Tengo miedo y pienso qué maravillosa habría sido esta aventura si estos chicos que están creciendo, una vez acabado el baile, hubieran dicho gracias, Bimba, y se hubiesen puesto a comer helados de cucurucho para reponer las fuerzas, mientras conversaban quizá para descubrir que no tenían nada que decirse.

No sé si tiene miedo o si está enfadada conmigo, pero mi madre me reprocha que no le pregunte por la nueva casa ni por cuándo nos mudamos ni por cómo va la demolición y reconstrucción de los tabiques. La miro, volviendo la cabeza por encima del hombro, y me callo. Escucho, como si no escuchase, sus conversaciones con mi tía Maribel y me entero de que la nueva vivienda está recorrida por un pasillo largo que acaba en el dormitorio donde murió la antigua propietaria: es la única alcoba que carece de radiador y en ella hace frío. La dueña difunta nos ha dejado allí sus zapatos de puntera. Tanto mi madre como yo calzamos el mismo número que el fantasma de la propietaria de la casa en la que vamos a vivir. La casa tiene cocina de carbón y una bañera con patas. Hay que rehacerla de arriba abajo. Ni siquiera pregunto cómo va a ser mi habitación. No sé si voy a dormir en el cuarto de la propietaria muerta que nos ha dejado sus zapatos de recuerdo. Mi madre se enfada conmigo todavía más, aunque supongo que está asustada por si decido volver a desaparecer o por las cartas que sigo recibiendo casi todas las semanas desde Benidorm.

Por ahora, cambiamos de distrito postal: de Carabanchel bajo al barrio de Chamberí. En Benidorm vivíamos de alquiler y una mudanza no implicaba cambios sustanciales: el pueblo seguía siendo el mismo pueblo; en Madrid disfrutábamos de una casa en propiedad entre el río Manzanares y el Puente de Praga: su venta y una hipoteca hicieron posible la adquisición del piso, para mí casi ruinoso, de Chamberí. Sin embargo, en aquella época, la mejora de nuestro estatus era algo que no me preocupaba. Hoy, sentada frente a la pantalla de mi ordenador, me doy golpes en el pecho por mi aburguesado desinterés.

Cuando por fin nos mudamos, me gustan los techos altísimos, sus molduras, y la luz que entra por los ventanales; los crujidos del entarimado, al caminar sobre él, provocan el temor de que se vaya a quebrar. Es imposible que nadie dé un paso en secreto. Elijo dormitorio y olvido enseguida a Belén, a Clara I., a Jimena, a Leti, a P., a Castillo... Sin embargo, me queda el rencor de que hayan vuelto a trasplantarme cuando me estaba aclimatando. Por las noches, oímos los pasos de la antigua propietaria. Ha venido a gastar sus zapatos. Yo escondo debajo de la cama el crucifijo con el que mi padre hizo la primera comunión. Pronto me convenzo de que se trata de un fantasma protector que, de ahora en adelante, mientras mi padre trabaja y yo estudio, puede acompañar a mi madre y apagarle los fuegos en el caso de que algo en la cocina comience a arder. El hecho de que en esta casa habite un fantasma me habla de su nobleza, de una especie de abolengo característico de los castillos escoceses, que no se parece en nada al plano rectangular, a las modestas dimensiones y a los acabados modernitos del piso que hemos dejado atrás. Es imposible que un fantasma se oculte en el interior de una tubería sin moho, en el hueco de formica de debajo de la pila junto a las bayetas absorbentes; que se enrolle en las revueltas de una persiana de plástico. Los fantasmas siempre han preferido las alacenas, los cajones de las cómodas de caoba, los espejos con marcos refitoleros, las alfombras persas...

La mudanza coincide con mi ingreso en el instituto. Mi madre me recuerda que tengo que estudiar si quiero matricularme en una carrera que me guste.

–Tienes que ser independiente.

Es la cantinela que marca estos años de mi existencia y que se vuelve contra mí en cuanto me distraigo un poco. Me matriculan en un instituto que está muy cerca de esta nueva casa que me hace oler de otra forma: ya no huelo a la madera de los lápices ni a yogures ni a tomates ácidos; huelo a la naftalina que se mete en los cajones para evitar que las polillas se coman las prendas. Mi instituto, como casi todos los ubicados en el centro de Madrid en esos años, es sólo de chicas. Lo que más me gusta del primer curso son las clases de gimnasia, el único espacio en el que salgo de un mundo poblado de apariciones y de viejos: los profesores se mueven por las galerías sin apoyar los pies sobre las baldosas y da la impresión de que no abren las puertas sino que atraviesan las paredes. Están ojerosos. Durante las clases de educación física hacemos estiramientos y destaques, y jugamos al balonmano en la azotea. Algunas alumnas le dicen a la profesora, que lleva un pito colgado del cuello:

–Fernanda, tengo el periodo. Hoy no puedo hacer gimnasia.

–Ya te estás poniendo el equipo.

Fernanda es inflexible y no se mueve como si caminara sobre las aguas. Las alumnas menstruantes van corriendo a ponerse el uniforme: camiseta azul claro, pantalones cortos de color azul oscuro, calcetines y playeras. Fernanda lleva un chándal con dos rayas blancas paralelas en los costados. Es la única que no está helada de frío. Fernanda sostiene que las flexiones activan la circulación sanguínea. Las alumnas menstruantes han de sustituir su imagen de flor, replegada hacia su centro, su posición de capullo, por otra más contemporánea.

–*Épanouissement!*

Grita Fernanda, que, además de ser profesora de educación física, habla francés. Nadie la entiende. Las alumnas cuchichean:

–Mi madre me ha dicho que, si estoy mala, ni hago gimnasia ni me ducho.

Fernanda tiene un oído muy fino:

–*Épanouissement* e higiene! Hi-gi-e-ne. Un poco de higiene, niñas, por favor. ¿Nadie os ha dicho que en la adolescencia se huele muy mal?

Fernanda toca el pito y empieza el torneo de balonmano. La azotea está rodeada con una verja de alambre para que nuestras vidas no corran peligro. Yo soy extremo, porque soy bajita. No entiendo muy bien la lógica de Fernanda al componer los equipos, pero a mí se me ha comunicado que soy extremo porque soy bajita. Asumo mi condición y ponemos en juego la pelota. Corro mucho y me desmarco. Siempre estoy en el sitio en el que alguien puede lanzarme la pelota y aprovechar mi proximidad con la portería contraria. Confío en que, en esas absurdas situaciones, nadie sea tan estúpido como para tirarme realmente la pelota, porque yo nunca voy a intentar marcar un gol. Me niego a asumir la responsabilidad de tirar a puerta. Fernanda se crispa:

–Pero ¡tira, tira!, pero ¿por qué no tiras?

Yo espero casi quieta, me muevo un poco pero no excesivamente, para que la profesora-árbitro no me pite «pasos», hasta que llega a mi altura la jugadora que avasallará, por su mismísimo centro, una línea de defensa que ya ha tenido tiempo de armarse. Le paso la pelota y la chica se estira en un salto en suspensión, apunta a portería, lanza la pelota, evitando los brazos y las piernas de las jugadoras del equipo contrario, consigue batir a la portera rival. Es maravillosa y yo confío en ella.

Pese a todo, me gusta jugar. Después de cada partido, llego a casa con fisuras o dislocaciones. Mi madre me entablilla los dedos de las manos con pinzas de la ropa y vendas elásticas. Me gusta correr, desmarcarme, incluso robar el balón –interceptarlo– en un ataque del equipo rival, y salir disparada en el sentido opuesto. Me llena de alegría recibir la pelota, después de un pase largo, sin que se me escurra. Soy grácil y potente. Las chicas, a quienes se les cae la pelota al recibirla, corren como patos mareados tras ella, con el culo en pompa y el espinazo doblado; a veces, se dan de bruces contra el suelo de la azotea, que es rasposo, y se hacen heridas con costra que las infantilizan. Sin embargo, cuando me tiran a mí la pelota, ésta magnéticamente acaba en el cuenco de mi mano. Después, espero, parezco una deficiente mental, y la profesora de gimnasia se crispa:

–¡Que tires!

Ha probado a colocarme en todas las posiciones posibles, pero como soy bajita, no puedo ocupar los espacios centrales porque la mayoría de mis compañeras son un armario de tres cuerpos. No sabe Fernanda cómo me late el corazón cada vez que estoy aguardando a mi capitana para hacerle el pase. Le paso la pelota, por fin, ella apunta, dispara y...

–¡Gol!

En el fondo, me parece que no lo hago mal. Jugando al balonmano en la azotea, descubro que quizá estoy dejando de ser competitiva. Me da igual ganar o perder. Mi profesora de gimnasia se exaspera. Dejo de medirme con los demás, con las niñas escondidas bajo los abrigos colgados del perchero, con las niñas que pican carne en el mercado municipal, y ya sólo me comparo conmigo misma: ése es el gusano que me va a terminar comiendo por dentro. Es un gusano muy voraz. Nunca hago lo suficiente. Siempre busco versiones de los hechos en las que mi desidia sale a la luz. Ya no soy una cínica como cuando tenía diez años, pero conservo parte de una soberbia que me hace sufrir. La profesora de música pregunta:

–¿Qué nota creéis que vais a sacar en mi asignatura?

–Un diez.

Las chicas me miran como si estuviera loca. Estoy, en efecto, un poco loca y me doy cuenta de pronto de que aquí hemos llegado sin marcas y de que lo que hacemos por vez primera es lo que va a ponernos un nombre. Pierdo el privilegio de mi incógnito y me convierto en una empollona y en una pedante. Mis nuevas compañeras hacen lo posible por no descubrirse todavía: se lava los sobacos la que en el colegio olió una vez y quedó estigmatizada; contiene la risa la chistosa; la cursi sustituye los corazones pintados de su estuche por una bolsita étnica y una mochila militar del rastro.

–Un diez.

He respondido mecánicamente, atendiendo a mis antiguas experiencias y a las palabras de mi madre sobre la necesidad de que mi expediente sea brillante para poder, dentro de cuatro años, elegir una carrera que me guste. Me arrepiento de inmediato de mi respuesta. La profesora de música nos entrega fotocopias con informaciones abigarradas sobre los periodos de la historia de la música. Hay que memorizarlas. Como voy a sacar un diez, me pregunta todos los días. Me las aprendo de cabo a rabo. Sueño con ellas por la noche. Veo las imperfecciones y las manchas de la máquina multicopista sobre el gramaje del papel. Saco un diez en música, pero ya no recuerdo nada de aquellas fotocopias. Mi corazón es un jilguero mudito. No me gusta la boca torcida de la profesora cada vez que me formula su batería de preguntas, la chispa negra que le achica los ojos cuando se dirige a mí. Ni siquiera me siento orgullosa. Mis compañeras me miran con prevención. Huelo a soberbia y a empecinamiento. Mi lengua ha sido atolondrada. Yo misma me quito la tranquilidad y me subo los listones en el salto de altura. Soy bajita. El gusano me está creciendo dentro de la tripa y ya casi me ocupa toda la bolsa intestinal. Me gusta estudiar, pero la idea de que no estoy haciendo lo suficiente, de que no voy a llegar a tiempo, no me permite disfrutar de cada instante por separado. Empiezo a creer que todo el mundo es mejor que yo. En gimnasia, sin embargo, sé que soy bajita y no me culpo.

–¿Quieres hacer el favor de tirar a puerta cuando te llega la pelota?, ¿me quieres hacer ese favor, a mí, personalmente?

A Fernanda se le han puesto las orejas encarnadas. Me marcho a casa y me siento en la mesa camilla para preparar una exposición sobre los presocráticos; no tengo cosas mejores de las que ocuparme en mi nuevo barrio durante el primer año del instituto. El fantasma de la vieja propietaria me hace cosquillitas en los tobillos. Mi madre teje un jersey rojo, uno verde, uno negro; un jersey para mí, uno para mi padre, otro para su hermano. Yo me informo, leo, hago esquemas, memorizo, controlo los minutos de mi intervención. Durante la exposición en clase, la voz no me tiembla. No me confundo y coloco en los lugares precisos a Tales de Mileto, Anaximandro, Anaxímenes, Heráclito y Pitágoras... La profesora de historia de las civilizaciones sorbe la salivilla que le anega la boca, se recoloca el sostén por debajo de la blusa y no encuentra palabras para alabarme. Es una profesora al estilo clásico. Sabe mucho de mesopotámicos y fenicios. Si el fantasma de la dueña de mi nueva casa llegara a materializarse, luciría el mismo cutis apergaminado, la misma permanente de ricitos pequeños, el mismo cuerpo enjuto que la profesora de historia de las civilizaciones. Los dos fantasmas, el de humo y el de carne, parecen recién salidos de las fotografías del manual de la asignatura. Fernanda comienza su clase: trabajamos nuestros cuerpos para preparar nuestras mentes.

–Hoy traigo un justificante. Se me ha torcido el tobillo.

Fernanda lee el justificante, pero no se cree ni una palabra. A mí también me empieza a parecer sospechosa esa chica que siempre encuentra una excusa:

–Ponte el equipo ya o date por suspendida.

Nos agarramos a la verja que rodea la azotea y estiramos y levantamos la pierna tanto como podemos. No somos flexibles. Fernanda toca el pito para marcar los tiempos. De vez en cuando, se quita el pito de la boca y da instrucciones a las alumnas torpes. Se queda afónica. Acabados los destaques y los estiramientos, se queda mirándome:

–¿Hoy vas a tirar o qué?

Le digo que sí, pero luego no tiro.

La profesora de lengua, Jacinta, escucha con atención un comentario de texto que he escrito sobre un fragmento de Azorín, «El mar». Mi lectura se prolonga durante toda la clase. Jacinta escucha con los ojos cerrados y la cara semioculta por la mano. Parece dormida, pero como no dice nada, sigo leyendo. No vuelve a preguntarme nunca más. Al hojear las fichas personalizadas de su cuadernito de anillas, pasa por alto mi cara y mi nombre; a veces, ni siquiera levanta la vista por encima de las gafas para ver si estoy sentada en mi pupitre. Jacinta es una mujer que siempre va despeinada. Cuando vuelvo del instituto, mi madre me manda a hacer algún recado. Después, me encierro en mi habitación, enciendo el flexo y escribo larguísimos comentarios con una letra, apretada y pulcra, que ocupa incluso los márgenes de los folios. Me releo, me tacho, me paso a limpio. Por vanidad, tal vez por aburrimiento, aspiro a la perfección. Me divierto y me pregunto si algún día podría prescindir de los deberes de lengua y asistir a la clase con la seguridad de que Jacinta no me va a preguntar. Siempre los hago, por si se le ocurre tenderme una trampa. No me la tiende. Yo sigo escribiendo mis comentarios de texto cada vez con más minuciosidad, palabra por palabra, relamiéndolas. Empiezo a sentir predilección por el Valle-Inclán modernista y por las prosas musicales. Leo mal. Sin horizonte. Sin sobrevolar el texto con los ojos. Leo los textos como una superposición de partículas atómicas. Aprendo mucho. Me hago muchísimo más cursi. Mi madre me dice, satisfecha ante mi recogimiento y mi aplicación:

–Tienes que ser una persona independiente.

Después me deja sola en mi cuarto y se va a despedir de Maribel, que se va corriendo a su casa para poner la lavadora.

Mar viene del colegio Estudio y no se puede concentrar en la penúltima fila. Proviene de aulas con siete alumnos y, en el instituto, somos cuarenta niñas por clase. Está traumatizada y sus padres, en breve, la llevarán al psicólogo. Yo le echo una mano con los problemas de física, la ayudo a prestar atención entre el bullicio, le ahorro las sesiones con el psicólogo y con el profesor particular de ciencias, y ella me invita a montar el poni que guarda en las cuadras de su chalé de Galapagar. Cepillamos al poni y cantamos canciones al compás de su guitarra. Ella se encuentra perdida en un instituto público y yo doy vueltas en la cama de su chalé de Galapagar sin comprender por qué me he quedado a dormir. Mar es muy cariñosa. Desaparece al poco tiempo de haber aparecido. No recuerdo cuándo.

–¡Que tires! ¡Tira de una vez!

Espero, mi capitana llega corriendo, le paso la pelota; ella rompe con su torso macizo la línea defensiva, lanza pero esta vez el tiro, muy potente, se le ha desviado hacia la izquierda. Sin embargo, la lanzadora me guiña un ojo. Corremos a defender nuestra propia portería del ataque del equipo contrario. Nos colocamos, como dientes en una mandíbula superior, sobre la línea semicircular que delimita el área. Interceptamos un balón y salimos disparadas al contraataque. Fernanda no se ha dado cuenta y hoy la capitana está jugando con pendientes. Está muy guapa con el pelo recogido en una coleta de caballo, la nuca y las clavículas sudorosas, los pendientes que se mueven sobre la línea palpitante de su cuello. A menudo me sorprendo mirando a mis nuevas compañeras como si fuera un tío. Dudo. Me quedo extasiada observando el cuerpo encerrado en corsetería de Paloma, los muslos prietos de Eva, nuestra capitana, o cómo le bailan los pechos, dos puntas de alfiler bajo la fibra de la camiseta azul, a Raquel Sánchez. Repaso mis relaciones con mis amigas, mi fascinación por las figuras de Dante Gabriel Rossetti y de Puvis de Chavannes, mi empeño infantil por tener el pelo muy largo o por dibujar anatomías de mujer recorridas por protuberancias y curvas de estrella italiana del cinema. La alumna que nunca quiere hacer deporte me pregunta, antes de buscar una excusa para no ponerse el equipo:

–¿Tú crees que Fernanda será lesbiana? Todas las profesoras de gimnasia lo son.

La chica se ríe y se aleja, haciéndose la cojita, en dirección a Fernanda. Se toma muy en serio su representación. Podría ser una magnífica actriz.

–Fernanda, tengo un esguince.

–Y yo muy mala leche.

La cojita regresa al vestuario para ponerse el equipo de deporte. Tiene una risa contagiosa y unos mofletes que rebosan salud. Cuando vivíamos en Benidorm, yo enseñaba a mis amiguitas una foto de mi madre con otra mujer. Las dos lucían permanentes afro; mi madre morena, la otra rubia. Entreabrían los labios y los ojos, y se inclinaban la una sobre la otra. Yo había oído decir a propósito de esa foto:

–Como dos lesbianas.

Parecía una sentencia trascendente y prohibida. A mi madre no le gustaba. Yo les repetía a mis amiguitas la sentencia al mostrar las fotos familiares:

–Como dos lesbianas.

Mi comentario no resultaba escandaloso: no conocíamos su significado. La chica que se finge cojita sí conoce el significado de la palabra y me inquieta el hecho de que haya sido a mí a quien le haya formulado la pregunta sobre la tendencia sexual de la profesora de gimnasia. Quizá haya notado algo en mí. Yo misma a veces me sorprendo mirando a las mujeres con los ojos de los hombres. No de todos los hombres. Miro a las mujeres con los ojos de un conductor de camión. Los hombres, sin tocarme, me han empapado por dentro. En el instituto, yo quiero ser una mujer que les guste a los conductores de camión y a los obreros que, con la piqueta entre las manos, piropean a las chicas. Cada vez que jugamos al balonmano en la azotea, se congrega en la acera un grupo de chavales ociosos y de hombres maduros y de viejos. Miran hacia las nubes, mientras hacemos los destaques. Gritan desde abajo:

–¿Cómo va el partido?

Paloma, con su cuerpo de corsetería antiquísima, mete los deditos y la nariz por la verja para contestarles. Fernanda la llama al orden. Paloma, resoplando, vuelve a colocarse en la portería de nuestro equipo con las piernas que forman un ángulo de cuarenta y cinco grados; apoya cada mano en uno de sus muslos. Los brazos como alas, separados del torso. Parece una gallina: el pelo rizado de su coronilla es la cresta. La veo tan encorsetada que no entiendo cómo puede doblar la cintura para atrapar las pelotas. Paloma las atrapa sin doblarse. El pelo tampoco se le descoloca. Cuando acaba el encuentro, Fernanda se dirige a mí con el pito en la mano:

–Me han dicho que en otras asignaturas eres buena alumna. ¿Por qué no tiras?

–La próxima vez...

Tampoco me atrevo la próxima vez ni la siguiente. Nunca llego a marcar un gol; tampoco yerro ningún lanzamiento. No provoco la frustración de todo el equipo. Nunca disparo. Fernanda me pone muy buenas notas en gimnasia. Le debo de caer bien o quizá es que estiro las rodillas hasta que los músculos me tiran insoportablemente por detrás. Fernanda es de las pocas profesoras del instituto que se mantienen un año detrás de otro. Marina, con una bata blanca de farmacéutica, nos explica entre pausas marcadas permutaciones, derivadas e integrales, en primero y en segundo. Es una mujer tranquila. Nos presenta unas matemáticas sin nerviosismos, pero yo sola me enervo delante de las ecuaciones con dos incógnitas. Observo a Marina y no puedo imaginármela en otro lugar, sin su tiza, sin corregir exámenes con su bolígrafo rojo. Parece una monja y me la represento con un camisón bien abrigadito, abotonado y largo hasta los pies, quitándose las zapatillas antes de meterse a dormir en su cama individual. Otilia desarrolla como una loca los problemas de rozamiento sobre la pizarra. Chilla de entusiasmo. Escribe y escribe y habla para sí misma. Me cuesta seguir sus movimientos. El señor Mesa pone ceros y escupe en la papelera. Está harto de leer siempre el mismo poema de Gonzalo de Berceo y de que ninguna alumna sepa lo que significa la palabra «grey». Un día arriesgo una interpretación y le sugiero que será una forma antigua de escribir rey. Quizá una errata. Al señor Mesa le divierte mi temeridad y ese día me pone un cero que me traumatiza. El señor Mesa me coge cariño por esa y por otras intervenciones: gano un concurso de poesía y me regalan cinco libros que elijo de entre los estantes de la librería Fuentetaja. Me acompaña a comprar mi premio el profesor de ciencias sociales y económicas, que una vez me quitó medio punto en un examen por escribir «envergadura» con m y con b.

Mis argumentos para justificarme son obvios. El profesor se sonroja.

Roberto, con el manual sobre su mesa, nos pregunta las declinaciones en latín. Él no se las sabe. Es el único profesor joven del instituto. Las alumnas se arreglan para que les pregunte las declinaciones, pero él rara vez aparta los ojos del libro. Un día yo también quiero llamar su atención. Después de comer, me voy a mi cuarto y me encierro. Elijo mi ropa cuidadosamente: un vestido de punto de lana, estampado con dibujos en verde y rojo, que me marca las caderas, un cinturón ancho que me aprieto a la cintura, unas medias rosa, mis primeros zapatos con taconcito. Me pinto las pestañas con mi primer rímel. Me peino con la raya al lado. Me pongo pendientes. Al salir de mi cuarto, mi madre me dice:

–Ojalá todos los días te arreglases así.

Mi madre me regaló por mi cumpleaños un pequeño neceser con un rímel, un brillo de labios y un colorete de tono melocotón. Los instrumentos para conseguir un discreto maquillaje adecuado a mi edad. Abro o cierro la cremallera de mi neceser porque su sonido me pone los pelillos de punta, aunque aún soy incapaz de ver esos objetos como algo que me pertenece. Cada vez que abro y cierro la cremallera de mi neceser, las uñas me crecen de golpe y se pintan de rojo y estoy a punto de volver a jugar al juego de las dependientas que al final se casan con los cajeros de los bancos que son, en realidad, los máximos accionistas de una empresa multinacional. Me miro en el espejo de cuerpo entero del vestíbulo de nuestra nueva casa. La antigua propietaria, desde detrás del espejo, me felicita. Estoy despampanante. Camino por la calle, tapándome con el abrigo. Me encantaría que los hombres que esperan a que empiece otro partido de balonmano me piropearan a ras de suelo, pero también me daría vergüenza. Estoy segura de que, si abro el abrigo, me van a decir cualquier barbaridad. El balonmano me está esculpiendo un cuerpo al que, como Paloma, aprendo a sacarle partido estrujándolo para que le broten protuberancias. El profesor de ciencias naturales saca mucho a Paloma para preguntarle la lección y, mientras ella se equivoca con sus respuestas sobre la composición de la célula, a él se le hincha una vena del cuello y traga saliva. Todas nos percatamos de la turbación del profesor. Saca a Paloma a la pizarra un día sí y otro también. El profesor de ciencias naturales, un caballero maduro, con traje de raya diplomática y engominado pelo cano, está muy preocupado por la formación de Paloma, que es una chavala de Ciudad Lineal que viene a estudiar a un instituto de Chamberí. Recorre la mitad de la línea cinco del metro y llega a clase cansada, medio dormida. Su novio la espera fumando a la puerta del instituto todas las tardes. Antes de bajar, ella se repinta los labios frente al espejo del aseo.

Camino por la acera con cuidado para no resbalar con mis zapatitos de tacón que repican contra el pavimento y me obligan a imprimir a mis caderas una cadencia oscilante, más insegura que sensual. Incluso la falta de pericia puede tener su encanto, me digo. Procuro caminar con la espalda recta. Llego a clase. Me quito el abrigo, meto la tripa y corro a sentarme en mi pupitre, para que nadie me vea hasta el último momento. Mi compañera, Isabel, con su sonrisa de Gioconda y su uno ochenta de estatura, me echa un vistazo y permanece tan impenetrable como de costumbre. Es buena persona y, cuando acaba el instituto, ha aprendido a reír. Las ciencias y las letras nos separan en tercero de BUP. Mientras Mar monta su caballito por las laderas de Galapagar, las dos observamos la estampa sentadas sobre una roca y yo le formulo a Isabel una pregunta que nos une durante los dos cursos siguientes:

–¿Qué estamos haciendo aquí?

Roberto entra en el aula y se sienta. Abre el libro. Lleva unas gafas de culo de vaso y una barba desaliñada. Se abriga con jerséis de lana burda y, cuando no le toca dar clases de latín, lee libros de filósofos alemanes. Cuando habla, a Roberto le brota un acento montañés. Es un intelectual montañés, una variedad que por entonces aún no me resulta familiar. Parece y no parece de pueblo. Tendrá unos veinticinco años y posiblemente está mucho más desconcertado que nosotras. A Roberto las palabras le salen a borbotones, combinándose estrafalariamente en sílabas que con el paso de las semanas hemos aprendido a interpretar. Sin mirarnos, pide como cada tarde:

–Unavolún taria, paralá ter cera decliná ción.

Me estiro las medias por debajo del pupitre y salgo voluntaria. Me coloco delante de Roberto, que no levanta la cabeza del manual de latín. Recito la tercera declinación. Mientras voy recitando, Roberto no separa la mirada del libro de texto. Estoy tentada de equivocarme para ver si así, al corregirme, me mira. Pero no me mira ni siquiera cuando vacilo un poco o me estiro las medias o me meto los dedos entre el cinturón y el vestido para poder respirar. Roberto sigue con el dedo las líneas del libro, buscando las coincidencias entre lo que oye y lo que lee. Recito completa la tercera declinación de los sustantivos en latín.

–Hominorum, homini, homine...

Roberto levanta la cabeza para felicitarme. Desde detrás de las gafas, fija sus pupilas en el estampado de mi vestido de punto de lana. Se queda como drogado siguiendo con los ojos las volutas rojas y verdes de mi vestido. Los ojillos, lejanísimos detrás de sus gafas de culo de vaso, le hacen chiribitas. Empiezo a sudar. A él se le cae un poco el labio inferior. Quizá mi cuerpo joven es demasiado para Roberto, que, al fin y al cabo, es un chiquilicuatro al que, pese a su juventud, se le clarean las ideas por la coronilla. Su frente está abombada y grasosa. Mañana tampoco lanzaré a puerta en el partido de balonmano y me preguntaré si soy femenina o lesbiana y, años más tarde, llegaré a la conclusión de que la culpa de todo recae sobre esa mirada de hombre que me ha empapado por dentro. Roberto repasa mis medias rosa y mis zapatitos de tacón. Me tapo la nariz con la mano. Roberto tiene la boca pequeña y los dientes descolocados: cuando se ríe, resulta monstruoso. Y ahora, mientras sigue escrutándome, se ríe. No puede parar de reírse.

JUGAR CON LAS PALABRAS

Ahora pasamos los veranos en Murcia pero, cuando nos mudamos al barrio de Chamberí, veraneábamos siempre en Benidorm. No nos sentíamos completamente desgajados de aquel lugar. Nos quedaba allí gente querida y secretos pasadizos, una temperatura y un grado de humedad reconocibles, el deseo de constatar las permanencias y las desapariciones en la cuadrícula de las calles.

Siempre que llego a Benidorm a principios de julio, mis primeros pasos son idénticos: me encamino sin tiempo que perder hacia la plaza de la Palmera y entro en la tienda de chucherías, en la que mi amiga Juani vende helados, chicles y gominolas desde que era una niña y yo iba a recogerla a las tres menos cinco para que subiéramos juntas, conversando, la cuesta que acababa en nuestro colegio. Paquita va desapareciendo, verano tras verano, escondida entre los hierros del desguace o tras la piedra de afilar de la cuchillería, oculta bajo sus vendas frías y calientes. Veo a Juani a través de la ventanilla de la tienda. O no la veo y cruzo el umbral y enseguida Juani sale de la trastienda, en perpetua penumbra, donde estaba descansando. Nos damos un beso. Ella constituye mi conexión con las cosas que han pasado a lo largo del curso y que yo me he perdido por vivir en otro lugar; me ayuda a rellenar el vacío de lo que en esa época creo que debería ser mi vida, mientras pierdo el tiempo en otra ciudad con aprendizajes y amigos que, para mí, son fantasmagóricos, provisionales, cosas y personas que no integran mi yo auténtico. En aquellos años, estoy segura de lo que significa mi yo auténtico. Creo en su existencia.

Al reencontrarme con Juani, mi espacio es este en el que ya no estoy: un espacio donde todo el mundo se conoce y sabe cuál es su sitio. El del excéntrico, el de la buena persona, el del camarero, el del propietario de un negocio, el del que tiene ganas de migrar como las golondrinas, el del que se viste de nazareno y porta un cirio procesional en Semana Santa. El lugar de Juani es la tienda de caramelos, que hace esquina con la calle San Roque, en la plaza de la Palmera. Ella siempre está allí, retratada en foto fija, cuando voy a comprar el pan y la leche al ultramarinos de mi nuevo barrio, cuando ayudo a mis padres a cerrar las cajas de la mudanza, cuando celebro las navidades en Madrid con una familia que aún no recuenta sus difuntos con los dedos ni se mira con ojos maliciosos e inseguros, tan distintos a los ojos sólidos de la primera niñez. Me gusta que las cosas no hayan cambiado. Me gusta imaginarme a Juani, cuando yo no estoy, metiendo la mano en una caja transparente repleta de regalices y estudiando las lecciones en la trastienda. Saber que ella siempre está allí, mientras que a mí me van sucediendo muchas cosas. Es un pensamiento egoísta pero tranquilizador. Juani representa mi enlace con lo que echo de menos en esta nueva ciudad en la que, aunque sea mía –así lo dice mi partida de nacimiento, la fachada del sanatorio donde tuvo lugar el parto de mi madre, las fotos de un bebé rodeado de palomas–, vivo como una refugiada.

Juani y yo en el colegio no cometíamos faltas ortográficas y la profesora, al acabar de dictar, nos llamaba para que escribiéramos en el encerado el párrafo que servía de modelo al resto de la clase. Yo era consciente de que ella tenía una letra mucho más bonita que la mía, más redonda y más pequeña, con volutillas en los rabitos. Pero no me importaba y era extraño porque mi permeabilidad a las maestras y a su visión del mundo, quizá mi avidez, habían logrado que yo poseyera un corazón competitivo, rencoroso, rebosante de amor propio y de vanidad, negro por fuera y muy rojo por dentro, propenso a una envidia que, con Juani, no se despertaba. Juani y yo teníamos nuestras respectivas mejores amigas, pero nosotras pasábamos mucho más tiempo juntas que con nuestras mejores amigas verdaderas. La tienda de chucherías de los padres de Juani estaba cerca de mi casa. Yo era una de las pocas niñas de la clase que vivía en la parte marítima de la ciudad. No hacia arriba. No hacia el interior. No en la zona de los camareros y de las buenas personas, sino en el espacio asignado a los excéntricos. Juani y yo jamás pronunciamos la frase inaugural con que las niñas se juran impúdicamente eterno amor, cogiéndose las manos por debajo de la tabla del pupitre:

–Mari, eres mi mejor amiga y siempre lo serás.

–Sí, Mari, siempre, siempre.

Éramos unas mejores amigas tácitas, que nunca se hicieron promesas ni firmaron pactos de sangre ni diseñaron planes para cuando fueran mayores. Tampoco deseábamos tomarnos las medidas, dibujando círculos, como un par de matones antes de enfrentar la lucha cuerpo a cuerpo. Juntas nos encontrábamos bien. No nos lanzábamos reproches de enamorado celoso. Nos bañábamos en la playa en verano y jugábamos a las maestras y a los recortables en invierno. Leíamos tebeos femeninos y novelas de crímenes poco graves o de muchachas matriculadas en internados suizos. Decíamos una letra y buscábamos palabras correspondientes a ciertas categorías. Juani empezaba:

–Nombre, país o ciudad, alimento, animal, planta...

–La... ¡f!

–Fernando, Francia, fabada, foca, ficus...

–Fátima, Filadelfia, forraje..., ¡flor!

–Te falta el animal y «flor» no sé si vale.

–¿No?

–No sé, y el forraje ¿es un alimento?

–Para animales. Para las vacas y así.

–¡Ah!

No cotilleábamos. No nos dábamos instrucciones. Nos plegábamos la una a la otra sin saber quién podía ser el molde y quién la masa del bizcocho. Mi carácter se apaciguaba en su compañía. Quizá ella ejercía sobre mí una influencia dulce pero subyugante, o quizá yo mandara sin ser consciente de ello, porque Juani nunca pronunciaba noes rotundos. No logro recordar cómo nos relacionábamos más allá de la calma y de ese tiempo que, aunque sea largo, pasa en un suspiro.

Aquel verano, al llegar a Benidorm, sin deshacer mi bolsa de viaje, me dirijo hacia la tienda de caramelos. El corazón me late deprisa. Juani está allí. Se alegra de verme con una alegría cotidiana. Parece que no hubiesen pasado meses desde la última vez que nos vimos. No nos tratamos con esa efusividad que después, al dar la vuelta, le hace sentirse a uno hipócrita. Juani me dice que pase a buscarla a la hora en que acaba su turno, a las diez de la noche. Es un poco tarde para mí, pero como se trata de Juani mi madre no pone inconvenientes. Siempre ha experimentado afecto por ella porque la ve como una criatura incapaz de perpetrar maldades. Juani no se atrevería nunca a abrir el cajón de una cómoda para encontrar cosas que no le pertenecen. Durante mi infancia, Juani actúa como un antídoto frente a la maldad reconcentrada y lateral de mi verdadera mejor amiga.

–Marta, esa niña no me gusta nada.

Cuando voy a recogerla a las diez de la noche, me fijo en que a Juani le han crecido muchísimo los pechos. He de mirarla muchas veces porque todavía me la imagino como una niña con su diademita para que no se le metan los pelos en los ojos. Con calcomanías en los brazos. La nueva imagen es monstruosa. Como un postizo que alguien se pone para disfrazarse en carnaval. Juani fuma y yo no puedo entender el gesto con que abre un paquete de tabaco para fumarse un cigarrillo; no entiendo el sonido del mechero ni el mohín de sus labios al dar una calada. La miro como si no fuera ella, tratando de disimular para que no le incomode mi escrutinio. Juani sigue siendo como una Virgen María en miniatura que de repente ha crecido y se ha transformado en una turbia y redondeada Madona. Cada vez que me cuenta un nuevo secreto, debo remirarla y mirarme a mí misma para descubrir la extrañeza que puedo causarle. Pero yo no puedo provocarle extrañeza, porque sigo siendo parecida a los años anteriores. Si no me aprieto el cuerpo, no le salen protuberancias y ahora, tras mi experiencia con el profesor de latín, me da mucha vergüenza apretarme el cuerpo. Tengo incluso el mismo tono de voz y llevo probablemente la misma ropa que el verano pasado. Quizá la extrañeza de Juani sólo pueda basarse en mi inmovilidad. Soy un cadáver congelado a la espera de una técnica de resucitación.

Mientras vamos andando por calles angostas hacia los pubs ingleses, un nuevo destino de puertas adentro que ha sustituido a los exteriores de los bancos de las calles peatonales, a los parques o al paseo marítimo, temo que a mí no me dejen entrar. Tal vez, Juani me coja de la mano para ayudarme a cruzar la calle y, al verme de puntillas apoyada en la barra del pub, incapaz de articular palabra, invisible para el camarero de brazos tatuados, me pida un refresco. Juani es, de pronto, una tía por parte de madre. He de mirarla dos veces cuando me confiesa:

–Ya he estado con un chico.

No puedo imaginarme a Juani en ese estado de intimidad impenetrable. Ni siquiera me atrevo a preguntarle cómo o con quién o hasta qué punto. Sólo me atrevo a suponer que no ha sido con un hombre mayor. Vuelvo a mirarla dos veces cuando, sin que yo le haya expresado ninguna duda, me informa:

–Del todo.

Juani se anticipa a mi pregunta de si quiere al chico con el que ha estado del todo y, subrayando sin mala voluntad mi cursilería y mi ridiculez, me dice:

–Uso tampones.

Supongo que la segunda confesión es la consecuencia de la primera, un agujero en el punto de lana que se va haciendo grande al meter del dedo: en ninguna de las dos circunstancias el amor es fundamental. Lo importante son las rodillas, la nuca, la saliva, las rozaduras y los límites y el daño y lo que se va descubriendo, los pasos curiosos que se lanzan hacia delante. Me imagino a Juani en cuclillas, apoyada en el bidé, con la destreza adulta, profesional, que se requiere para deslizar un tampón dentro de la vagina. Ella continúa con sus revelaciones:

–Fumo muchísimo.

Le contesto que yo no. No todavía. Vuelvo a mirarla dos veces cuando me dice que ha suspendido dos asignaturas –y esto para mí es lo más estremecedor–, que juega a la botella, que a lo largo del curso ha salido con tres chicos distintos, que ese mismo fin de semana van a celebrar una fiesta en un descampado, que bebe alcohol, que falsificó una vez el boletín de las notas. Aunque no quiero, pienso en lo que diría mi madre y me pongo rígida, aunque procuro seguir siendo simpática. No sé si conozco a Juani. No sé si se ha convertido en una delincuente juvenil o si se ha transformado antes que yo en mariposa. No sé si poner una excusa y dar media vuelta. No sé si lo que escucho es lo normal ni si los lugares a los que me encamino con Juani por estas calles angostas están aún prohibidos. Después, mientras voy caminando, algún arcángel se me posa en la cabeza para hacerme una revelación: quizá no se crece poco a poco, sino de golpe, un día como hoy, cruzando una cortina y entrando en una sala en la que se comienza a sufrir el miedo a la muerte y una forma del deseo que no tiene nada que ver con las ilusiones.

Voy caminando con mi amiga Juani por la calle, la miro y la remiro, y me produce cierta repugnancia comprender que la estoy juzgando. Me miro a mí misma y no sé si quiero ser como ella o si ser como ella es algo inevitable. No importa si la transformación va a tener lugar esta misma noche o mañana o dentro de seis meses. El hecho es que va a producirse, aunque hoy no sé si quiero ir a esa fiesta del sábado o si esa fiesta es lo que más me apetece en el mundo. Experimento un miedo y una vergüenza anticipados. Al entrar en el pub inglés, los amigos de Juani me tratan bien. Algunos son, para mí, caras conocidas; a otros es la primera vez que los veo. A nadie le molesta mi aspecto aniñado ni que pida una tónica ni que no fume. Hablamos, pero no estamos hablando. Coqueteo y sé que coquetean conmigo de un modo que no se va a quedar en la mera declaración de intenciones o en la vanidad de saberse mirado por unos ojos buenos, incluso anhelantes. Esta manera de mantener una conversación o de observar puede deslizarse hacia un movimiento con el que se traspase una frontera. Puede ser hoy o puede ser mañana, pero ya no me cabe duda de que será. Tampoco puedo evitar seguir juzgándome a mí misma, pensando en lo que otros verían en las escenas que vivo o que muy pronto voy a vivir. Me vienen a la mente las palabras precocidad, depravación y vicio. Sin retorno. Mi extenso vocabulario va a acabar con mi conciencia. Juani elige la letra eme y a mí se me ocurre muela, masticar, músculo, máscara, mamar, misterio, mano, milagro, muérdago. Alguien comenta detrás de mí:

–Luigi pilló una mononucleosis...

La eme queda zanjada con la enfermedad del beso. Que nadie me chupe el tenedor. Luego, me viene a la mente la palabra trampolín, hoyo, cuidado, colegiala, fulana, responsable, más tarde. Las borro todas con mi goma milan: la inviolabilidad, los tenedores chupados, el hecho de caer mirando las copas de los árboles tumbada sobre el césped. Juani me sigue pareciendo una excelente persona. Estudió Historia y Magisterio. Me invitó a su boda y yo no pude ir porque heló y las carreteras estaban resbaladizas. Juani se casó en la misma iglesia en la que yo hice la primera comunión. Es bibliotecaria en la Universidad de Alicante. Juani me llama por teléfono para comunicarme que ha tenido una niña que se llama Conchita como su suegra. La niña no para de llorar, no deja que su madre hable por teléfono, me pone celosa.

Dentro del pub de los ingleses, ya no bailo con mis amigas en el viaje de fin de curso de octavo de egebé ni con las compañeras del instituto en un café para público universitario. Las parejas se besan en los sofás. Se les hinchan las venas del cuello y se les dilatan las mandíbulas. Se rechupetean la garganta y rebuscan por encima y por debajo de la ropa. Los que no se besan permanecen impasibles. Se lo toman con naturalidad. Los amantes de los sofás no descansan, no les queda casi tiempo, se les hunden las ojeras y se graban en el cuello chupetones morados, marcas de propiedad, contratos corporales, que ocultan en casa con chalinas o correas de mastín. Yo, por mi parte, mientras succiono el limón de mi tónica, sé que aunque estoy dentro de este cuadro que antes contemplaba desde fuera con cierto desprecio, no me voy a descontrolar. No sé de dónde proviene esa garantía, esa patente de corso, pero es una idea que me orienta incluso en momentos posteriores de deslizamiento orgiástico, alegre o triste. Pepito Grillo siempre estará de pie, con su sombrero de copa, encima de mi hombro. Ignoro si mi cohabitación con Grillo es buena o mala, pero es tan inevitable como que a mí ese verano me dejen de molestar las vaharadas del alcohol, la densidad del humo, las licuefacciones del beso, la saliva. La gente se muere de las palabras sórdidas, de las luces moradas, de las culpas y de los laberintos que usamos para iluminar el crecimiento. Yo misma podría haber buscado otras palabras para narrar este episodio: depravación, mononucleosis, rechupetear, licuefacciones, correas de mastín.

Unos días después, vencida la repugnancia del primer beso con lengua de mi primer amor, me miro la cara en los espejos de los pubs ingleses que ese verano empiezo a frecuentar. Después de haberme bebido tres cervezas, me miro la cara en los espejos de los pubs. Nunca me he sentido ni más feliz ni más hermosa. Me encanta mirarme la cara en los espejos de los pubs. Hoy lo he recordado. Estoy guapísima. Un día reaparece Yolanda, bebemos sangría y cerveza, ella gana. Me vomito el pelo por la noche y mi abuela Rufi, en el apartamento donde pasamos las vacaciones, disimula. Es muy cortés. Me quiere. Me lava la cabeza. Me prepara una comida suave. Se calla. El novio de Juani me besa. Ella no se enfada conmigo. Ni siquiera en esas circunstancias entramos en competición. Juani me sonríe y yo propongo ¡con la a! y ella recita: amapola, ausencia, adiós, ahora, antes, apaciguar, alegría, amiga, aire. Yo me enamoro y Pepito Grillo queda reducido a charquito de petróleo que me mancha las hombreras. Me autoinflijo dolores. Me vomito el pelo. Me desgañito. Con ese amor, con mi segundo amor, comienza uno de los periodos más tristes de mi vida. Hubiera debido vallar antes el jardín. Ya no tiene la menor importancia. Escribí un libro.

FOGONAZOS Y DILATACIONES

Elvira me coge la mano y, mirándome a los ojos, declara:

–Te quiero.

Estamos sentadas en un banco del parque del Oeste y la puesta de sol es maravillosa. Morada, roja, malva, rosácea, azul, de oro. Es primavera y huele como huele la primavera. Me escondo la nariz detrás de la manita:

–Yo a ti también.

Nos queremos, tenemos vergüenza y estamos esperando a que se haga de noche. Elvira no está fingiendo como cuando no quiere hacer gimnasia ni como cuando se pinta las ojeras para jurarle al profesor de literatura, con cara de dolor de tripas, que está a punto de morir. Elvira representa maravillosamente su papel, pero el maquillaje resulta un tanto exagerado y es poco eficaz: es una muchacha rozagante por mucho que frunza el ceño y se contorsione. El señor Mesa reacciona:

–Es usted una bandolera...

–Señor Mesa, estoy malísima.

Elvira se dobla y una arcada, que termina en un eructito, le sale de la boca. También cojea. Dan ganas de aplaudir. Yo le digo al profesor:

–Es verdad, señor Mesa, está mala.

El señor Mesa se vuelve hacia mí con la sonrisa mezquina y la voz vibrante de un actor de teatro:

–¿Y usted, pirata?, ¿qué hace con esta fugitiva?, ¿no le da vergüenza?

Cuando Elvira sale del aula cojeando, el señor Mesa me pregunta la lección para castigarme. Me la sé de memoria como al señor Mesa le gusta. Le demuestro que Elvira no me perjudica y empiezo a comprender que, por mucho que yo estudie y relama las palabras, lo que traigo puesto al instituto, las acciones de mis padres, sus monólogos, diálogos y conversaciones, sus lecturas y melomanías, sus disciplinas y exigencias, sus recuerdos, sus juergas, sus cóleras, sus platos preferidos, sus amigos perpetuos o esporádicos, sus invenciones, sus proyectos para viajar o para poblar un territorio, sus mudanzas, sus melancolías, sus amarguras y sus motivos de felicidad, su orden y su caos, me singularizan frente al grupo y, aunque no abriera un libro, siempre se me ocurriría algo o podría hablar de oídas. La misma mancha genética transforma en dolorosas ciertas nimiedades. Saco el regusto de las almendras amargas y también el de otros frutos gratos al paladar.

Mientras tanto, Elvira habrá subido a mi casa y estará haciendo novillos en compañía de mi madre. Quizá mi tía Maribel le esté dando los últimos mordiscos al bocadillo de mejillones que se come durante la pausa de la mañana en la oficina: su empresa está muy cerca de nuestro piso nuevo. A Maribel está a punto de salirle un bulto en el muslo. Aún acude a su mesita de secretaria de dirección bien peinada y con tacones. Todavía su jefe amigo no le ha recriminado:

–Parece que vas despeinada.

Luego Maribel se irá a su piso a poner la lavadora. Cuando

ya he repentizado para el señor Mesa las palabras de la página de la lección correspondiente y me aburro de vuelta en mi pupitre, me pregunto qué se habrán estado contando las tres en el comedor. Siento una punzada de flato. No se lo voy a preguntar. Con Elvira aprendo que las alumnas rebeldes pueden ser seres humanos dotados de inteligencia. Cambia mi visión estética y moral del mundo: a las niñas, dormidas entre los abrigos del perchero, las ilumina de pronto una luz. Experimento culpa. Las niñas de los abrigos ya no se comen los mocos, ya no llevan retorcida la falda, ya no huelen a saliva de pasarse la lengua por sus mataduras. Están soñando. Mi madre les regala una caricia y las acompaña a casa. Les coloca bien la horquillita del flequillo. Todo es más amable, más verdadero, y yo me siento peor en esta franja gris que siempre tira hacia lo oscuro. El blanco me hace daño. Me atenúa la rabia. Me angustia.

Hoy, frente a la puesta de sol del parque del Oeste, Elvira está mucho más alterada que cuando ejecuta sus representaciones teatrales, no me miente, y yo me levanto para que venga detrás de mí. Me tiemblan las piernas y no encuentro las palabras. Finjo entereza. Ayer nos lo habríamos contado todo: las enfermedades de infancia y las lesiones, lo que debemos mantener en secreto, los puntos de fricción con los padres, las fabulosas narraciones de lo que deseamos que sea real y es absolutamente falso, las palabras que sirven para alabarnos y para provocarnos envidia, los planes para el próximo fin de semana, el firme propósito de no concebir hijos o de formar una familia numerosa, lo que podemos hacer, lo que sucederá, los remedios a las catástrofes. Pero hoy no sé qué decir y deseo que la normalidad regrese pronto. Por eso me levanto para que Elvira me siga y nos encaminamos, como casi cada fin de semana, hacia el barrio de Argüelles.

Bebemos cervezas, pacharán con vino tinto y con limón. Fumamos canutos, que alguien nos lía, porque nosotras no sabemos. Aprendemos. Hablamos con chicos que están haciendo la mili en Madrid. Comprobamos quiénes besan con mayor habilidad. Casi todos son dulces, algunos incrédulos, otros se ponen nerviositos y nos dicen calentando nuestra oreja con el vaho de su aliento:

–Mi niña...

No vamos a verlos nunca más. Los pezones se nos ponen duros. Sacamos las moneditas de nuestros monederos y pagamos nuestras consumiciones. Nos dejamos invitar por los muchachos de detrás de la barra y nos enredamos, entre las guedejas del pelo, flores hippies. Cantamos un blues de Janis Joplin y bailamos al ritmo de un grupo de rock vasco. Mi cuerpo ha dejado de ser insuficiente, aunque sea distinto. Nos enamoramos muchas veces y nos olvidamos de los nombres de nuestros enamorados. Desaparecemos durante periodos indefinidos de tiempo. Nos enamoramos de muchachos del campo de un modo diferente del que nos enamoramos de nuestros amores verdaderos que andan por allá, a lo lejos, en alguna parte. Cuando nuestros amores verdaderos nos preguntan por nuestra vida, les juramos una fidelidad en la que vamos creyendo a medida que construimos nuestros relatos.

–Querido L., R. o B.: me paso la vida en casa, estudiando y acordándome de ti..., ¿cuánto me echas tú de menos?

Le damos la vuelta a la tortilla. Les celamos. Les mentimos, porque no estamos ni tan solas ni tan tristes. Les pedimos cuentas. A lo mejor sí que estamos tristes y, pese a todo, los amamos violentamente. Buscamos sus declaraciones de amor en las frases finales de las cartas. Mi madre, que no ha llegado a tomarse en serio mi más firme promesa, me lleva al ginecólogo para evitar una procreación prematura con el novio verdadero. Mi madre barrunta accidentes. Con los novios falsos todo se produce de cintura para arriba. Nos metemos en retretes cochambrosos para hacer pis. A veces orinamos en cuclillas; a veces, nos da la risa, no podemos más y apoyamos las nalgas en la loza. Vomitamos entre dos coches cuando hace falta. Nos encontramos, apoyados en la barra, a los amigos del hermano pequeño de mi madre. Son ocho años mayores que nosotras. Nos alegramos de verlos. A veces nos invitan a algo. Nos acarician la cabeza como a niñas chicas, aunque quizá un calambre les recorre los dedos por la carga estática de nuestras cabelleras. Al despedirnos, no se pueden ni imaginar nuestras aventuras o a lo mejor sí, y experimentan cierta excitación. Después, cuando se hace muy tarde, acompaño a Elvira hasta su portal, dos sombras desiguales proyectadas contra la acera: yo soy la sombra minúscula; la acompaño como si fuera su novio, como si hubiera pedido su mano. Elvira es la pequeña de cuatro hermanas. La llevo bien agarrada.

Dejo a Elvira en su portal, le doy un beso y me voy caminando con la sensación de que alguien me persigue. Contengo el impulso de echar a correr. Cambio de acera cuando, a lo lejos, atisbo bultos que no me inspiran confianza. Algunas veces me envalentono y sigo andando por la misma acera, sorteando los peligros, diciéndome que el miedo es una tontería. Un bulto se me acerca, yo me aparto:

–¿Me prestas cinco duros?

–No llevo. Lo siento.

Aunque he bebido y el paladar me sabe acre, soy una persona educada, que contesta a las preguntas tapándose la boca para camuflar los efluvios alcohólicos. Me aparto del pedigüeño por la síntesis de dos impulsos: el de protegerme y el de no manifestarme. Me esfuerzo en no pensar en el tirado como en un tirado, sino como en un compañero. Nunca me veo involucrada en conatos de atraco o de violación pero, pese a que intento ser una persona confiada, no lo consigo. No me gustan las personas desconfiadas. Me parecen mala gente y yo no quiero ser mala gente ni pensar mal para acertar. Detesto a las niñas refraneras que cosen sus retalitos. Procuro andar deprisa y no mirar a los ojos de los transeúntes. Prefiero no cruzarme con nadie. Llego a mi casa, abro con las llaves de mi llavero, camino de puntillas a lo largo del pasillo profundo como una sima, me apoyo en las paredes, primero en la de la izquierda, después en la de la derecha, estoy encajonada dentro de una tubería, entro en la cocina, tengo hambre, me como un quesito de la vaca que ríe. Comienzo a pensar con mayor claridad mientras mastico. Mis movimientos dejan de ser mecánicos hasta cierto punto. Me lavo los dientes. Saludo en el espejo al fantasma de la vieja propietaria que cabecea expresando su reprobación. Me meto en la cama y me quedo mirando la bombilla, allá en lo alto, hasta que la retina me duele. Es la única forma de que el cuarto deje de girar. Hago respiraciones y me felicito por mi autodominio. Vivo mis borracheras con pudor. No tengo miedo. Me siento orgullosa de mí misma. Me acuerdo de que Elvira frente a la puesta de sol del parque del Oeste me ha dicho:

–Te quiero.

Y eso es una verdad tan incuestionable como que Elvira se arroga el derecho de corregir todas y cada una de mis evocaciones, de introducir matices, de desvelar mis encubrimientos o mis mentiras. De reprocharme que soy exagerada, condescendiente conmigo y cruel con los demás. Elvira puede incluso desdecirse o afirmar que ella jamás estuvo en el parque del Oeste contemplando una puesta de sol que era cárdena como un hematoma viejo; sin embargo, era verdad que me quería y así lo guardo archivado en la memoria y, por mucho que Elvira dude o se vea obligada a repasar las imágenes de dentro de su cabeza, ese cariño es una de las capas que me forman y que me esconden, que me hacen visible y secreta a los ojos de los demás. No importa que sea verdad lo que pasó. No me interesan los datos más exactos, las acciones comprobables, sino lo que perdura de las muchas cosas que sucedieron. No me voy a poner a discutir:

–Esto sucedió en 1983.

–No, fue en el 84.

–Imposible. Podría ser en el 82, pero nunca en el 84.

–En el 82 yo todavía cambiaba cromos.

–Tú no has cambiado cromos en tu vida.

–¡Y tú qué sabes de mis cromos!

–Eres impaciente...

–Eres soberbia e inexacta...

–Yo sí que coleccionaba cromos y no tú.

Da igual. Por debajo de nosotras, como esqueleto de dinosaurio, pervive un instante en el que nos decíamos que nos queríamos y nos daba vergüenza porque no era mentira. Las inexactitudes no son más que una exigencia retórica.

La verdad es que nos queríamos, igual que es verdad la luz que nos llegó de los lugares escondidos de la ciudad, de los lugares edificados en las vaguadas. En el centro de mi barrio, casi a medio camino en el trayecto que separa mi casa de la de Elvira, está la glorieta de Bilbao. En ella confluyen los antiguos bulevares y otras calles comerciales. La ciudad, en este punto, parece una ciudad: los semáforos, las riadas de coches, los escaparates de tiendas de ropa, las cafeterías y las carteleras de los cines; sin embargo, en sus márgenes y desvíos por callejuelas que se despeñan cuesta abajo obligando al paseante, como si un golpe de aire le empujara por la espalda, a bajar deprisa, a descender al trote apretando los glúteos, allí, en el vórtice del remolino, aparece la plaza del Dos de Mayo, donde todo es más pequeño y más viejo. La plaza está magnetizada y por eso los peatones aprietan los glúteos y bajan hacia ella al trote. Es un lugar imposible, separado del resto por el cristal de una pecera. Al llegar a la plaza, somos peces: la sonrisa se nos atonta y los movimientos se ralentizan. La plaza es un lugar pintado en un cartel de fiestas populares al que saltan el deshollinador y Mary Poppins. Elvira y yo también somos un dibujo: trazos negros que alguien ha rellenado con colores vivísimos. La literatura no siempre es figurativa. La plaza es el punto en el que, tras el huracán, Dorothy aterriza de pie y se calza unos zapatos de lentejuelas rojas. Ver la plaza desde arriba es una revelación. El bullicio, la gente, el olor a hachís y a cañamones de marihuana, a pachulí, a alcohol fermentado, a té verde con canela y a café. Desde el instante en que la descubro quiero regresar a ella.

A los dieciséis años, las cosas cambian deprisa. Roberto está con unos amigos tomándose una copa. Elvira y yo pasamos por allí. Roberto nos reconoce, pero de un modo distinto a como nos reconoce cuando estamos en el pupitre. Él nos saluda, nos llama, nos mira con sus ojillos desde detrás de sus gafas de culo de vaso. Nosotras le señalamos con el dedo. Nos reímos. Es pequeñito. Nos damos la vuelta. Los amigos de Roberto cambian de tema de conversación. Nosotras vamos a otro lugar y le pedimos un mini a un camarero que lleva tatuados en los bíceps símbolos bélicos y amores de madre. El camarero es colosal y misterioso. Bebemos nuestro mini y comemos pipas. Después, sin saber por qué agujero hemos salido, estamos apoyadas en un semáforo, hay menos gente, los colores van perdiendo intensidad a medida que nos alejamos de la plaza y, aunque ya es muy tarde, estamos a punto de dar media vuelta porque dudamos de si otro día encontraremos el camino para volver hasta allí. Los mejores lugares permanecen semiocultos; siempre se experimenta el temor de no volverlos a encontrar: en Argel, con casi cuarenta años, atravieso una puerta y aparece un vestíbulo cubierto de polvo. La luz del sol positiva las partículas de polvo que flotan en la penumbra. Paso el dedo por una pared de azulejos y me saltan a la vista los colores más vivos y los dibujos más delicados. Paso el dedo y el rastro de mi yema desentierra colores agudos como el cobalto, el cadmio o el fucsia, y formas sutiles. Sé que nunca, aunque regrese a Argel y lo busque, volveré a dar con ese portal.

Elvira me ha dicho que me quiere. Ese momento, como el descubrimiento de un portal en Argel, como la primera vez que vimos desde arriba la plaza del Dos de Mayo, como el rostro de mi primer alumno, ese momento, falso o verdadero, es una dilatación entre la cadena de fogonazos, de instantes pequeños, incisivos o pedestres, burdos, impropios para constituirse como texto literario, chistecillos, que me vienen a la cabeza al recordar. Pero Elvira me ha dicho que me quiere y eso es una dilatación, nutricia como una placenta: los ojos de Elvira se agrandan por el efecto de la importancia de ese segundo, se hacen inconmensurables, igual que mi brazo, alargado como el chicle, al pasar por encima de su hombro. El sol es una yema de huevo que se rompe e impregna esta hoja de papel con su grasa anaranjada. Después hemos bebido, nos hemos divertido y, por último, yo la he acompañado a casa como su novio formal y me he reafirmado en mi fuerza al detener el movimiento giratorio de mi habitación a base de inspiraciones y espiraciones. Es una dilatación por repetición y por intensidad. Al día siguiente, es posible que Elvira y yo volvamos a encontrarnos. A los dieciséis, diecisiete años, no se padecen resacas y los pliegues del cuerpo no huelen al alcohol que se usa para desinfectar la piel antes de poner las inyecciones. La madre de Elvira llega a casa justo después que nosotras, una tarde cualquiera:

–Elvirita, hueles a alcohol.

–Imposible. Me acabo de lavar los dientes.

La lógica de Elvira es implacable, aunque yo no la entienda. Si p entonces q. Ella tampoco llega a entender la mía y de ahí surge el encantamiento: aunque estemos viviendo casi lo mismo, en el fondo nos queda el resquemor de no saber lo que cada una estará pensando. Aprendemos de forma diferente. Nos conocemos y no nos conocemos. Pasamos muchas horas juntas. Las horas que permanecemos separadas carecen de un significado específico: pasan lentas pero no tienen importancia. Nos echamos de menos. Nos miramos todo el rato con curiosidad.

–Imposible. Me acabo de lavar los dientes.

Aunque creo que debería irme, sorprendo a la madre de Elvira riéndose detrás de una puerta. Si oyera las conversaciones que mantenemos con nuestros enamorados esporádicos, quizá se reiría más o le entraría angustia. Elvira y yo salimos con chicos que creen que el estomatólogo es el médico del estómago. Nosotras hacemos como que no les oímos. Les justificamos y procuramos verlos de otra forma. Nos esforzamos tanto que Elvira acaba muy enamorada de uno. Yo empiezo a salir con otro que sí sabe lo que es un estomatólogo y conoce los nombres de los pájaros que sobrevuelan Castilla. Me pinta y me escribe cartas. Me pinta como yo quiero ser pintada, como los pájaros hiperrealistas de sus cuadernitos. Simulo modestia ante su amor:

–Tengo nariz de patata.

–Es verdad.

Me da la razón en broma o a lo mejor no es una broma, pero a él le gusta mi nariz de patata. Nos llevamos bien.

Pasamos unos días en una casa en la sierra que nos presta mi tía Alicia. La casa está sobre una vaquería y huele a boñiga de vaca. Cocinamos para los chicos y ponemos música, charlamos, el pintor enamorado plasma mi nariz de patata en un dibujo que ahora estoy viendo en la pared de mi piso, muy cerca de la plaza del Dos de Mayo. Algunos círculos se cierran. Durante aquellas vacaciones invernales, salimos a dar paseos por los senderos de la montaña y, cuando llega la noche, Elvira y yo preservamos nuestra pureza, encerradas en nuestra habitación. Los chicos pasan la noche en otro dormitorio. Nosotras saltamos encima de la cama.

Establecer un orden dentro de una cronología sentimental es intrascendente: las cosas no suceden siempre una detrás de otra. A otro de mis enamorados vamos a visitarlo al manicomio de Leganés. Él cree que es mi novio porque un día me dejo besar en la plaza de España. Su padre me llama por teléfono para saber cuándo voy a casarme con su hijo. Tengo dieciséis años y ningún plan de matrimonio. Mi prometido me telefonea desde la estación de Chamartín:

–Me voy a tirar a las vías del tren.

Lo ingresan. Las habitaciones del manicomio huelen a pies

y los internos enganchan un cigarrillo con el siguiente. Se quedan mirándonos:

–¿Sois nuevas?

Yo no vuelvo a visitar a mi loco enamorado; Elvira sí. Ahora es el portero de la finca donde pasa consulta su ginecólogo. Elvira tiene dos hijos y, cuando acude a sus revisiones, no le dirige la palabra al portero. Está segura de que él la reconoce igual que ella sabe quién es él. Ninguno de los dos se dice nada.

Al acabar el instituto y hacer el examen de selectividad, han pasado muchas cosas y tengo un nueve. Entro en una carrera en la que piden un cuatro setenta y cinco. Mi madre tenía razón: quizá era imprescindible estudiar a destajo, pero no para poder elegir más tarde, sino para empezar a comprender que es urgente reivindicar el derecho a la pereza y paliar la compulsión de agradar a todo el mundo.

ELVIRA ES INVISIBLE COMO MUCHAS OTRAS COSAS

En nuestra clase de COU hay chicas quizá más precoces, quizá más vanguardistas que nosotras. Se cardan los pelos, se pintan como osos panda círculos oscuros alrededor de los ojos –la boca, de rojo total– y transportan sus libros en bolsas de plástico. Se cuelgan utensilios de cocina en miniatura, cacharritos, de los lóbulos de las orejas y se visten con minifaldas y medias de rayas que embuten sus piernas rollizas. Dicen que, por las noches, bailan en el Rock Ola y por las tardes beben combinados en el Vía Láctea. Nosotras retozamos con nuestros amantes rurales en las praderas de los parques urbanos, les miramos al fondo de los ojos, bebemos a morro, con indumentarias propias de las jóvenes de una generación anterior: pantalones vaqueros, pañuelos morados, jerséis de lana sin desbastar con olor a oveja merina, merceditas, botas o playeras, bisutería oriental, bolsitos tricotados con hilos de colorines, el pelo tirando a largo. Como si no fuéramos coquetas, somos en realidad las mujeres más coquetas del mundo. Con un fingido desinterés por el aspecto, encubrimos la soberbia y las ganas de agradar a cierto tipo de persona. A veces Elvira y yo salimos con las chicas posmodernas y nos divertimos jugando un rato, pero esos días volvemos a casa más pronto que de costumbre.

Aunque a Elvira y a mí sólo nos importan nuestros enamorados, también fingimos preocuparnos por el mundo. Miramos un poco despreciativamente a esas chicas posmodernas que no se enteran de nada. Hacemos un esfuerzo de generosidad en la difícil etapa de la posadolescencia y acudimos a manifestaciones y a otras convocatorias políticas. También acudimos a los macroconciertos simulando que nos interesa la música, aunque en realidad lo que nos seduce es el suceso en sí mismo: conseguir la entrada, trasnochar, las aglomeraciones, el roce con el cuerpo más próximo, la posibilidad de entablar una conversación y de compartir una cerveza. Nos interesa la periferia, no el centro. Elvira y yo regresamos caminando una noche desde el campo del Rayo: el camino de vuelta nos lleva más tiempo que el concierto que hemos ido a ver. Irradiamos felicidad en esa noche de estío y, cuando pasamos por la Cibeles, los soldados que hacen guardia en el Cuartel General del Ejército nos regalan una rosa de su jardín nocturno. Recuerdo que, mientras formaba parte de estas escenas, no estaba pensando en otra cosa. Ahora, mientras leo una página, se me superponen otras imágenes, solapo la fila de caracteres escritos con la transparencia de las líneas de mi propio pensamiento, relleno los espacios en blanco, lanzo mi ojo de cristal como una piedra sobre la superficie de la laguna; mi ojo es un órgano deslizante que algunas veces barre por encima un espacio y otras veces se sumerge, se hunde hasta el fondo, se bebe el agua; concluyo que ni lo pensado ni lo escrito arrojan ninguna luz, estoy a perpetuidad en otra parte, me convenzo de que pienso erróneamente, de que sigo la trama equivocada, asisto sin entusiasmo al nacimiento de mis ideas.

Sin embargo, cuando me acuerdo de entonces, Elvira está a punto de iniciar una carcajada y la felicidad no llegará mañana o fue ayer, sino que está precisamente ahí y se logra con cosas sencillas que todavía hacen ilusión. Hoy no siento nostalgia por el tiempo pasado, la trama equivocada de mi pensamiento me dice que la nostalgia es un lugar paralizante, mortuorio, y yo ni cuando me acuerdo de los muertos pretendo escribir elegías: sin mis muertos y sin mis felicidades pasadas no sería posible este escombro de optimismo que me conforma como escribiente. Los escribientes y los manifestantes somos optimistas por naturaleza, por mucho que a menudo nos demos golpes y se nos salten las lágrimas regodeándonos en su contemplación delante del espejo.

Elvira y yo nos prendemos a la camiseta una chapita y vamos bailando por la calle Fuencarral. Recorremos la manifestación arriba y abajo. Nos encontramos con familiares, conocidos, personas con quienes sólo coincidimos en este tipo de protestas y con las que, poco a poco, se va estrechando un lazo. Compartimos bocadillos y vino de las botas. A veces incluso sabemos cómo se llaman o dónde militan. Nos gusta que nos vean, escrutar, poner falta, hacernos las encontradizas con personas que, de no ser aquí, no tendríamos posibilidad de ver en ningún otro sitio. Nos invitan a chupitos de cerveza y bailamos al compás de una charanga vallecana. A veces vamos buscando a alguien en particular. Gritamos consignas que nos hacen reír.

Atravesamos bailando la Gran Vía y de pronto, al bajar por Montera, vemos que los manifestantes que venían detrás de nosotras corren. Parece que quisieran alcanzarnos. Se nos van a echar encima como una ola monstruosa o como un desprendimiento. Nosotras iniciamos también nuestra carrera. Mientras corren, algunos manifestantes ríen, otros han perdido el color. Algunos se detienen en seco para pegarse a las paredes de los edificios. El novio de una de las hermanas mayores de Elvira nos ve:

–¡Quedaos quietas! Venid aquí, ¡pegaos a la pared!

Dudamos, detenemos la carrera que todavía no es asfixiante. Pero el novio de la hermana de Elvira parece un personaje de cómic: la cara, esquemática; el pelo, muy rizado; los ojos, redondos. Una cara que no resulta protectora. Así que seguimos corriendo, no podemos dejar de correr. Nos damos la vuelta y vemos cómo un policía, vestido con su uniforme marrón y con la visera del casco baja, está golpeando con su porra las espinillas del novio de la hermana de Elvira. Él se cubre las piernas con los brazos, se acuclilla, intenta esquivar los golpes, se protege el cráneo y los oídos. Nos da lástima. También nos alegramos de no haber hecho caso de sus consejos. Incluso nos creemos más listas que él, más intuitivas en esos instantes en que el pensamiento racional no sirve y el cuerpo se mueve por impulso. Nos germina en el ombligo la semilla de las heroínas, de las mujeres de acción que afrontan valientemente cualquier peligro. No nos da vergüenza entrar solas en un bar.

Corremos cuesta abajo hacia la puerta del Sol. Y, pese a la semilla del ombligo, empiezo a tener cada vez más miedo porque conozco el significado de lo casual, de librarse por el canto de un duro; a mis espaldas ya no veo a otros manifestantes a la carrera, sino a personas que, con un zigzagueo, se escabullen por las callejuelas perpendiculares o se agachan mientras reciben golpes o gritan a los policías que siguen avanzando calle abajo en nuestra persecución. Ahora, cerca de mí, no encuentro a nadie que me resulte familiar. No veo a mi padre ni tampoco temo por él; en esa época aún no he desarrollado una forma de paternalismo inverso que me obliga a amparar a mis progenitores, porque he llegado a conocer sus grietas y sus vulnerabilidades. Mi padre es aún un hombre invencible tanto en el ámbito público como en el privado. No veo a mi padre y, por tanto, nadie va a decir cuando un policía me acorrale:

–Es una niña. No le peguen.

Soy una niña pero me van a pegar. Un zumbido anula mi capacidad de oír y, sin embargo, aún no he empleado toda mi energía para correr. A cada trecho me detengo para esperar a Elvira. Pero ya no puedo aguantar más y, de repente, me entra un pánico que me obliga a olvidarla y a tomar conciencia de la fragilidad de mi cuerpo, de lo fácilmente que los huesos de mi osamenta pueden quebrarse, de cómo me salen morados en los muslos tan sólo con rozar el pico de un mueble. Mis piernas son mucho más cortas que las de los policías y no me entreno a diario. No sé cómo voy a correr con estas piernas blandas recorridas por un temblequeo. Los pies dentro de mis merceditas no pisan con firmeza el asfalto, apenas lo rozan, no llegan a plantarse. Me voy a torcer los tobillos, a perder pie y a caerme de boca contra el bordillo de la acera. Pero acelero y corro tan rápidamente que voy dejando atrás a Elvira. Estoy casi dispuesta a renunciar a toda mi felicidad con ella. Nunca he encontrado una razón mejor para correr. Me laten las sienes. No miro hacia atrás, porque no quiero medir la distancia que me separa de los policías. Deseo que desaparezcan, que se cansen, que les demos risa, que hayan dejado de correr, que ya hayan metido en sus furgones a un número suficiente de presas. Dudo de que pueda estabilizar mi ritmo cardiaco. El corazón va a latirme siempre así, desaforadamente, hasta reventar. De nuevo, vuelvo la cabeza y me fijo en que a Elvira, quince o veinte metros más arriba, se le ha salido una sandalia y corre, se apresura, anda chancleteando.

Todo parece detenerse cuando Elvira deja de correr. Se observa el pie. Se coloca la sandalia. Planta el pie en el suelo. Pisa. Remueve el tobillo. Vuelve a agacharse. Se vuelve a colocar la sandalia. Yo permanezco inmóvil, esperando que un policía o un manifestante despavorido rompan la mampara que aísla a Elvira, descongelen su imagen, y la violencia del movimiento, que ha vuelto a desencadenarse de repente, la derribe. Cierro los ojos y estoy segura de que, al abrirlos, veré en la boca de Elvira un hilo de sangre que se convertirá en chorro; después, ella se desmayará y mis brazos no serán lo suficientemente recios para levantarla y transportarla al hospital. Tampoco me quedará energía para remontar la cuesta y abrirme un hueco entre el batiburrillo de pies y de manos y de brazos que la enmarcan y que, antes de que cerrara los ojos, no habían conseguido penetrar en el halo que parece rodear a Elvira protegiéndola de cualquier ataque. Abro los ojos y, a su alrededor, un enjambre de uniformes marrones golpea a los manifestantes entre una polvareda de la que surge ella, intacta, milagrosa, embadurnada de repelente de mosquitos, con su sandalia perfectamente ajustada al pie y su esguince perpetuo, corriendo mal, con los brazos separados del tronco. Elvira corre renqueante hacia mí. Sonríe porque la risa es uno de sus recursos para afrontar la adversidad. No me guarda rencor. Mueve la mano como si el agua quemara. En torno a ella, las porras bajaban y subían mientras se ajustaba la hebilla de su sandalia de cuero. Elvira se hacía la *toilette* entre los golpes. Elvira es invisible. Mi madre asegura que ella también es invisible: los vecinos no la saludan cuando se cruzan con ella en el portal como si no percibiesen su materia. Casi la dejan morir asfixiada por las emanaciones tóxicas del pequeño incendio del que la rescaté. Posiblemente existe alguna diferencia entre la invisibilidad y la insignificancia. Ni Elvira ni mi madre son insignificantes. Más bien todo lo contrario.

Volvemos a casa con la certeza de que las cosas no van bien, de que nuestro frívolo y pequeño sufrimiento es una mínima parte de un dolor global, de que no siempre vamos a salir indemnes de las confrontaciones. A veces apartamos los ojos: no somos las morbosas espectadoras de un accidente de tráfico. Ahora ya sabemos parte de lo que ocurre y no queremos que nos lo restrieguen por la cara; entonces, buscábamos información abriendo despacio la cajita para que no se escaparan de ella los vahos de las enfermedades y se nos colasen por la nariz, dejándonos inútiles. Mi amigo Pepiño me manda, en adjuntos a sus mensajes de correo electrónico, fotografías de Darfur y Palestina. Borro los archivos. También son ésos espacios invisibles. A la salida de un concierto, la policía carga montada a caballo. Nos preguntamos por qué. Quizá es que alguien se ha colado saltando la verja y un empresario ha dejado de ganar una determinada cantidad de dinero. Acumulamos descabelladas aventuras, aventuras salvajes, para contar y para que la semillita de las heroínas nos siga brotando del ombligo. La semillita de las heroínas no es una mala hierba. Hace años que no me la arranco, que no me desbrozo el ombligo, aunque a veces me dan ganas.

Un hombre nos detiene, al volver de una fiesta en el parque del Oeste. Es San Isidro. Allí se han quedado las chicas posmodernas, haciendo pis detrás de un seto. El hombre nos enseña una placa que no sé identificar. Ni siquiera sé si es auténtica:

–Una de las dos que me acompañe.

Le acompaño yo mientras Elvira aguarda en una esquina. Entro en el coche con él e inmediatamente me arrepiento. No sé quién es ese hombre, no sé por qué he acatado su orden de meterme en un vehículo del que tengo la impresión de que no voy a salir. Soy una atolondrada, una inconsciente, o quizá es que la situación me ha empujado a ir hacia delante. Creo que no he podido elegir y que, esa noche, a diferencia del horror físico de la carga en la manifestación, puedo proteger a Elvira porque el horror es psicológico y creo estar preparada para soportarlo. Confío demasiado en mí misma y a la vez me puedo desmoronar. Cojo aire. Estoy callada, metida en un coche. El hombre sólo me observa. Después me asusta, me intimida:

–¿Cuántos años tienes?

–Diecisiete.

–¿Saben tus padres que estás aquí?

–Sí.

–¿Saben tus padres que os juntáis con drogadictos?

Repaso mentalmente los encuentros de esa noche. No consigo acordarme, pero me inquieta pensar que ese hombre nos haya estado siguiendo. Me pregunto por qué nos seguiría. Quizá él sepa, mejor que nosotras, con quién hemos estado. Me aturullo, aunque por fuera conservo una calma que ni yo misma me explico:

–Hemos estado con mucha gente.

–¿Y si llamo ahora mismo a tus padres?

–Estoy deseando que los llame.

Me quedo rígida mirando el parabrisas delantero que no me permite ver más allá de su materia de vidrio. El hombre no vuelve a enseñarme esa placa que soy incapaz de recordar. Habla otra vez. Quiero creer que lo hace con menos prepotencia:

–¿Y si os denuncio al Tribunal de Menores?

–¿Por qué?

–Porque vuestros padres no saben dónde estáis.

–Sí lo saben. Llámelos.

–Porque andáis con drogadictos.

–Hemos estado con mucha gente.

No sé si el hombre es o no es un policía. No me acuerdo de los símbolos grabados sobre su placa. Estoy en el interior de un coche con un desconocido que me dice que es policía. Me pregunto de dónde viene la amenaza, qué es más peligroso para mí: que este hombre sea un servidor de la ley o un delincuente. En los dos casos me está haciendo daño. Está a centímetros de mí y yo mantengo mi cuerpo en tensión porque sé que, si alarga la mano, puede tocarme, pegarme y entonces yo me desmoronaré, incluso es posible que llore. Supongo que él espera algo parecido. No soy valiente. Adopto la misma actitud que cuando fijo los ojos en una bombilla encendida para detener la girándula de mi habitación. Soy una estúpida, una obcecada, me contengo:

–Mi amiga me espera. Estará nerviosa.

El hombre me mira:

–Diecisiete años.

El hombre cree que es Taxi driver o quizá es de verdad un policía o un violador a quien no le excitan las mujeres que no se echan a llorar. Yo nunca lloro en presencia de extraños. Ignoro si me quiere meter la mano debajo del vestido, pero sé que he dejado de gustarle, que a sus ojos tengo cara de vieja. Intuye que no voy a pedirle perdón y que, si me toca, apretaré los muslos y me pondré dura y me quedaré callada y no segregaré líquido alguno por los orificios de mi cuerpo. Ignoro si las intenciones del hombre son malas o si sólo cree que, asustándonos, nos protege. No tiene derecho:

–Mi amiga me espera.

No sé si estoy en peligro, si me excedo al insistir, al mantenerle la mirada a ese sujeto. El hombre abre la puerta del coche. Procuro no correr. Al llegar a la esquina, Elvira llora y me abraza. Mueve la mano como si el agua estuviese muy caliente y le quemara. Nos agarramos por la cintura y empezamos a subir la cuesta de Fernández de los Ríos. Conservo la cara de vieja que me brotó en el interior del coche:

–No pasa nada. No ha pasado nada.

Ocurren cosas extrañas en el mundo. Cosas que a veces se manifiestan en escenas absurdas que nos hacen sospechar que hay mucha mierda debajo de la alfombra. Vonnegut vuelve a tener razón: al fingir que nos importaba, el mundo acabó importándonos de verdad. Elvira y yo acumulamos razones para que nos importara por lo que vimos y por lo que no vimos, por las veces que nos vieron y por las que fuimos invisibles. Esa circunstancia consiguió unirnos casi más que la alegría, caída del cielo, que nos bendecía orgiásticamente cuando estábamos juntas.

Tercera parte

Desnudo

NO QUISE SER

Nunca quise ser minera ni policía nacional ni grumete en la marina. Ni ministra. Ni economista ni camionera ni conductora de un taxi ni estrella de rock and roll. Nunca quise ser asistenta ni educadora infantil ni trabajadora social ni modelo de pasarela ni empresaria. No quise ser enfermera ni cocinera ni peluquera ni guardia urbano ni piloto de aviones ni boxeadora ni paracaidista ni obrera de la construcción. No quise ser camarera ni diputada del Congreso ni representante de una marca comercial. Ni torera ni bombera. No quise ser radióloga, dueña de una tienda de hilos y botones, estibadora del puerto, domadora de leones, princesa con agenda oficial, azafata, puericultora, jueza, abogada, constructora ni agente inmobiliaria. No quise ser presentadora de la televisión ni geriatra ni vendedora a domicilio ni ingeniera de minas, canales y puertos. Ni informática ni bibliotecaria ni encuestadora ni cartera ni, por supuesto, directora de recursos humanos o jefa de personal. No quise ser contable ni funcionaria del Estado ni me llevé una alegría cuando las mujeres pudieron entrar en el ejército. No quise ser coronela ni capitana. No quise ser detective matrimonial ni detective a secas ni periodista ni científica ni costurera ni empaquetadora en un gran almacén durante las navidades. Ni agente secreto. No quise ser matarife ni granjera ni agricultora ecológica. No quise ser portavoz. No quise comprar ni vender acciones ni trabajar en una sucursal bancaria. No quise ser obrera metalúrgica ni pescadora ni pescadera ni sexadora de pollos ni percebeira ni buza. Ni trepadora de torres de alta tensión. No quise ser emigrante. No quise ser directora de un colegio ni empleada de una fotocopiadora ni mensajera ni guarda de seguridad ni taquillera del metro.

Quise ser, en épocas sucesivas, hada, cajera de supermercado, bailarina, ladrona, dependienta de una farmacia, profesora, quise no ser nada y quise escribir.

UNA VAMPIRESA EN LA UNIVERSIDAD

Por una vez lo consigo. Soy Lana Turner, Lizabeth Scott, Barbara Stanwyck, Veronica Lake, Joan Bennett –mi envidiada mujer del cuadro–. Soy Jessica Lange, Kathleen Turner, Sharon Stone y Linda Fiorentino. Soy una vampiresa y me como a los hombres que, como moscas borrachas de la miel de los panales, caen rendidos a mis pies. Esta metamorfosis es obra del hermano pequeño de mi madre, que, después de haberme escrito un poema de cumpleaños titulado «Trece años tienes y por tus muslos ya corre la savia revoloteante de los veinte», se enfada conmigo en una cervecería alemana, al descubrir que me acuesto con un amigo suyo. Qué esperaba de mi savia revoloteante y de mis tendencias intrauterinas. Tal vez el hermano de mi madre piense que con el yunque de mis muslos voy a asfixiar a su amigo; que mi vagina prensil se asemeja al aparato digestivo de una serpiente, engullidora de huevos, que lo va a deglutir de la cabeza a los pies para más tarde, como los búhos, escupir las egagrópilas de amigo sobre la arena de un parque; que mis mandíbulas de nepenthes van a triturar los labios del hombre; y que el veneno de mi saliva lo va a mantener anestesiado hasta que me lo coma. No recuerdo el camino por el que ha transitado el hermano de mi madre para llegar al quid de la cuestión, pero sé que la escena acaba en una violencia no contenida. Quizá porque los dos somos nerviosos y se nos seca la boca cuando nos enfadamos.

El hermano de mi madre fue un icono de belleza juvenil; yo, como una pava real marrón, me sentía orgullosa y lo exhibía. Mi amiga Catalina comía huevos fritos porque el hermano de mi madre los había pedido para cenar. Catalina suspiraba delante de su plato y miraba fijamente al hermano de mi madre, que se levantaba incómodo por la concentración de una niña que lo escrutaba, lo imitaba, lo perseguía. Catalina y yo rondaríamos los ocho años, el hermano de mi madre, dieciséis, y era para mí el símbolo de la juventud: ir a patinar a la pista de hielo de un equipo de fútbol, los conciertos al aire libre, los discos, besar a novias que siempre tenían el pelo largo y espeso, fumar canutos con la puerta cerrada, suspender las asignaturas, compartir piso, salir a una noche que yo creía distinta de la noche de mis padres. Pegada a él, nunca conseguí ser joven del todo. Tampoco esperaba que protegiese a su amigo en lugar de preocuparse por mí. Yo era la niña. Mi mapa conceptual se quebró de la misma forma que el día que mi abuela Juanita me pegó un azote. Por segunda vez, corroboro que no existen los amores incondicionales. O a lo mejor sí porque mi madre, presente en la trifulca de la cervecería, no da crédito a lo que oye y veo que ella, por mi causa, es capaz de enfrentarse a un hermano del que se siente medio madre igual que yo me he creído su medio hermana. Creo acordarme de que la situación, pese a su dramatismo, a mi madre le divierte. Mi madre imposta seriedad mientras yo estoy triste porque he sufrido por amor, me he quedado bastante desgastada y tengo poca fe y mucha prevención a que me hieran. Quizá por eso mismo doy miedo, mucho miedo y mi madre ha de controlarse para evitar la risa. Al año siguiente me voy a vivir con el amigo del hermano de mi madre y en 1993 me caso con él. Es mi marido.

Justo en la misma época en la que se me quitan los granos, salgo de mi capullo de baba y me transformo en vampiresa, empiezo a asistir a las clases de la universidad. Toda mi carrera se puede resumir en un capítulo de aburrimiento que arranca cuando, estimulada por mis padres, pido citas con los profesores para hacer algo más después de las clases: una tertulia, un seminario, un proyecto de investigación, conferencias. Albergo la esperanza de que aquí voy a empezar a conocer a las personas que se quedarán en mi vida. Estoy llena de emociones que hoy me producen no poca vergüenza y que no me inspiran compasión: dinamismo, vitalidad, responsabilidad, eficacia, afán de aprender, amor al trabajo, curiosidad, receptividad, espíritu investigador, sensibilidad hacia el diálogo y el intercambio de ideas, creatividad, sentido crítico, Grecia, Roma, cineclubs y simposios. La profesora de fonética de primer curso no sabe de qué le hablo:

–Pero tú ¿qué es lo que dices que quieres hacer?

Cuando vuelvo a casa les digo a mis padres que son un par de gilipollas. De 1984 a 1989, asisto a clases habitadas por seminaristas y numerarias del Opus. Desde mi silla, veo que una numeraria me acecha, me evalúa, se me acerca con una sonrisa de loca y una falda de cuadros. Finjo que no me entero de lo que está sucediendo, aunque me doy cuenta de que esta muchacha emana una felicidad fría y se me va acercando poco a poco en línea recta. No sé si me podré proteger. Me tapo la cara con el pelo. Me concentro en mis papeles –tengo muchos– y doy un respingo cuando por fin la numeraria se dirige a mí con una voz que me recuerda una almendra amarga:

–¿Te puedo hacer una pregunta personal?

En este periodo de mi juventud me gustan mucho las preguntas personales, las confesiones y los calzones quitados –ahora no–, así que cínicamente le doy permiso reservándome el derecho a responder sólo si me apetece. La numeraria no deja de sonreír; su tono es íntimo y nos aísla, de modo que a mí me parece que las dos estamos dentro de una urna:

–Tú no eres virgen, ¿verdad?

Yo, que ya me sé una vampiresa, no me sorprendo. Quizá estas cosas se noten en la expresión de los ojos o en la manera de sacar la lengua entre los dientes mientras se muerde un lápiz. Debo de tener cara de guarra. Tal vez la numeraria haya mantenido una conversación secreta con el hermano de mi madre, a quien ya he perdonado: quiere mucho a su amigo. Más que a mí.

La numeraria sigue observándome con su felicidad fría y yo, congelada, me tranquilizo y me intranquilizo cuando ella confiesa que me formula esta pregunta porque todos los días llevo pantalones vaqueros. De pronto, esa pobre numeraria me da pena y la imagino en su cuarto, de noche, con miedo de meterse el dedo en el ombligo, de que los pezones se le encojan por una bajada de temperatura, de que le dé un calambre en el clítoris por haber retenido la orina o por un sueño o por dormir con un muslo apoyado sobre el otro, apretando. Respondo con otra sonrisa de loca y, sin decir palabra, camino hacia la salida del aula. Me quedo con ganas de acariciarle la mejilla. Quizá ese gesto la hubiese obligado a sonrojarse, a apartarse de mí para evitar la turbación. No quiero que la numeraria se aterrorice por las noches y me guardo la mano en el bolsillo de mi penetrante pantalón vaquero. Al caminar, sorprendentemente no experimento ningún placer.

Tomo asiento en la primera fila y cojo apuntes desde las ocho de la mañana hasta las tres. Mi mano es una garrita deformada y no desarrollo capacidad alguna para los estudios literarios, sino para la taquigrafía y los trabajos manuales. Es como un deporte. Año tras año, acumulo cuadernos cuadriculados de espiral en los que voy recogiendo, con mi letrita, el dictado de la lírica y la narrativa del Medievo, del Renacimiento, de los siglos de Oro. Al curso siguiente, doy la vuelta al cuaderno y comienzo a escribir, por detrás, otra asignatura. Voy a clase a diario y veo: profesoras que se liman las uñas y profesores que son como el príncipe gitano –¿se puede ser sabio y a la vez tener mal gusto? es una de las preguntas que, surgidas de la experiencia, han contribuido a desarrollarme intelectualmente–; pizarras con blancas caligrafías árabes, con signos del lenguaje para la trascripción fonética; cátedros homosexuales que ponen matrículas de honor a jovencitos recién llegados de una capital de provincias; niños con bozo; alumnas aplicadas; hombres mayores con asignaturas pendientes; maestros que pronuncian las mismas explicaciones un año detrás de otro.

Cojo apuntes, no pierdo detalle, no me interesa nada de lo que me rodea. Me centro en los significados de los discursos repetidos hasta la saciedad, en el dato, en la información. Estiro mi fe en el aprendizaje sin marcarme un objetivo. Sin pensar qué ocurrirá cuando me levante de la silla después de cinco años y haya aprobado todos los exámenes y pueda irme a casa. Parece que todo está tan lejos que no llegará nunca. Yo necesito hacer algo mientras tanto y escribo y escribo y me levanto a las cinco de la mañana para estudiar y llegar al aula y escribir más, con una extraña fe en que algo bueno sacaré de todo esto.

En segundo curso, se produce una huelga de estudiantes y tengo una visión en la que los seminaristas se pierden por el agujero de los desagües y surgen, de las fuentes y de los grifos del cuarto de baño, guerrilleros y cantautores. Brotan, salen, surgen, pero algunos guerrilleros son tontos de baba, otros, demasiado impertinentes, y ya por aquellos años los cantautores comienzan a darme vergüenza ajena. Voy a las manifestaciones. Sigo viendo a Elvira, aunque ella ha hecho nuevos amigos en la facultad de Ciencias de la Información. Un día el cielo se llena de helicópteros, se produce un tiroteo y una chica es herida de bala. Es la época en la que sólo el padre de Belén mantiene la dignidad e impide el acceso de la policía al recinto universitario. En el paraninfo se celebran asambleas en las que el peor insulto consiste en el siguiente desenmascaramiento público:

–¡Tú eres de Comisiones Obreras!

Los guerrilleros se ofenden, porque ellos no son de Comisiones Obreras, sino del Movimiento Comunista. Los insultadores, que visten jerséis amarillos de pico y relojitos con banderas de España o pantalones vaqueros y una camisa de lo más común, no entienden el matiz y ya no saben qué pueden hacer para minar la moral de los guerrilleros. Yo sólo escucho. Voy a las asambleas como si fueran una reproducción en miniatura, sin altura intelectual ni ética, de otras asambleas que me han sido relatadas.

Muy pronto, la revolucioncita llega a su fin –tal vez porque nadie la desea realmente y todo el mundo está ansioso por retornar a la taquigrafía–, las aguas vuelven a su cauce y yo sigo tomando apuntes, pero al lado de L., una chica que comparte mi recogimiento y mis pocas ganas de conversar. Nos acompañamos. No nos molestamos y escribimos, L. en sus folios, yo en mis cuadernitos de formato holandesa. L. y yo, una mañana, nos fumamos un canuto antes de entrar en la clase del profesor homosexual que pone matrículas de honor a los muchachos guapos recién llegados de pequeñas capitales de provincia. Al comienzo de la clase, me baja la temperatura, estoy pálida y sudo. Sé que todo el mundo me mira porque mi letra se está haciendo cada vez más pequeña y, aun así, es perfectamente inteligible. Bajo la cabeza y me concentro en mi cuaderno cuadriculado que me va a succionar a través de la punta del bolígrafo en el que ejercen presión mi dedo índice y mi pulgar. A través de la presión me empequeñezco y percibo cómo me succiona el poro del papel que me termina tapando como un manto de hojas en el bosque. Allí me escondo hasta que acaba una clase que casi vuelve blanco el color de mi pelo. Procuro pasar desapercibida en esta mi gran aventura de la universidad. No atesoro muchas más batallas que poderles contar a mis hijos nonatos.

Un día los folios de L. se cubren de gotas de sangre. L. es

una estudiante excelente. No le pregunto. Tan sólo me quedo obnubilada contemplando cómo la letra amplia y redondilla de L. se jaspea con goterones rojos. La imagen es atractiva, incluso hipnótica; tan bella que las dos nos concentramos en esa combinación de nácar y clavel tan gongorina. Deseo que L. no deje de sangrar. Ella reacciona y sale del aula, apretándose la nariz con un pañuelo. L. y yo pasamos cuatro años juntas dentro de las clases: nos buscamos para decirnos buenos días y sentarnos una al lado de la otra; caminamos juntas hacia la boca de metro o la parada del autobús. No quedamos para preparar un examen ni para disfrutar de los fines de semana, aunque ambas sabemos que toda la vida se ha quedado fuera de estos muros de ladrillo, que lo que atesoramos fuera es lo que realmente somos; pero eso no es más que una mentira, porque allí estamos las dos, L. en el baño cortando su hemorragia con agua fría, yo, en la clase, arrepintiéndome de mi primer deseo y temiendo que L. sea víctima de una enfermedad mortal. L. vuelve. Ya no sangra. Echa un vistazo a la ristra de mis notas que ha seguido alargándose en su ausencia. Hace una rayita en lo que a ella le falta y continúa escribiendo con fijación.

Obtengo muchísimas matrículas de honor, pero soy un ser profundamente estúpido. Aprendo sin interesarme por nada. Tengo la cabeza en otro sitio. Soy una vampiresa –cuerpo pequeño que encierra el mejor perfume y el veneno más letal, puedo responder al estereotipo siempre y cuando mi *partenaire* me tape la cabeza con la almohada– y pienso en la clausura, en unos ojos dentro de mis ojos, en mí misma dentro de unos ojos, en el solecito que me calienta el cogote, en una alcoba agradable. No asumo mi imbecilidad y me entretengo con mi eficiencia y con mis habilidades. Tengo buena memoria; saco buenas notas. Mi imbecilidad se parece a la que años más tarde detecto en mis alumnas que, pulsando las teclas de sus teléfonos móviles y subrayando sus apuntes con rotuladores fosforescentes, comentan en los recreos:

–Tú imagínatelo sin dientes, sin brazos, sin piernas, sin orejas..., ¿te lo imaginas?

–Sí, tía, sí, me lo imagino.

–¿Lo ves bien?

–Lo veo. Es horroroso.

–Vale. Viéndolo así, ¿aún lo quieres?

–Sí, tía, sí. Lo quiero.

–Pues ésa es la prueba de que de verdad te importa. Estás enamorada.

–Es verdad, tía. Estoy enamorada.

Sospecho que mi imbecilidad era más hipócrita y más aislante, porque, lejos de reconocerla en mí, sólo la veo en los demás y aumentada por una superposición de lentes: la veo en la compañera que se ennovia con el compañero; la veo cuando se acaramelan y, desde su superioridad de estudiantes de Humanidades, se cogen las manos en los jardines de la universidad y, entonces, yo voy un poco más lejos y los imagino, en sus barrios de la periferia, recitándose poemas que los hacen volar por encima de sus vecinos electricistas, vendedores, parados, alicatadores, contables... Las vampiresas ya no estamos para esos trotes. L. y yo estamos de vuelta de esas cosas. Hemos vivido demasiado y siempre fuera, en otro lugar, que no es el espacio donde se nos consume el tiempo un día tras otro. Siempre estamos en otra parte y no nos enternecen ni el amor de los novios ni la aplicación de sus estudios líricos a la vivencia de su amor de chichinabo. Nos estomagan. Nos separamos de ellos. Volvemos a nuestros papeles y contrastamos el largo de nuestra ristra de apuntes que crece como cenefa de ganchillo o bufanda de calceta.

Durante aquellos años, actúo por inercia y con pesimismo: no doy nada por supuesto; no creo que todo vaya a ir bien. Intuyo que todo esfuerzo es poco, pero sé que no me dejarán morir de hambre. Me gusta que me den palmaditas en la espalda y complacer a quienes no me dejarán morir de hambre. Sólo importa el marco que rodea lo que se aprende: el asentimiento de los padres; ese día en el que un profesor te reconoce, sacándote del anonimato. Tengo la sensación de no hacer nada exactamente por mí y, no obstante, es muy probable que lo esté haciendo. No es verdad que me interesen mis estudios: no me importan Chomsky ni María de Zayas ni el genitivo sajón ni la retórica clasicista; no me importan las metáforas de Paul Ricœur ni el ciclo artúrico ni la *yod* ni Gutierre de Cetina ni sus madrigales; no me importan las *Catilinarias* ni el diccionario de Covarrubias ni las enfermedades de los hijos de Rosalía de Castro; no me importan ni *El Caballero Zifar* ni los *sinventura pollos* –éstos, sin embargo, me divierten– del *Guzmán de Alfarache* ni el reino de Tartessos ni la glosemática; no me importan *El collar de la paloma* ni el enciclopedismo ni la sed de Rubén ni Max Estrella. Tal vez sea un pecado no saber lo que se quiere y aparentar que sí se sabe; en todo caso, sería un pecado venial que se comete contra uno mismo. No me importan la literatura francesa comparada ni *Don Segundo Sombra* ni las espinelas.

Tampoco me queda nadie de un periodo que termina como empezó: con la sensación de haberme quitado un gran peso de encima y de que todo lo bueno estaba aún por llegar.

LA ERÓTICA DEL PODER

Soy una persona que escribe, pero evita tomar notas en público en una libreta negra de tapa dura. Me prohíbo a mí misma los cuadernos Moleskine y la parafernalia que rodea al escritor. Me da igual escribir a mano o pulsando teclas cuyas letras se han borrado por el uso. No poseo una pluma estilográfica fetiche ni frecuento los cafés literarios. Nunca me iría sola a un café, por la tarde, con mi cuadernito Moleskine y mi pluma fetiche a escribir versos mientras veo a la gente que pasa a través de las cristaleras. No suelo quedarme abstraída contemplando la inmensidad ni me gusta hablar de literatura dentro de los libros. Los libros, sin forzarlos, hablan de literatura solos. Degusto torreznos de tapa en los bares, consumo telebasura, voy a los tanatorios, ni me maltrato ni me cuido, voto cuando llegan las elecciones. Formo parte de un rebaño. Rebuzno. No padezco un alcoholismo sin vuelta atrás –el hígado es una víscera que se regenera milagrosamente– ni me consumen los problemas sentimentales. No uso psicoanalistas. Antes de hablar, trato de pensar en lo que voy a decir. No me incomodan, per se, los adjetivos ni los disfemismos ni las esporádicas faltas de ortografía o de concordancia en las que casi todo el mundo incurre. Creo que la escritura implica cierta capacidad de intervención en lo real, pero también es lábil y a veces ni siquiera supone un alivio para los malestares de una vida íntima. Sin embargo, no soy invulnerable a los atardeceres.

Quizá este tipo de enseñanzas me las transmiten en la escuela de letras. No son enseñanzas literales. Son conocimientos que adquiero por impregnación o rechazo del discurso de los profesores. Al acabar la universidad, mi padre me matricula en un máster y en la escuela de letras. Es la primera vez que van a pagar por mis estudios. Yo me matriculo en el doctorado. Hago todo a la vez porque el acceso al trabajo, a cualquier trabajo –bedel, profesor, chupatintas en una editorial, negro, camarero–, es difícil para los licenciados en Filología Hispánica. Aspiro a conseguir un empleo, no a ser escritora. Para lo segundo, quizá sólo es preciso tener los ojos abiertos como platos, no parpadear; saberlos entornar en ocasiones. Mi madre siempre me ha dicho:

–Tienes que ser una persona independiente.

Yo la escucho con los ojos abiertos como platos y mido el valor de la palabra «independencia»: compruebo la cantidad de billetes que me caben en los bolsillos y sopeso los trabajos a los que puedo aspirar. Es una relación tácita, una perogrullada, que más tarde puede derivar en cierta conciencia de austeridad respecto a lo que es suficiente o en la desmesura de la acumulación. Puedo hablar así porque yo sé que nunca me van a dejar morir de hambre. Tampoco he aspirado a vivir del sentimiento de vergüenza y de caridad que los otros experimentarían si yo les permitiese que me alimentaran. El dinero, también el que uno mismo gana, incide en las vivencias y en la posibilidad de crecer, así que asumo dócilmente las proposiciones de nuevos estudios. Ya no se trata tan sólo de agradar a unos padres que te miran mientras montas en bicicleta sin las ruedecitas de detrás, sino de compensarles un esfuerzo económico. Una compensación que, como no me piden, me angustia.

Años más tarde, en el momento adecuado, entorno los ojos y pienso en el precio que se paga por el dinero y en que siempre se es independiente respecto a alguien: un país o una patria, una familia, un padre, una madre, un maestro, un aya, un criado, una sirvienta, un marido, una esposa, un amante o una amante, un hijo, una hija, un médico o una médica, un agonizante, una moribunda, una empresaria, un patrón. Cada cual debería decidir qué independencias son las que quiere proclamar.

La escuela de letras me abre un camino. Aprendo cosas sobre los cuadernitos Moleskine y sobre los procesos de escritura: no se puede escribir mientras se piensa, hay que pensar antes de escribir. No sé. Allí todos somos seres vulnerables. Ya no somos párvulos y cualquier corrección es recibida como un insulto hacia nuestra afianzada personalidad de escribientes. Ahora, dieciocho años más tarde, vuelvo a entornar los ojos y me río de toda nuestra personalidad.

En la escuela, no hay profesoras y las alumnas se enamoran de sus profesores. Debería escribir «nos enamoramos», pero no quiero hacerlo, porque creo que supe mantener cierta distancia, me ensimismé en mis propias angustias y no llegué a perder el rumbo. Vi muchos barcos desnortados. Alba escribe un texto en el que una muchacha juega al escondite con su amante. Él la busca y ella, acurrucada en un inmenso cesto de ropa sucia, sonríe porque no la encuentra. La muchacha, que tiene los mismos rasgos que Alba pero dulcificados, sufre y goza entre la ropa sucia. También se está haciendo pis. Mientras el hombre da vueltas alrededor del cesto sin llegar a levantar su tapa de mimbre, porque no puede creer que ella esté agazapada entre las sábanas sucias, la muchacha se va poniendo cada vez más nerviosa, quizá más excitada, ya casi no puede contenerse. Le late el corazón a cien por hora. Se le eriza el pelo de la columna vertebral. Se le escapa una gotita. Alba lee su texto en clase y yo me acuerdo de P. E., de esas tardes de parchís, en las que le describía a mi madre la satisfacción de retener la orina y después ir soltándola con delectación. Lo lleno que se vacía y lo vacío que se llena en un simulacro del coito, de la extensión y contracción de fibras, en forma de cuenco o en forma de pistilo, que posiblemente nos conducen al orgasmo. Alba, mientras lee su texto, se está poniendo colorada. El profesor se retuerce las puntas del bigote. El texto de Alba es muy bueno. Los alumnos estamos interrumpiendo una corriente eléctrica, entre la lectora y el profesor, que a él le incita a retorcerse los bigotes y a ella a pestañear mucho. Alguien le pregunta a Alba:

–¿No te estarás meando?

Nos reímos. Alba se relaja y acaba de leer su texto. Deja de pestañear y fija en el profesor sus enormes ojos castaños. Él la felicita con un ardor, casi conmovido, no muy habitual entre estas cuatro paredes. Aquí estamos más acostumbrados a oír otro tipo de valoraciones:

–¿«El mecano del amor»?, ¿qué cojones es eso del mecano del amor?

–Es una ironía.

–¿Una ironía?, ¿«se me rompió el mecano del amor»? Hablabas, perdón, escribías en serio.

–Era una ironía, de verdad.

Cualquier cosa por salvarse de la quema, por preservar la propia imagen, por que no se cuartee la mascarita de nuestra personalidad que, por cierto, pensamos ingenuamente que se manifiesta en nuestro estilo. Que nadie toque ni una coma: en esa coma está mi inteligencia, mi sabiduría y mi belleza. Allí reside la circunvolución cerebral que me hace mejor que los otros y que le concede al rictus de mi boca un morboso atractivo cuando no llego a sonreír del todo. Si me tocas la coma, me estás desfigurando. O a lo mejor es que no te has dado cuenta, que no me has visto bien.

El profesor lee nuestros ejercicios y nos los devuelve al día siguiente; si vemos que sobre el papel nuestro nombre está subrayado, eso significa que el texto no está mal y que lo leeremos en voz alta para el resto de la clase. A menudo veo mi nombre subrayado con un lápiz rojo. Nunca me parecen suficientes las veces que veo mi nombre subrayado. El profesor nos propone una consigna para escribir: el instante más importante de mi vida. Me veo obligada a volver la vista atrás y me avergüenzo de la austeridad de mis vivencias o quizá de mi mala memoria o quizá de mi imperfecta, esmirriada memoria: mi memoria es aún un músculo que no he desarrollado. Me llegan frases sueltas a la cabeza:

–Es que no alcanzo...

–¿Y duelen?

–Parece que vas despeinada.

–Las niñas no tienen que trabajar.

–Mi mamá está esperándome.

–Eres una metepatas.

–Te quiero.

–Tienes que ser una persona independiente.

Escribo sobre la visita al manicomio que Elvira y yo hacemos para ver al chico que me amenazó con arrojarse a las vías del tren porque me quería y yo no me tomé en serio su proposición de matrimonio. Borro a Elvira del texto escrito –la goma milan la hace desaparecer de cada escenario, de cada viñeta de la aventura– y aparezco sola rodeada de personas enfermas dentro de habitaciones que huelen intensamente a pies. Yo me tapo la nariz con los dedos como si fuese a arrojarme de pie al agua mientras los enfermos me preguntan:

–¿Eres nueva?

Por primera vez me atrevo a usar el estilo directo, pero de repente, no sé por qué, meto a la narradora, que soy yo, dentro de sus propias entrañas y escribo «el mecano del amor», una frase que vuelve a mis entrañas en forma de espina:

–¿«El mecano del amor»?, ¿qué cojones es eso del mecano del amor?

Era menos arriesgado escribir sobre los calambres de la uretra en la acción de orinar. Siempre es menos arriesgado ser gracioso y reservarse la posibilidad de recular respecto a lo escrito que ponerse serio y asumir las consecuencias.

–Sí, el mecano del amor, el mecano del amor, ¿qué pasa con el mecano del amor?, ¿eh?

Pis, orinal, orín, memoria, oro, cabellera, dinero, mojado, vanidades. Al día siguiente, falto a la clase de ese profesor. Me tomo unas cañas con un amigo, también fugado, a quien no le apetece oír los textos de los otros:

–Hoy seguro que mi nombre no está subrayado. ¿Te vienes a tomar una cerveza?

El profesor nos ha visto mientras descolgábamos los abrigos para marcharnos. Nuestra huida ha despertado su interés. El profesor rechaza la idea de no constituir el centro de atención. Nos sigue con la mirada (¿divertido?, ¿molesto?, ¿rencoroso?) y eso no me gusta. Hubiera preferido seguir pasando desapercibida. Quizá deba hacerle caso para que me deje en paz: sentarme en la primera fila, con un perfume de feromonas, y asentir a sus explicaciones. Entonces no me miraría a los ojos; fijaría la vista en el perchero y continuaría su disertación. No seguiría con la mirada el bulto oscuro de mi silueta mientras entro en el bar de la esquina para charlar con otra persona. Frente a unas cervezas, se lo cuento a mi amigo:

–No es que me importe mi literatura, me importo yo.

El profesor, mientras tomo unas cañas, piensa en mí. Me odia y, por eso, empiezo a interesarle. Una desgracia como otra cualquiera, una pelusilla que se ha quedado flotando en el ambiente.

Pero hoy, tras el rosario de alabanzas por el texto en el que una chica se estaba meando dentro del cesto de la ropa sucia mientras su amante la buscaba, Alba se restriega la mejilla contra el jersey escondiendo la cara en el cojinete de su hombro. Al acabar la clase, se va con el profesor. Alba baja las escaleras como si hubiese consumido drogas. Es la elegida y la vanidad no le invita a mirar a las personas por encima del hombro, sino a sentirse un poco abochornada dentro de un abrigo que le queda grande, pero que le va a quitar el frío. No se lo cree ni ella.

–«El mecano del amor.» No te lo crees ni tú.

El profesor se ríe con un alumno del que se ha hecho muy amigo. Se ríen en clave. Se ríen de mí. Después le intereso mucho porque lo dejo plantado: cojo mi abrigo del perchero en el que a veces clava la vista para concentrarse a lo largo de sus disertaciones y me voy a tomar cañas. Me voy de su clase delante de sus narices. El profesor ya no se ríe en absoluto. No es que yo le importe, es que se importa a sí mismo. Todos pecamos contra el mismo mandamiento.

Al pasar de los días, Alba vuelve a leer un texto en clase. El hombre con el que ha pasado una noche remata su encuentro meando encima del cuerpo de la chica.

–Toma mi lluvia dorada.

Ella se aguanta porque se muere de amor. Al acabar de mear, el hombre la echa dándole una escueta explicación: tras un largo viaje, regresa a casa su cuarta esposa y no quiere que la encuentre allí. En definitiva le dice:

–Vete.

Ella se resiste, se abraza al cuerpo blanco del hombre, restriega su rostro contra los pelillos del pecho masculino, y el hombre, que acaba de servirse un güisqui con hielo, pierde la paciencia, la insulta, la empuja semidesnuda hacia la puerta. Ella suplica, pero se calla de pronto al percatarse de que el hombre, aún desnudo, no se ha quitado el reloj de pulsera. La muchacha se acaba de vestir en el ascensor. Coge un taxi y allí se jura no contarlo. El hombre, solo en su casa, intenta masturbarse pero no lo consigue. Luego hace una llamada. El relato ha llegado a su fin. Mientras estaba leyendo, Alba no estaba sonrosadita; estaba pálida y le temblaba la voz. Ahora ha acabado de leer. El profesor pronuncia su veredicto:

–¿Por qué has utilizado la tercera persona? Es un relato deshonesto.

Alba es una enferma que no sabe que la labilidad de la literatura no sirve ni siquiera para aliviar el malestar de una pequeña vida íntima. El profesor mira hacia el perchero y continúa con sus valoraciones:

–Sórdido. Sin encanto. Tópico. Mucho peor que el del otro día.

Los alumnos le damos la razón al profesor. El texto es pésimo. A veces disfrutamos con los comentarios del profesor, pero hoy el tramo final de la clase se nos está haciendo demasiado largo. El alumno que se ha hecho muy amigo del profesor interviene:

–¿Por qué la chica en el taxi jura no contarlo y después lo cuenta?

–El relato está escrito en tercera persona.

Alba se ha defendido, pero el profesor es un individuo muy inteligente:

–¿Y tú crees que de verdad existe alguna diferencia entre una tercera y una primera?

Aprendo mucho en esas sesiones de escritura. El profesor remata:

–Lo dicho. Es un relato deshonesto. Incluso cobarde.

La clase acaba y el profesor se va palmeando el hombro del chico que se ha hecho muy amigo suyo. Hablan indistintamente de tías y de poesía japonesa, acodados en la barra de un bar en el que ya han cogido mucha confianza con el dueño:

–Manolito, dos güisquis.

Alba se marcha sin ser vista. Hoy, como su texto, es una chica casi fea, con unos enormes ojos castaños, saltones, y ronchas rojizas en la piel. Las alumnas pensamos que ha sido tonta. No nos inspira lástima. Es sólo una estúpida que no ha sabido aprovechar su oportunidad o quizá una ingenua que no hubiera debido dejarse seducir. Tal vez, nunca hubiese debido escribir el texto de la chica semidesnuda que se fija en que su amante no se ha quitado el reloj. Las que hablamos del asunto –un *affaire,* propiamente dicho– somos mucho más fuertes y lo miramos todo desde arriba. Yo procuro mantenerme al margen de estas cosas. No siempre puedo.

–Ayer no viniste a mi clase.

–No.

Cuando entorno los ojos y no los tengo abiertos como platos, soy capaz de captar otras cosas que, al no parpadear, se me escapan. Al profesor le gusta que le vean acompañado de muchachas jóvenes cuando se emborracha en público.

–¿Me acompañas esta noche a la fiesta de presentación de un libro?

Después de cada aventura, hay profesores que piden el divorcio, profesores apesadumbrados, profesores que quieren conservar a toda costa su imagen de Landru o de hombre desquiciado, es decir, complejo. Los profesores irresistibles, desde su tarima y también al bajarse de ella, no desaprovechan ninguna ocasión. No sé qué pensarán de sí mismos cuando se miren la cara reflejada en la luna de un escaparate. Posiblemente ni siquiera se vean.

Casi todas mis amigas tienen hijos. Los han deseado y los han parido. Yo, que soy una mujer de palabra, no he parido ningún hijo ni lo he alimentado ni lo he educado ni he dado o recibido su calor. Tampoco he tenido un hijo para estar acompañada en el momento de la muerte. Hay personas que procrean por esa razón que es tan egoísta y tan legítima como cualquier otra. A mí la sangre no me ha llamado para perpetuarme, sino que la sangre es lo que me ha disuadido de empeñarme en no desaparecer. Yo tengo tres gatos que sé que no me sobrevivirán. Les paso la mano por el lomo. Ronronean. Me miran con los inacabables ojos de los gatos. Yo bajo la mirada y parpadeo para que no se sientan retados. Ellos también cierran los ojos con el párpado doble de los gatos: un párpado que por fuera es de pelo y, por dentro, de un delicado tejido blancuzco. No luchamos. No medimos fuerzas. Los gatos esconden su vejez, los pliegues de su carne, por debajo de una púdica capa de pelo. Sólo la pérdida de agilidad, la extrema delgadez o la gordura de un animal pueden delatar que va cumpliendo años.

Tengo un gato enfermo. Su hígado es una tercera parte de lo que debería ser. El gato enfermo no se despega de mí. Me pide cosas que sé interpretar. Me pide cobijo entre las piernas y me pide comida. Me pide protección. El veterinario me advierte de la posibilidad de que mi gato sufra alucinaciones, vea espejismos de gato, que le lleven a necesitar más protección que de costumbre. Me busca, me mira, comprueba que no me voy. Se duerme a mi lado y estira una pata hasta rozarme. Si me aparto, se despierta. A veces, dormido, sufre pesadillas y yo le tranquilizo poniéndole la mano sobre el hueco en el que se incrusta su hígado minúsculo. El gato deja de mover las bolas de sus ojos por debajo de sus dobles párpados de pelo y de tejido blancuzco. Se sosiega por el sencillo roce de mi mano. Las pesadillas de los gatos deben de ser bultos, sombras en la pared, insectos que invaden repentinamente el aire de las habitaciones y revolotean hasta morir incinerados por el calor de las bombillas, olor a óxido y a otros animales enfermos frente a los que se les encrespa el espinazo y bufan, el interior de la jaula en la que se les desplaza para llegar siempre a la consulta del veterinario. Los gatos intuyen que ese lugar es una antesala de su muerte. Aunque los etólogos y los alérgicos y los que ligan la presencia de los gatos a lo diabólico digan que no, los gatos barruntan lo que es la muerte.

Mis gatos llevan catorce años con nosotros. Mi gato enfermo tiene mucha sed y bebe chorritos de agua del grifo. Yo se lo abro y, mientras bebe, le escruto de perfil y puedo verle la cara de viejo por debajo del pelo grisáceo. Le fallan las patas traseras: está tan delgado que la musculatura no soporta el peso de los huesos. Antes era un felino agilísimo que, con dos saltos, alcanzaba la balda superior de las estanterías. Desde allí, tiraba los libros de uno en uno. Ahora, le doy dos pastillas por la mañana y dos por la noche. A veces las traga, a veces las escupe. Las recojo del suelo y se las vuelvo a meter dentro de la boca, mientras le susurro palabras de una ternura infinita.

–Toma, cariño, la pastillita, que está muy buena...

A nadie le hablo con la dulzura con la que me dirijo a mi gato. Me lavo el dedo que le he metido en la boca porque, como es mayor, a mi gato le huele el aliento a morralla. Cada vez que me pongo a contemplar a mi gato enfermo, escuchimizado, un gato que ya es sólo una carcasa de pollo para el caldito, me digo que tengo que hacerme a la idea de que cualquier día, al levantarme, se le puede haber parado el corazón. Entonces, telefonearé al servicio de recogida de animales muertos del ayuntamiento y miraré resentida al funcionario si no trata con delicadeza el cadáver. También me digo que es posible que el gato no se muera solo, sino que se esconda debajo de una cama, en un punto inaccesible de nuestro piso, acosado por sus alucinaciones y su angustia física, y haya que sacarle de allí a rastras. El gato con las uñas desmesuradamente crecidas de sus patas traseras se aferra al parqué: hace tiempo que ha renunciado a los ritos de su aseo personal y le paso una esponjita húmeda por los berretes de comida que se le quedan pegados a la pechera. El pelo de los gatos es deslizante por el lomo y algodonoso en torno a la barriga. La barriga sólo se la ofrecen a las personas de más confianza. El gato que ofrece el algodón de su barriga se dejaría matar por el destinatario de su ofrenda. A mi gato no le corto las uñas porque no quiero herirle. Las uñas de los gatos está recorridas por terminaciones venosas, vasos sanguíneos que, si se rasgan, pueden provocar una hemorragia que sólo un veterinario es capaz de detener con un aparato cauterizador de heridas sangrantes. Sé mucho de gatos. Me comunico con ellos con la mirada y con la voz: ellos me atienden como si fueran perros amaestrados. Yo no trato a mis gatos como a niños, sino como a gatos que se merecen ciertas atenciones. Si el gato enfermo se esconde debajo de la cama para que nadie le encuentre, habrá que sacarle de allí y llevarle al veterinario, que le pondrá una inyección letal. Dejará de sufrir. Yo no podré llevar a cabo esa tarea y me sentiré culpable de no haber acariciado a mi gato hasta el último momento.

Una de mis gatas, como cada noche, se aproxima muy precipitada hacia el sofá. Viene refunfuñando con la idea fija de que la sobemos a partir de una señal que ella nos lanza: nos da cabezazos en las manos. También nos mordisquea las yemas de los dedos y nos lame con su lengua rasposa el interior de las uñas. Da mucho gusto. Nos lava. Nos cuida. Le gusta limpiarnos de la esencia del perfume y del ácido de las cebollas, del olor turbulento de los ajos. Es una gata de cuatro colores con un ojo perfilado de negro y el otro no. Es una gata guapa, irregular, imperfecta, loca, que se nos cayó por un balconcillo y sobrevivió a la caída. Para que volviera a caminar, yo le tiraba una pelotita verde y ella la seguía despacio, hasta que llegaba a su altura y se paraba. Me colocaba a su lado y repetíamos la operación. Dos, tres veces. Para entonces, la gata ya estaba muy cansada. La gata se rompió un colmillo a consecuencia de la caída. Mi marido la recogió en el patio de la comunidad. Le salía sangre por la boca. Estábamos convencidos de que iba a morir pero sobrevivió. Sin embargo, la otra noche, al saltar para ocupar el hueco que queda entre mi marido y yo en el sofá, la gata cae. Pienso que ya están mayores y que no ha calculado bien la distancia. Le digo que es tonta y me agacho para recogerla. Mi mano experimenta una sensación imprevista, desagradable, como cuando metes la mano bajo el grifo y, en lugar de caliente, sale helada o al revés. El cuerpo de mi gata no está duro y suave, sino que es un amasijo baboso, descoyuntado, un trapo húmedo. La levanto y, sujetándole la cabeza que le baila hacia un lado y hacia el otro, miro fijamente sus pupilas para comunicarme con ella. Pero mi gata ya sólo tiene en el centro del iris dos agujeros opacos que se la están tragando. El interior de su boca se ha vuelto malva. La levanto, la acurruco, se me mea encima. Sé que ahora no va a sobrevivir. Mi marido se la lleva corriendo al veterinario, pero mi gata llega muerta. Telefoneo a mi madre, hipo, lloro, la asusto, la entristezco, pero mi madre no puede ayudarme. Cuando mi marido vuelve, miramos a los otros dos animales, al enfermo y a la sana, sobre todo al enfermo, y la muerte de la gata con un ojo pintado de negro y el otro no, nos parece una burla.

Por la noche, me pregunto si la gata estará realmente muerta o si se habrá despertado, habrá recompuesto las fibras de sus músculos, achicado sus pupilas, recuperado el color rosado de su paladar y estará sola, metida en un saco, llamándonos. Despierto a mi marido y le pregunto si nuestra gata estará realmente muerta. Él me tranquiliza:

–El veterinario la auscultó. El corazón no latía.

Al día siguiente me atrevo a preguntarle a mi marido si tenía los ojos abiertos o cerrados:

–Cerrados.

–¿Cerrados?

–No, abiertos.

Estamos a punto de empezar una discusión, pero me contengo porque sé que todo lo que me dice mi marido tiene el propósito de tranquilizarme, aunque a veces no sepa cómo.

Miramos por los rincones y echamos algo de menos. El gato enfermo me sigue pidiendo comida, yo le hago caso, pero ahora también me concentro en las necesidades de la gata sana. No quiero volver a sentirme burlada y en deuda ante la imposible empresa de prever quién va a morir primero. Aunque, si la naturaleza no da un vuelco imprevisto y todos los hijos comienzan a morir antes que sus padres, mis gatos no me sobrevivirán.

Al mes de esta desaparición, mi gato enfermo entra en agonía. Es un pellejo gris que no puede respirar y se hace un rebujo sobre sí mismo sin llegar a tumbarse del todo. Mi marido y yo le miramos. El gato se coloca frente a nosotros para que le miremos. No cierra sus párpados. No duerme. Vigila y jadea. Tiene los ojos acuosos. Mi marido pregunta con timidez:

–¿Me lo llevo a que lo duerman?

–No, espera a mañana.

Es otra vez sábado por la noche y, aunque queremos ver la película de la televisión, no nos enteramos de nada. De pronto, cambio de opinión:

–Llévatelo.

Mi marido comienza a ponerse los zapatos. Ata los cordones de su zapato derecho. Me fijo en que ya están atados y bien atados y, entonces, se me saltan las lágrimas.

–No, no te lo lleves. Espera a mañana.

Mi marido se queda con un zapato puesto y el otro sin poner, mientras lloro con unos lagrimones espesos que se me cuelan por el escote del pijama. Mientras lloro, pierdo por completo mi capacidad de razonar. El gato sigue jadeando frente a mí y yo no sé qué hacer para protegerme de mi desconsuelo. No puedo pensar en qué es lo mejor. No sé lo que quiero. Mi marido no se pone el zapato izquierdo, pero tampoco se quita el derecho. Espera o, tal vez, experimenta un desconcierto semejante al mío. No sabe qué pasos ha de seguir para no lastimarme. Por eso, ni se calza ni termina de descalzarse, mientras lloro sin disfrutar del placer de llorar. Me voy a la cama, tratando de no imaginar cómo boquea mi gato para coger oxígeno, cruzando los dedos para que al despertarme se le haya parado el corazón.

Pero no es así y, a la mañana siguiente, el gato llega a rastras a mis pies y yo lo levanto del suelo y me lo coloco sobre los muslos. Justo en la posición que a él más le gusta. El gato comienza a ronronear bajito sin cerrar sus ojos acuosos, ávidos. Ronronea más fuerte. Está relajado. Mi marido se ducha, se viste, se pone los zapatos. Yo no me he movido de mi sitio. Mi marido me quita con cuidado el gato de encima de las piernas. Se lo lleva. Sigo llorando. Más tarde, me tranquilizo y me avergüenzo de mí misma. De mis carencias. Ahora, inauguro nuevos ritos con mi gata superviviente, la tercera y desconcertada gata, que busca sin encontrar y se siente tan extraña que no sabe ni cómo disfrutar del privilegio completo de las caricias de sus amos.

Cuando llego a una casa ajena, los gatos, magnetizados, se me acercan, se me sientan encima, me dejan que los acaricie. Con los niños me sucede lo mismo. No me disgustan los niños. Cuanto menos los atiendo, más se acercan. Se me pegan a la falda. Aprenden mi nombre. Es un misterio.

JONATHAN

Mi primer empleo se llama Jonathan. Lo consigo después de superar satisfactoriamente las asignaturas del máster en el que mi padre me ha matriculado. He rentabilizado una inversión por la conciencia del dinero, pero también por ese gusano que me corroe los hígados y me obliga a dar lo mejor de mí, ese gusano que me incita a levantarme los domingos a las ocho de la mañana: siempre hay algo por hacer, algún motivo para sacrificar la pereza y ponerse en movimiento. Las tareas desagradables se emprenden antes que las agradables y la yema del huevo frito se reserva para el final del festín. No puedo marcharme de casa sin haber dejado la cama hecha. Aunque nadie vaya a venir a visitarme. Si me marcho de casa y la cama se ha quedado sin hacer, me acuso de desidiosa y de sucia. Aunque la puerta esté cerrada. A veces mi marido se levanta tarde los domingos. A las once yo entro en la habitación, levanto las persianas, le doy un beso:

–¡Levántate, que tengo que hacer la cama!

Después de comer, enseguida, me llevo a la cocina los platos. A veces espero de pie, delante de mi marido, a que apure el culo de cerveza que le queda en la copa. Después la llevo a la cocina. Retiro por secciones las migas de pan del mantel. Voy y vengo. Abro el grifo y voy colocando las bandejas y los tenedores en los correspondientes apartados del lavavajillas. Cuando comienzo a moverme, mi marido aún no ha terminado el postre o mi madre está todavía disfrutando del ojo de un besugo o de los delicados huesecillos de un ave. A mi madre le gustan los alimentos que se comen con dificultad, las partes de los animales que los nuevos comedores tiraríamos a la basura. Mi madre explora espeleológicamente las cabezas de los pescados y el rabito del cordero. Mi marido y mi madre me miran con agobio:

–¿No puedes estarte quieta?

Me pongo de mal humor. Todo debe estar recogido cuanto antes. Coloco los adornos sobre la mesa del cuarto de estar. Voy a echarme el cuarto de hora que me permito a diario. No me he educado en instituciones religiosas –¿o sí?–, pero interiorizo la enseñanza de que el disfrute excesivo es pecaminoso y después se paga. Mi obsesión por dejar la cama hecha, la mesa puesta, los mensajes respondidos, los textos escritos, los garbanzos en remojo, podría considerarse una patología. Un parásito intestinal, el gusano, contra el que lucho denodadamente. No me gusta ser esta mujercita nerviosa que va cumpliendo, en orden y con rapidez, cada una de sus obligaciones y que nunca deja para mañana lo que puede hacer hoy. Soy un caramelo para este mundo. Estoy como una cabra.

Jonathan es un joven corredor de bolsa británico, judío practicante, que trabaja para una compañía multinacional con sede en un edificio de oficinas en la calle Ortega y Gasset de Madrid. Mr. Jonathan Cohen está casado, tiene un hijo de cuatro años y vive en un chalecito de la Moraleja que le ha proporcionado su empresa. Cada tarde, me visto cuidadosamente para enseñarle español a Jonathan y, a menudo, no me reconozco delante del espejo. Me calzo zapatitos de tacón y me pongo chaquetas ajustadas a la cintura sin saber a quién quiero gustar. Mi madre me dice:

–Ojalá te arreglaras así todos los días.

Roberto exclama en mis recuerdos:

–Hay que ver cómo has crecido.

Borro a Roberto de la escena con mi goma milan. Me vuelvo a mirar en el espejo de la entrada de casa de mis padres y compruebo que no me han nacido carreras en las medias ni luzco lamparones en mi chaqueta entallada. Mi bolso, sin embargo, está un poco gastado.

Al llegar al edificio de oficinas de la calle Ortega y Gasset, pasan mi bolso, mi carpeta y mi abrigo por el escáner y yo atravieso el arco del detector. Nunca pito –no podría perdonarme el haber pitado– y a veces, cuando el arco está estropeado, el guarda ni siquiera se toma la molestia de registrarme el bolso. Soy personal de servicio de la mayor confianza. Como un mayordomo. Como la institutriz que entra por la puerta trasera, aunque algunos días la dejen sentarse a la mesa con los señores. Allí ella tiene la oportunidad de demostrar que el dinero no es el único garante de una esmerada educación. Mi abuelo fue chófer y mecánico. Mi abuela trabajó en una fábrica de perfumes después de la guerra. Cada día, cuando paso al lado del guarda, me quedo mirándole la pistola y, mientras espero el ascensor, temo que se me acerque y me coloque la mano encima del hombro. No vuelvo la cabeza para no inducirle a sospechar y me concentro en los números iluminados o en la rendija que queda entre las puertas metálicas.

–*Mr. Cohen, please?*

Otra señorita, también del servicio, me sonríe, llama por un teléfono interno y me invita a pasar a un despacho con una mesa redonda alrededor de la que se han dispuesto dos sillas, tapizadas en piel, con los respaldos acolchados. Encima de la mesa alguien, posiblemente la señorita, ha dispuesto un bloque de folios en blanco y bolígrafos con el logotipo de la empresa, una caja de rotuladores. La señorita me indica que debo sentarme en una de esas sillas y esperar a Mr. Cohen.

–¿Quiere un café?

–Por favor, tutéame.

–¿Quieres un café?

–No, gracias. Me pone nerviosa.

Así sucede todos los días. Algunas veces, la señorita vuelve a entrar a los diez minutos y me anuncia:

–Lo siento, pero Mr. Cohen hoy no puede asistir a la clase. Está muy ocupado.

Entonces se me escapa un resoplido de desahogo que trato de disimular, me despido de la señorita, cojo el ascensor y, al llegar al vestíbulo del edificio, emprendo una carrerita delante del guarda, al que doy las buenas tardes para no infundir sospechas. He estado en los pisos superiores el tiempo justo para poner una bomba. Me intimidan los guardas de seguridad. No obstante, soy una persona de orden. Los guardas de seguridad no me van a proteger de posibles asaltantes. No me van a salvar. Me van a empujar hacia un cuarto oscuro y, llamándome fea, me van a bajar las bragas con el decorado de los cubos y fregonas de las asistentas especializadas en la limpieza de oficinas. Después, me esposarán y me acusarán de haber puesto una bomba en algún lugar del edificio.

–¿Dónde la has puesto? ¿Dónde?

El guarda me golpea, pero yo soy inocente. Ni siquiera conozco los vericuetos del edificio. Sólo la entrada y la sala en la que doy mis lecciones a Mr. Cohen. No puedo inventar un itinerario para salvarme de las bofetadas del guarda. Mientras doy la carrerita hacia el exterior del edificio, el guarda también se despide:

–Hasta mañana, señorita.

–Adiós, adiós.

La empresa de Jonathan paga tanto las lecciones que imparto como las que no imparto. El hecho de haberme desplazado a su oficina y de que la señorita me haya dado una disculpa es suficiente para que yo cobre. Ojalá Mr. Cohen siempre estuviese cerrando sus tratos comerciales a la hora de la clase. No recuerdo si a final de mes la directora del máster que me ha proporcionado el empleo me entrega un talón o el dinero en efectivo; quizá me transfieren una cantidad. Todavía no me han contratado. Estoy demostrando si soy apta para el oficio de profesora ambulante.

Otros días, Jonathan aparece con el nudo de la corbata flojo y los quevedos descolocados sobre el largo puente de su nariz. A Jonathan le suda la cara. Pasa calor en España. Me doy la enhorabuena por los quince minutos perdidos de la clase y le dejo que se seque despacio la piel con un pañuelo y se coloque los quevedos delante de sus ojitos oscuros como dos pulgas.

–*Hello.*

Aún no he logrado que Jonathan me salude en español. Trato de que no llegue a percatarse de que soy una profesora inexperta. Para ello, antes de las lecciones, paso horas seleccionando los ejercicios de un manual y memorizando la morfología y la gramática. He olvidado las formas del pretérito imperfecto de subjuntivo. Desconozco los usos de «se» y cómo explicar las diferencias que existen entre las preposiciones. Lo memorizo para deslumbrar a mi alumno, para garantizar mi credibilidad profesional, pero Jonathan es un principiante que ni siquiera sabe decir hola. Anticipo acontecimientos. Algunas noches me arde el estómago y sueño con que Mr. Cohen me dice cómo debo proceder. Soy una inútil que sale con el rabo entre las piernas y, al traspasar el umbral del edificio rumbo al exterior, el guarda, riéndose, me dice:

–¿Hasta mañana, señorita?

–Adiós, adiós.

Jonathan toma asiento y coloca los pies sobre la mesa de trabajo. Me observa por encima de las gafas con una sonrisa pedigüeña que, sin embargo, no tiene el tono de una petición, sino el de una orden:

–*I'm very tired.*

Jonathan bosteza. No le voy a permitir que sestee en nuestras dos horas de clase. No quiero que su siestecita y la dejación de mis obligaciones se conviertan en un secreto entre los dos. Yo nunca me escapo. Me hago la tonta:

–Sí, estás muy cansado. ¡Yo también!

Digo la frase con una alegría estúpida. En las clases de español ése suele ser un registro habitual. La profesora es siempre una persona muy alegre. Mis movimientos son rápidos. Estoy al quite. Abro el libro. Jonathan me mira como si estuviese loca; poco a poco, me ha ido cogiendo cariño y algunas tardes escucha con condescendencia mis explicaciones y juega a los juegos y participa en los diálogos de besugo que le propongo:

–Yo soy de Madrid, ¿de dónde eres tú?

–Yo soy de Jonathan, ¿dónde eres tú?

–No. Yo soy de Madrid. España. He nacido en Madrid. ¿De dónde eres tú?

–De Jonathan.

Quizá me está tomando el pelo. Jonathan se divierte. Estoy segura de que es un hombrecito muy inteligente y eso me asusta. Dentro de poco, va a captar mis incoherencias. Por eso, de noche preparo la lección y, aunque él aún no sepa decir quién es, yo memorizo los tipos de oraciones subordinadas.

–No, de Jonathan, no. Eres Jonathan y eres de Gran Bretaña.

–Soy Gran Bretaña.

Se burla de mí, pero no tengo derecho a pensar que lo hace. Respiro hondo, busco una alternativa. Jonathan Cohen me observa, divertido, por encima de los vidrios de sus quevedos con sus ojos picantes como dos pulguitas. Tal vez sus juicios sobre mí no sean tan benevolentes como mis juicios sobre él. Mr. Cohen es un avispado corredor de bolsa que se toma nuestras lecciones como la hora del recreo. Son un tiempo para el relax. Yo soy la masajista que le hace morir de gusto al incrustarle los dedos en la planta de los pies. Paso la lengua por mis labios deshidratados:

–No, Jonathan. Tú eres de Gran Bretaña, no Gran Bretaña.

–Yes, I'm the Queen! God save her!

Mr. Cohen es un duendecillo burlón. Cuando las palabras no me sirven, le dibujo a Jonathan figuras en sus folios. Mr. Cohen no suele tomar notas. Yo le escribo en su cuaderno los paradigmas y las oraciones que él necesitaría estudiar. Me esfuerzo en que mi letra sea grande y clara. Hoy le dibujo un mapa de España. Madrid está en el centro y allí hay un monigote con una falda triangular, el monigote dice «yo soy Marta». Le dibujo: un mapa de Inglaterra, al lado un monigote con pantalones, del que sale un bocadillo que dice «yo soy Jonathan». Temo que Mr. Cohen piense que le trato como a un niño. Señalo con el dedo mi monigote y mi ciudad y pronuncio muy despacio:

–Yo (pausa) soy (pausa) Marta. Soy (pausa) de (pausa) Madrid (pausa). ¿De dónde eres tú, (pausa) Jonathan?

Jonathan levanta una ceja y me mira con cara de haberse

enterado por fin de todo, mientras yo sigo repitiendo «¿de dónde eres tú, Jonathan?», «¿de dónde eres tú, Jonathan»?, «¿de dónde eres tú, Jonathan?» y señalo insistentemente el monigote que le representa y el mapa de Gran Bretaña. Temo que se me acaben los recursos; entonces, un Jonathan inexpresivo se acurrucará en su silla, esperando, mientras yo busco soluciones, le hablo en un español precipitadísimo y gesticulo para hacerle entender un mensaje que ni siquiera estoy segura de que sea el que deseo transmitir. Cuando se pone inexpresivo y me mira a los ojos, como si los tuviera cerrados, como si descansara al mismo tiempo que me juzga, demostrando su paciencia, Mr. Cohen es mi cliente. Pero hoy Jonathan sigue mi dedo, me escucha, se ríe:

–¡Ah, sí! Jonathan, tú, soy de *Greit Britein.*

–Bien, muy bien. Jonathan es de Gran Bretaña.

Repaso con él el presente del verbo ser: soy, eres, es, somos. No, no somos. Cambio de tercio. Trato de enseñarle la expresión «me llamo». Jonathan parece no oírme:

–*I'm tired, Martha.*

–Sí, estás cansado. ¡Yo también!

Mi voz vuelve a proyectarse con un entusiasmo cretino. Yo nunca le hablo a nadie en ese tono. Pero aquí sonrío tanto y tan forzadamente que siento cómo me duelen las patas de gallo y las comisuras de una boca pequeña que no está concebida ni para sonreír sin ganas ni para masticar bocados grandes. Cuando sonrío, se me arrugan los ojos y me sale la papadita. Como si me estuviera viendo, me tapo con la mano la boca, la mandíbula, la parte inferior de la cara. Jonathan me escruta. Ladea la cabeza para ver si me ha salido un bulto en el cuello. Retiro la mano. No tengo nada. Estiro los labios para sonreír aún más si cabe. Creo que Mr. Cohen está enfadado, pero después le doy un poco de lástima, mientras hojeo el manual para buscar un tema que dé sentido a los tres cuartos de hora que restan de clase. He consumido todo el material que había preparado y me cuesta improvisar. Soy una profesora inexperta. Quiero quedar bien. Gano tiempo:

–¿Estás cansado, Jonathan? ¡Yo también!

Doy una palmada y ya definitivamente me siento como una perfecta imbécil. Jonathan debe de pensar lo mismo. Debe de pensar que le han colocado a una oligofrénica como profesora de español, a una muchacha desequilibrada a quien las medias le aprietan la tripita y, cuando nadie la ve, se desabrocha con disimulo la cremallera porque llega a la clase en plena digestión y con un saborcillo a ajos fritos en el cielo del paladar. Jonathan ve cómo me subo las medias. Debería haber comprado una talla menor. Mr. Cohen me descubre y traza ostensiblemente el gesto de mirar hacia otra parte, para que yo me suba las medias a gusto y le agradezca su tolerancia. Insiste, mientras sigo rebuscando entre las páginas del absurdo manual:

–*I'm tired. Very tired, Martha.*

–¡Y yo también!

Doy otra palmada. No me puedo controlar. Si Jonathan no se marcha, es porque él también tendrá que rendirle cuentas a quien paga sus lecciones. Mr. Cohen necesita, por tanto, que nos hagamos compinches, pero yo soy una mujer honesta y orgullosa. A veces, él adivina mi honestidad, mi sentido del deber, me respeta y colabora con nuestros diálogos de besugos.

–Soy de inglés. Cohen.

Las lecciones particulares son un espacio muy íntimo; hay que llegar oliendo a jabón de lavanda inglesa, con la lengua limpia, la boca impoluta después de los enjuagues. Jonathan me mira, transige, se da un golpecito en los muslos, se sienta correctamente, se inclina sobre la página del libro que acabo de abrir para él, se concentra más que de costumbre. Me hace un regalo:

–*Mi iamo Ionazan* y soy de *Grran Brretana. It's okey?*

–*It's perfect.*

Creo que Jonathan es un poco cabrón. Se burla. Es un

cliente que está por encima de mí y que, cuando se queda fijo mirándome –Jonathan duerme con los ojos abiertos–, tal vez imagina que mi casa es pequeña, que tengo un bebé que necesita leche de la farmacia, que estoy sola, que cojo el metro hasta el punto más periférico de la ciudad y después camino media hora hasta llegar al portal de mi casa, que leo novelas rosas y uso un ambientador de fresa en el retrete, que él tiene que comportarse bien, que me está haciendo un favor. No sé por qué me cae simpático. Mr. Cohen esconde un tirachinas en el bolsillo trasero de su traje y, sin embargo, experimentamos una empatía basada en el mismo concepto del esfuerzo y del sacrificio. Jonathan ha llegado a conocerme al menos un poco. Sabe cómo soy y le gusto. Si el primer día me hubiese convertido en la cómplice de sus siestas, me habría despreciado por hacer trampas. Jonathan se incorpora, se ajusta los pantalones a la cintura, se despide de mí alegremente:

–Adiós, *Martha.* Hasta *manana.*

–Hasta mañana, Jonathan. Sé bueno.

–¡Claro! Yo soy bueno.

Jonathan se burla de mí y a mí me asusta todo lo que sabe y me esconde. Me siento como una estúpida deletreando palabras, repitiéndoselas. Él no quiere avanzar más. El español le importa un comino, pero ha de justificarse delante de sus superiores. Es un duendecillo burlón y un prisionero.

Las clases no se prolongan a lo largo de demasiados meses. A Mr. Cohen lo destinan a otro país. Su empresa le pagará clases de chino o de ruso y Jonathan no se tomará las lecciones en serio, pero aprenderá sin que el profesor se dé cuenta. Aprenderá a traición y, si sorprende al profesor en un renuncio, lo despedirá. Más que nada por venganza.

Cuando acaban las clases, como no estoy segura de sus sentimientos hacia mí, le regalo a Jonathan una corbata. Él se emociona en *spanglish:*

–¿Es para *yo?, is it?*

Me abraza y me besa. Mr. Cohen no sabe tanto como yo me temía; sin embargo, les expresa a sus jefes su satisfacción por mis lecciones. Me envía a la sede de la universidad, en la que he cursado el máster, un marco de alpaca. Estoy avergonzada de mi comportamiento, pero el malestar no dura mucho. Quizá realmente las lecciones le han resultado útiles. Yo le he regalado una corbata. La directora del máster sigue confiando en mí. No se equivoca.

AMIGAS: UNO Y DOS

Uno. En el pasillo de la escuela de letras dos voces hablan de mí:

–Es muy amiga mía.

–¿Sí?

En el pasillo de la escuela, descubro que me he convertido en alguien desatento y mezquino con las amistades. Hace unos años me hubiera sentido halagada y hubiese irrumpido en una conversación que me atañe directamente. Me hubiese metido en el círculo o hubiese formado un círculo.

–Sí, hemos salido muchas veces juntas. Nos hemos contado muchas cosas.

–¿Sí?

–Me invitó a su fiesta de cumpleaños.

Hoy me doy la vuelta sin interesarme por la identidad de mi nueva amiga: yo ya tengo amigas suficientes y no me hace falta ni una más. No es escepticismo o desengaño, sino el peso sobre los hombros: tanto cariño es agotador.

–¿Y te divertiste?

–Mucho.

–Ah.

Estoy cansada y me da pereza iniciar los ritos amatorios que consagran las relaciones entre las nuevas amigas. A cierta edad ya no se toman las cosas tan en serio. Prefiero ser ahorrativa y no dispersar mis atenciones. Renunciar a ser encantadora. Mantener contactos corteses que no me obliguen a desnudarme o a contemplar el desnudo de los otros. Evitar un exceso de desgarro o de implicación. Envejecer o envejecer con dignidad.

–Yo la aprecio un montón.

En el pasillo de la escuela, me doy la vuelta sin comprobar quién me nombra ni a quién le pertenezco. No corrijo errores. No reconozco la voz. No sé quién me quiere tanto. No sé quién está hablando de mí.

Dos. Mi amiga desconocida me hace reproches:

–¿Cómo me has podido hacer esto?

–¿Qué?

Mis amigas verdaderas nunca me echaron en cara su insatisfacción. A ellas es posible que les hubiese escuchado atentamente y que me hubiese arrepentido de mis faltas, incluso de mis faltas involuntarias. Que hubiese suplicado su absolución de mis pecados. Nunca fue necesario que Elvira o Juani se pusieran un alzacuellos alrededor de la garganta y se cercioraran de mi arrepentimiento tras la celosía del confesionario. Mi amiga desconocida está a punto de desgañitarse. Ahora sé muy bien quién es por su voz chillona sobre todo:

–Tú ya sabes qué.

–No, no lo sé.

–Lo has hecho a propósito.

No le debo nada a esta amiga imaginaria que, como los amigos imaginarios de las películas siniestras, acabará por matar al niño que la invoca succionándole el meollo de la médula espinal. Los niños bienintencionados que encubren las tropelías y crímenes accidentales de sus amigos imaginarios mueren, exhaustos, por consunción. Las huerfanitas de los cuentos pueden llegar a ser gente peligrosa: el amigo imaginario, la voz destructiva en la cabeza del esquizofrénico, la madre plañidera que yo nunca tuve. Mi madre siempre fue, aparentemente, una mujer enérgica.

–No sé qué he hecho a propósito.

Sí lo sé. Pero, al hacerlo, mi amiga desconocida no se me había pasado por la cabeza. No existía. No formaba parte de los condicionantes para sopesar el alcance de mis actos. Decido encastillarme como el marido infiel que le niega a la esposa su infidelidad. Pero hay algo distinto: yo carezco de motivo para tener mala conciencia y no creo que pueda ser paciente.

–Lo has hecho para herirme.

–No sé ni siquiera de qué me estás hablando.

–Nunca hubiera esperado esto de ti.

Mi amiga desconocida es una psicópata. No tolera la felicidad de la que ella cree que disfruto y me escupe su dolor como si yo tuviera la culpa de sus hemorroides, de sus dudas, de la gente que no la quiere, de sus frustraciones, de sus pies fríos, de sus ojeras cuando se levanta de la cama, de lo que vale mensualmente su piso. A mi amiga desconocida en realidad no le importa lo que yo siento. No sabe nada de mí. Se lo imagina. Sólo le interesa tenerme al lado para que le seque las lágrimas y le dé la razón. Ella no sabe las cosas que a mí me hacen llorar porque yo nunca lloro en público y tengo la buena educación de no contárselas y de escuchar, calladita, sus lamentaciones. No me queda más remedio. La desconocida me acorrala, aunque yo no pretenda ser para ella ni siquiera una buena vecina. Como mucho alguien que con amabilidad le da las buenas tardes cuando se cruza con ella en el ascensor.

La desconocida ha dado por supuesto que me interesaban sus asuntos y que era un privilegio que me eligiese para explicármelos; yo, con el paso del tiempo, me he hecho muy austera con los derroches de cariño y con las blandenguerías. Con la amistad en desigualdad de condiciones. Con la caridad. Sin embargo, soy una boca de hierro que nunca deja de acudir a las llamadas de auxilio, aunque a veces se diga no vayas, no contestes ese mensaje; aunque luego me ponga rabiosa y escriba este tipo de sentencias que me gustaría de verdad poder llevar a la práctica. A mi amiga desconocida todo se lo niego, pero me quedo ahí, atendiéndola, mientras disimuladamente aparto el cuello de su boca para que no me chupe la sangre en un descuido.

CICLOTIMIA, ESQUIZOFRENIA, EMPATÍA, PARANOIA

Tras Jonathan, llegan Jens, Petra, Robert, una alumna de Japón, residente en Estados Unidos, que cuando acabo de explicarle una perífrasis, me lo agradece bajando a la vez la cabeza y las manos en posición de rezar. Yo imito su agradecimiento japonés sin ser consciente de lo que hago. Es un acto reflejo. Después sonrío y ella también sonríe. Es otro acto reflejo. Baja la cabeza. Bajo la cabeza.

Más tarde, imparto cursos para grupos de estudiantes de español y para estudiantes españoles de publicidad y de periodismo. La directora del máster ha confiado en mí y yo no voy a defraudarla. Pongo todo mi empeño. La frase que más pronuncio en aquella época es:

–Muchas gracias.

Primero trabajo con una beca, luego firmo un contrato temporal. Firmo un contrato indefinido después de leer mi tesis: me doctoro en Filología con un estudio sobre poesía española de la transición. Cuando el tribunal regresa de sus deliberaciones para comunicarme que ya soy doctora, les digo:

–Muchas gracias.

Y les doy un enérgico apretón de manos a cada uno. No me conceden el *cum laude*. Mi tesis es un documento atípico. A lo largo de sus páginas, no he citado las publicaciones de los miembros del tribunal. Durante las valoraciones posteriores a mi defensa, uno de los miembros pasa las páginas de mi trabajo como las de un periodicucho que no le interesase demasiado; otro exhibe ante los asistentes al acto la portada de una revista que él edita y que yo no he tenido en consideración. Los doctores se hacen publicidad a sí mismos y explican las razones por las que mi análisis es una ofensa o una insignificancia. Me lo tomo con sentido del humor porque las ofensas y las insignificancias son acciones, a veces cualidades, que no casan bien. Me convenzo de mi coyuntural sangre fría cuando, al acabar la encerrona, tiendo la mano a cada uno de los integrantes del tribunal y se la aprieto con fuerza. Mi madre tiene los ojos empañados, quién sabe si por felicidad o por rabia o por una mezcla confusa de las dos emociones.

Los doctores, a excepción de una, no acuden a la comida de celebración posterior al acto académico. Se van rápidamente. No se prestan a hacer el paripé ni un minuto. No me podrían dedicar ni una palabra amable. Sólo el presidente me ha dicho:

–Enhorabuena.

Y se ha alejado de la sala de juntas de la universidad charlando con otros catedráticos.

La doctora que acepta mi invitación a almorzar se ha enfadado. No he comentado elogiosamente la poesía de su ex marido. Come con gusto el besugo a la espalda que mi padre le paga en un restaurante, mientras cuenta la historia de lo mal que lo pasó en la lectura de su tesis.

–Mi tribunal fue durísimo.

Deduzco que la doctora es una mujer fuerte, es decir, que no aprendió nada de la lectura de su tesis, pero sonrío cuando relata sus anécdotas de doctoranda y unta mantequilla en un pedacito de pan de centeno. Incluso me atrevo a mentir con esa confianza que proporciona compartir mesa y mantel:

–Vosotros no habéis sido tan duros...

–Lo justo.

Hay personas que superan con éxito la sensación perenne de ser sojuzgadas o que realmente no llegan a captar cuándo están siendo sojuzgadas. La doctora sigue rememorando sus penurias y yo insisto:

–Pobrecita, qué mal te lo hicieron pasar...

Mi madre me mira por encima de las copas rebosantes de Viña Tondonia. No podemos dejar de estar contentos. Nos resistimos a que nadie nos agüe la fiesta y yo estoy muy tranquila, mientras la doctora continúa con sus evocaciones.

–Pasé casi cuatro años encerrada en la biblioteca.

La doctora parece un golfillo. Me la imagino en la biblioteca mirando las musarañas, culpándose de que el tiempo no le cunde o de que, por el contrario, no pasa lo suficientemente deprisa. La comida llega a su fin sin que el vino se me haya subido a la cabeza. Le doy dos besos a la doctora con aspecto de golfillo:

–Muchas gracias por todo.

Las clases son un espacio cambiante. Algunos días, al entrar en el aula y ver a mis alumnos, comienzo a oír como música de fondo la banda sonora de *Sonrisas y lágrimas,* tal vez la de *Funny Girl* o el *New York, New York*, cualquier melodía bien pautada y brillante, emitida por alegres trompetas y trombones de varas, risueños instrumentos de viento y percusiones, que marquen los tiempos con un poco de ironía, contundencia y a ratos una dejadez vacilona. Cada acción acarrea su reacción. Mis preguntas obtienen su exacta respuesta. Me brillan los dientes. Escribo un nombre en la pizarra y, al unísono, mis alumnos están apuntando el dato en sus folios. Cuento un chiste y ellos ríen. Nadie mira el reloj. Me paseo, mientras hablo, por el pasillo de la derecha entre los pupitres y los cuerpos de mis alumnos oscilan imantados por mis movimientos. Me paseo, después, por el pasillo de la izquierda y ocurre lo mismo. Vuelvo al centro del aula. Me siento un instante sobre el primer banco de la derecha. Vuelvo al centro. Después, me siento un instante sobre el primer banco de la izquierda. Vuelvo al centro. Abro los brazos, doy una palmada y se forman pequeños grupos circulares de alumnos electrizados por la emoción. Nadie sobra ni falta, no hay decimales en las divisiones y, de este segundo,

Busby Berkeley lograría un espectacular plano cenital en el que yo sería la bailarina que va de flor en flor porque, desde el techo, los grupos de estudiantes son margaritas que a cámara rápida brotan del interior de su capullo. Me han crecido, como grama, lentejuelas en la tela de los pantalones y me adorna un tocado de plumas de avestruz. El tiempo transcurre muy deprisa. Cuando los grupos acaban de trabajar, tengo a punto una transparencia sobre el retroproyector. Una mano voluntaria apaga las luces y yo enciendo la bombilla del retroproyector. Coloco otra transparencia sobre la transparencia original. Las palabras y las líneas de distintos colores superpuestos ofrecen una información completa y estéticamente atractiva. Los alumnos, muy anglosajonizados, exclaman al unísono:

–Guaaaaaaauuuuuuuu.

La clase funciona como el interior de un reloj fabricado en Suiza. Yo soy la estrella; ellos, los chicos y chicas del coro. Mis alumnos cantan en inglés acompasada y suavemente. Les doy sorpresas y ellos me dan la réplica con entusiasmo. Siempre sonríen y me siguen con la vista. Una mano se levanta en la esquina del fondo derecho. Respondo. Sobre la línea diagonal, una mano se levanta en el primer pupitre delantero de la izquierda. Respondo. Una mano se levanta en el punto intermedio de la diagonal. Respondo y se produce una carcajada unánime. Todos los movimientos han entrado dentro de los límites del mismo compás. La clase termina a la hora en punto. Los alumnos me entregan *dossiers* de actividades, presentados con mimo, y se despiden de mí con gestos encantadores, palmadas en la espalda, un hasta luego muy alegre. Me saludan por el pasillo. Me vienen a visitar a mi pequeño despacho. Se ponen tímidos y me cuentan historias a veces extravagantes:

–Yo soy el protagonista de *El túnel*.

–Mi abuelo no se ha ido de casa pese a haber muerto. Empapa las paredes...

–Quiero ser dibujante de cómics.

–*Lolita* me ha encantado.

–Dowell... ¿es impotente?

–¿Has visto *Casablanca?* ¿Estás casada?

–Cuando sea mayor, quiero ser como tú.

–No se lo digas a mis padres, por favor.

–¿De verdad te gusta La Polla Records?

Dispongo de tiempo y de respuestas para todos. Estoy deseando quedarme sola un instante. Estoy agotada y necesito descansar. Desajustarme la sonrisa de la cara como quien se desabrocha el botón de los pantalones después de una comida copiosa. Me encierro diez minutos en el cuarto de baño.

Otros días, nada más abrir la puerta, me basta un vistazo para empezar a oír la banda sonora de *Psicosis*. La cuerda machacona no me permite escuchar y sólo atisbo, entre una bruma insalubre, caras gesticulantes. Una película de grasilla en los cristales de mis gafas me enturbia la visión. Mis alumnos hablan bajo el agua. Son las pinturas de un Goya enfermo de sordera. Me observan con gesto mezquino como si me estuviesen pidiendo un dinero que no voy a darles. Los conozco bien. Me preparan trampas. Los más listos me están juzgando y descubren que estudio minuciosamente las lecciones antes de cada clase. Temo lastimarme la patita con la presión de sus cepos. Una minucia puede desmoronar la perfecta apariencia de este edificio asentado en una cimentación endeble. No soy invulnerable. Elijo los chistes. Se me corre el rímel por el párpado inferior de los ojos. Les oigo decir:

–Esto es una mierda.

Y no me atrevo a contestar. Mi rapidez es fruto de la repetición. Ellos lo saben y esperan que tropiece y me caiga. Los alumnos de un curso hablan de mí con los del curso anterior y descubren que soy una impostora. Cada año se calcan las mismas situaciones e incluso algunos personajes son idénticos. El chico lacónico de las ojeras marcadas, el escuálido, el anfetamínico, el lector de libros que yo no he leído, el que aspira a ser delegado de curso, el hombrecito anticipado, la niña lánguida, la que llora, la listísima que me observa con aburrimiento, la que exuda alegría y no para de moverse, la que habla mucho sabiéndolo todo de la vida, como una vieja, como una presentadora de la televisión o como una burócrata a punto de jubilarse. Los conozco bien y trato de complacerlos uno a uno. A veces no puedo. Mi oído de tísica me permite captar cada comentario. Les oigo decir:

–Eso es mentira.

Lo han dicho en un susurro. No puedo tomarme sus palabras como una provocación. Me callo y trato de despegarme del paladar una tela que se me está metiendo por la boca y por la nariz; una bola de pelo que me asfixia y me hace parecer una pobre tartamuda. No encuentro mis apuntes. Soy torpe para hilar las ideas. Me escucho y no entiendo lo que digo. Hay una distorsión, un abandono. Los brazos me cuelgan a lo largo del cuerpo y no sé dónde ocultarlos; me los cortaría. Observo la forzada gesticulación de mis manos mientras intento imprimir alguna expresión a mis palabras. Pero los gestos de mis manos no son espontáneos: van por detrás de mi pensamiento. El volumen de la música me molesta. No me permite concentrarme y, sin embargo, ahora escucho una frase con nitidez:

–Es una histérica.

Sospecho que va dirigida a mí, pero no estoy segura. La película de grasilla de mis gafas me emborrona los bultos de la clase y no sé distinguir la identidad de una de las personas sentadas en la cuarta fila. La que ha dicho: es una histérica. Los alumnos llevan los abrigos abrochados hasta el cuello y ocultan sus rostros. Sólo veo ojos que no puedo interpretar y manos que gesticulan por debajo de los pupitres. No sé quién me acusa:

–Te lo estás inventando.

Es posible que la voz esté en lo cierto. No sé responder. Cada pregunta nace de la peor intención y me da miedo prever cuál será la siguiente. Por la cabeza me pasa la serie de preguntas que yo ya me he hecho y que soy incapaz de contestar. Compruebo cómo poco a poco el murmullo sube de volumen y al final nadie me escucha. Se dan la vuelta. Me borran con su goma milan mientras yo escribo sobre la pizarra palabras manchadas de faltas de ortografía. Dudo de si «abandono» se escribe con b o con v. Dudo de todo. No les importan mis textos ni mis cintas de vídeo. Mis análisis y mis proposiciones son pueriles.

–Deja de ir tirándote el rollo. Eres vieja.

Tengo veintiséis, treinta, treinta y cinco años. Al dejar de escribir en la pizarra, frente a mí, contemplo una aglomeración de cogotes oscuros; entre el pelo brillan ojuelos burlones que me piden que abra un libro y lea en voz alta. Los cogotes quieren apuntar lo que digo en sus cuadernos cuadriculados. Quieren que les pregunte la lección. Les oigo decir:

–Que venga el profesor de Historia.

Tengo ganas de coger la puerta e irme. Un día me voy y al salir oigo:

–No sabe nada.

Pienso que me pueden despedir, pero cojo la puerta y me voy. La clase se queda en silencio. Un alumno viene a mi despacho y pide disculpas en nombre del grupo. Lo miro como si me hubiese hecho algo terrible. Pero el chico no me ha hecho nada. Posiblemente nadie me ha hecho nada y sobran las disculpas. Ese día no vuelvo a la clase.

Al final de cada semestre, los alumnos rellenan un cuestionario de evaluación sobre el trabajo de sus profesores. Incluso valoran nuestro aspecto y nuestra higiene. Me lavo cada mañana y, cuando el autobús llega a la parada de la universidad, me apeo y huelo con disimulo los huecos de mis axilas por si la calefacción del vehículo y mis nervios hubieran anulado el efecto aromático de los jabones y los desodorantes. Por primera vez, me preocupo de si me ha salido pelusilla en la comisura de los labios. Evito la posibilidad de que me bauticen con un mote.

–La mostacho.

Me pongo ropa limpia y bien planchada. Si una mancha de café me afea la pechera del vestido, sospecho que ése será el punto de concentración, el sumidero por el que se colará el interés de mis alumnos. Será una mancha eterna que no se borrará. Las profesoras exuberantes se abrochan un botón más de sus blusas estampadas.

–La pechugas.

Es importante la puntualidad. Hemos de ser eficientes, documentados pero no exóticamente eruditos, cariñosos sin llegar a la baba o a la persecución, amables, amenos, dialogantes, modernos pero conservadores, severos pero no sarcásticos. Atentos sin interferir en la vida privada de nuestros alumnos, tan distantes como accesibles. Perfectos mayordomos. En los cuestionarios hay un espacio en blanco reservado para los comentarios libres:

–Me molesta el timbre de voz de la profesora.

–La profesora no debería emitir opiniones políticas en sus clases.

–La profesora se viste de un modo excéntrico.

–La profesora es fea.

–La literatura es una mierda, y Salinger, más.

El último apunte corresponde a una encuesta de evaluación de un alumno ex legionario que me escribe cartas y me acecha agazapado detrás de los troncos de los pinos. Mi marido, durante los meses de invierno, me viene a buscar por las tardes a la universidad. Vigilo, a sus espaldas, lo que escribe el ex legionario en su cuestionario de evaluación. Me preocupa. Me enternece que sus palabras no sean más agresivas y que me haya valorado con la puntuación más alta en todos los apartados de la encuesta. Después, en las clases disfruta poniéndome nerviosa, contemplándome con escepticismo, riéndose de mis afirmaciones más sentidas, gesticulando sin quitarse su chupa coreana. No quiero entrar en la clase cuando está él dentro. Quiero que enferme o que decida que nada de lo que puede aprender aquí le interesa, que se quede en el bar jugando a las cartas o escudriñando los pechos de las chicas, embozado tras la capucha de su chupa coreana. Pero el ex legionario nunca falta a clase y jamás olvida nada de lo que digo. Me obliga a medir cada palabra y a estar pendiente de cómo frunce su trazo unicejo. El ex legionario no me entrega las tareas de clase, pero me escribe cartas de cinco, seis o siete folios, en las que recoge su visión del mundo y sus opiniones sobre mí. Es posible que me ame o que desee clavarme un cuchillo en la tripa o las dos cosas a la vez. Un día lo zarandeo en un pasillo. Él se deja. Se sonríe. Mira a sus compañeros con sus ojos oscuros y su expresión cejijunta. Es obcecado e insano. Mi marido va a recogerme cada día. El ex legionario se esconde detrás de un arbusto para acecharme y, sin que yo me dé cuenta, me mete cartas, ensayos filosóficos en los bolsillos, porque en la clase yo no acepto los papeles que quiere poner sobre mi mano. Quizá debería romper estas cartas, estos ensayos filosóficos, pero me sorprende la correctísima escritura del ex legionario y sus lecturas ávidas de Unamuno y de Ortega y Gasset. Habla de Dios. Elucubra sobre la naturaleza y sobre la soledad de los hombres. Escribe sobre las madres. Sobre el sentido de la guerra. Sobre Oriente y Occidente y sobre la fidelidad de los perros. Insiste en que Salinger es una basura y yo me planteo borrar del programa *El guardián entre el centeno.* Cuando imparto mis lecciones, procuro no mirarle jamás a los ojos. Lo borro del espacio, pero él permanece. No falta nunca. Quizá es una persona inofensiva, pero sus cartas no son inofensivas. Me revuelven el estómago y me inducen a temerlo en la misma medida en que me inspira compasión. El ex legionario me acecha desde detrás de los pinos durante todo un curso.

El ex legionario marca en las casillas de su cuestionario de evaluación las puntuaciones más altas para mí. No debería estar vigilándolo, pero lo vigilo. Me fijo en los detalles del cuestionario anónimo que él ha completado: el color de la tinta del bolígrafo con el que escribe, el trazo de su caligrafía, los tachones y correcciones del texto, el número de líneas redactadas en el rectángulo reservado para los comentarios libres. Guardo las evaluaciones en un sobre y, antes de entregárselas precintadas al jefe de estudios, me escondo en mi despacho, atasco la puerta con una silla y leo a hurtadillas los papeles, calibro la mezquindad y el desagradecimiento de mis alumnos, trato de reconocer a la persona detrás de palabras escritas con la impunidad del anonimato, sopeso mi soberbia, mi amor propio herido o estúpidamente recompensado. Identifico y separo la evaluación del alumno ex legionario, la rompo y guardo sus pedacitos en el interior de mi bolso. Para que nadie pueda encontrarlos al vaciar la papelera. De golpe, me avergüenzo por un montón de cosas, pero enseguida vuelvo a sentirme tranquila, casi orgullosa. Cojo aire y doy un suspiro que me limpia completamente por dentro.

Los alumnos vengativos, los enamorados, los resentidos, los pelotas, los rendidos, los impermeables, los mocosos, los rebeldes, los más inteligentes que quien les enseña, los que nunca llegarán a nada, los enfermizos, los borrosos, los encantadores y los encantados. Las serpientes y los borreguitos completan las encuestas. Los profesores sabemos qué hacer para complacerlos. No se trata de ser demasiado servil, sino de saber tocar ese punto justo que halaga la vanidad. Los alumnos que me dan miedo, los que me inquietan, son los que despiertan mi curiosidad. Les prodigo ciertas atenciones y me los voy ganando como el hombre de los caramelos se gana a los párvulos. Los meto dentro de mi gabardina. Me hago la encontradiza con ellos. Se quedan rígidos. A veces interrumpen sus conversaciones. No sé qué pensarán pero, pese a que fingen desinterés, en el fondo se alegran de mi casual acercamiento. Terminan buscándome. No les importa que los compañeros les vean entrar en mi despachito o sentarse a mi lado en el autobús de regreso al centro de la ciudad. A veces surgen la amistad y el cariño. No muchas.

–¿Has visto *Casablanca?* ¿Estás casada?

Los profesores somos gente acostumbrada a saber cómo le gusta a un determinado maestro que le recites la lección. Después hemos aprendido a recitársela al alumno sin llegar a ser completamente abyectos. Los profesores somos buenos actores de teatro, gente permeable, y nuestro trabajo depende de la satisfacción del público. De sus aplausos al final de cada representación.

–Me molesta el timbre de voz de la profesora.

A mí me molestan los pendientes con bolas de perla, los niños que no vocalizan, las carpetas con fotos de puestas de sol y de payasitos tristes, las canciones de catequesis, las camisetas con cocodrilos, el pelo engominado, las bocas que no cierran bien, los bilingües idiotas, las promesas de eterna amistad, la mala educación, los *piercings* en la lengua y los aparatos dentales, las uñas pintadas, las camisetas de lycra, la falta de inquietudes, la ñoñería, la ambición monetaria, la búsqueda de un estatus, los sueños dorados, la caridad, las tarjetas de crédito y de móvil, las parejitas de adolescentes que parecen estar pagando una hipoteca, los niños precoces y los eternamente niños, los videojuegos, las dietas, el no ver más allá de las propias narices, los balbuceos, las agresiones, los aspirantes a triunfador, los que se creen que la riqueza se consigue a pulso y que el que es pobre lo es sólo por su culpa. Pero debo callarme. Me pregunto si tengo derecho a transmitir a mis alumnos conocimientos que pueden sacarles de su cáscara de felicidad. No quiero herir a nadie ni vulnerar sus creencias religiosas.

–Tienes razón: el ser humano no puede provenir del mono. Adán es Adán desde el principio.

A veces les doy la razón a mis alumnos. Por no discutir. Tiro hacia delante. Mis cuestionarios de evaluación son magníficos a los veintiséis, a los treinta, a los treinta y cinco años. Algunos son sinceros. El ex legionario me mira desde detrás de una puerta. Quizá no me mira mal, sino demasiado bien. El ex legionario no suele hablar con casi ningún compañero de clase.

Me mira. No sé si me transmite rencor o me está pidiendo algo. Faltan ocho meses para que lo expulsen de la universidad.

Me pregunto cuántas vidas interiores y cuántos agujeros cósmicos me contemplan de lunes a viernes. Sin embargo, todo resulta lastimosamente previsible. A veces quiero gustar y otras no quiero gustar nada. Mañana, al abrir la puerta, puede llegar a mis oídos la música de *New York, New York* o de *El estrangulador de Boston*. Me tapo la cara con el antebrazo. Duermo mal. Compadezco a los alumnos aplicados que toman sus apuntes y jamás entienden. Les paso la mano por sus cabecitas. Los dejo estar, voluntariosos, mientras subrayan con bolígrafos de colores sus incomprensibles apuntes y sueñan con un adosado y un perro de lanas.

¿SOPERMI?

Nadie lo diría, pero a mí me gusta cantar tangos. Dentro de mi limitado repertorio, bordo *Los mareados* y *Nostalgia*. Tal vez si no me hubiese dedicado a la escritura habría podido ser cantante: los miembros del coro de doña Carmen aplicábamos nuestras mutantes vocecillas, nuestras facultades vocales, para entonar «Purísima virgen, encanto de Dios» en el belén viviente de nuestro colegio laico.

Los tangos me salen con mucho sentimiento porque, aunque he perdido la habilidad para estirar los agudos, el pito de cuando cantaba *Chogüí* en el condado de Somerset, he ganado en matices actorales y en vida interior. Mi vida interior es un invernadero de orquídeas que yo refresco con un humidificador de aluminio. Podo las ramas moribundas con unas tijeras de forma que los nuevos brotes puedan germinar sin putrefacciones ni estorbos. Apuntalo algunos tallos con palitos para que no se desmoronen. No permito que nadie invada ese espacio que no huele a nada y cuya temperatura es húmeda, pegajosa y asfixiante. En mi vida interior resuenan los tangos cantados por Libertad Lamarque y Mercedes Sosa. Alguna milonga tangueada. La excéntrica versión de *Nostalgia* que interpreta Iva Zanicchi. Hablo con mis enemigos imaginarios y les advierto:

–No me toquéis la vida interior.

Mi vida interior es la improbable ocasión de una epifanía. Un pájaro azul.

–Jo.

Claudia Fernández y yo somos dos profesoras que nos reímos de la vida interior de las niñas que lloran en la universidad porque les han suspendido alemán o historia de la metodología. Mientras a ellas se les saltan las lágrimas, nosotras nos hacemos las duras canturreando detrás de la puerta de nuestro despacho. Lo peor llega cuando somos auténticamente malas y fingimos para consolar a las alumnas, porque ese fingimiento y esa comprensión forman parte de nuestro trabajo en la universidad. Coordinamos, programamos, atendemos, instruimos, orientamos, asistimos. Intento borrar de mi cabeza la idea de que servimos. Claudia y yo alguna vez incluso nos conmovemos, pero procuramos que no se note. Sobre todo, es fundamental que no nos lo notemos la una a la otra. Somos como ese espectador que llora en el cine pero no quiere que su acompañante se dé cuenta y sufre intentando tragar el nudo de saliva que le obtura la garganta. Aunque Claudia es bonaerense, ambas odiamos la ñoñería, a los psicólogos y a los psicoanalistas. Le tenemos más fe a las drogas del psiquiatra. Claudia Fernández y yo somos dos acorazadas potemkin flores de té.

–¡Che!

Cuando Claudia pone el pie en la universidad, ella sí parece una tanguista: fular de gasa roja anudado al cuello, falda tubo que marca la curvatura de un culo redondo como dos medias manzanas, pantis negros y zapatos de medio tacón.

–¿Medio tacón? ¡Medio taco, se dice! Mira que hablan raro acá...

Mafaldita me reprende con voz de travesti, me corrige apuntándome con un pitillo de tabaco negro que humea entre sus dedos cortos y anillados. Un parisienne recién traído de Buenos Aires. También trae de allá, de vez en cuando, esas delicias de dulce de leche que te dejan pegada la lengua al paladar y que sólo los argentinos son capaces de masticar de una manera más o menos digna. Claudia abre la puerta del despacho de la jefa –ella me enseña a llamarla así– como una exhalación:

–¿Permiso?

Claudia tiene la voz más aguardentosa del mundo y es becaria de la Agencia Española de Cooperación Internacional. Cuando acaba su beca, le dan otra en la universidad. Luego otra más y puede que otra mientras ella lucha por obtener permiso de residencia, permiso de trabajo, la nacionalidad española. No recuerdo la secuencia exacta, aunque el orden de los factores sí altera el producto. Claudia, a los treinta y todos, ostenta el título eterno de «puta becaria sudaca de mierda». Así la llamo yo con un amor extremo que quiere ser a la vez una forma de reivindicación laboral y crítica política. Ella me responde:

–¿Querés que te dé un bife?

Somos tan duras que la posibilidad de hacernos daño resulta inconcebible. Nos reímos mucho porque Claudia, igual que Elvira, es risueña y su carcajada, que a menudo le da tos, vibra a través de un cuerpo voluptuoso de esos que se hacen notar sobre todo en el baile. No es que bailemos todos los días, pero si alguna vez nos toca bailar, el cimbreante cuerpo de Claudia resplandece. Sigue llamando la atención cuando, después de quince años en Madrid, retorna a Buenos Aires y su amiga Eva cede su casa para que celebremos una fiesta de despedida. Una fiesta que me hace evocar a Claudia al entreabrir por primera vez la puerta de la jefa:

–¿Sopermi?

Claudia chamulla el lunfardo. Muestra la blanca dentadura

manchada por la nicotina de los parisienne o los ducados a los que se acostumbra en España. También se acostumbra a comer pescado y a otra manera de cortar la res. Prepara gazpacho. Deja el mate. Mientras ella cambia de hábitos alimenticios, yo me veo a mí misma de niña cuando quise ser de donde no era. El empeño estéril y el sentimiento quizá paranoico de creerse expulsado de todas partes. En esa equivocación hay un dolor que me hace mirar a Claudia con una complicidad que tal vez no entiende. Yo, de adulta, me río de los cosmopolitas. De los aventureros. De los marcianos y de otra gente que no existe más que en las pantallas de plasma.

En la universidad Claudia y yo trabajamos hasta las ocho, las nueve, las diez de la noche. Pasamos tantas horas juntas que sincronizamos nuestros relojes y nuestras menstruaciones. Mi marido nos viene a buscar y los tres tomamos cerveza. Una, dos, tres, siete. Estamos en un bar de la calle Divino Pastor donde comemos las tapas que nos sirven, aunque ya tengan el pan humedecido por la pizca de tomate que las adorna. Tapas babosillas de jamón serrano malo o de comida para gatos. Nos da lo mismo. El caso es empapar el alcohol mientras nos relajamos después de jornadas interminables que en nuestro reloj interno se acortan por lo mucho que siempre hay que hacer. No notamos el hambre o la sed. Las ganas de hacer pis. Nos damos cuenta de la carga de las horas, la tensión acumulada, el agotamiento, al subir al coche. Mi marido mete la llave en el contacto y arranca. Dejamos atrás negros pinares y geriátricos dirigidos por monjitas. Dejamos atrás el siniestro colegio de huérfanos ferroviarios y las dependencias de la universidad. Los matrimonios de urracas y de palomas torcaces.

Las conversaciones que mantenemos en la taberna casi siempre giran en torno a nuestras ocupaciones. Tal vez es obsesión o tal vez el miedo a una intimidad que llegue a doler. Claudia acabará marchándose y, cuando se barruntan esas distancias y esos desmembramientos, hay que protegerse. Profilaxis. Prevención. Salvaguardar la orquídea. Entregarse sólo hasta cierto punto. Ser egoístas.

–¿Otra ronda?

Pagamos nosotros. Yo no consentiría que pagase Claudia. No es generosidad. Es soberbia. Nos levantamos apoyando las manos en el mármol de la mesa, un poco borrachos, y me cojo del brazo de mi marido. Me acurruco y en esa búsqueda de calor bajo la axila hay algo ostentoso. En mi cabecear de topillo ciego contra el jersey de lana de mi marido. Claudia se encamina sola hacia la parada de un autobús.

–Chau.

No recuerdo si alguna vez hablamos de mí pero, pese a las barreras protectoras y la manía laboral, entre cerveza y cerveza gotean datos de la vida de Claudia al otro lado del océano: para casarse en Argentina se hace un análisis de sangre; su marido es músico y se llama Pablo Coll porque su familia proviene de Cataluña –ella recuerda a sus suegros, sus exquisiteces, su escalivada y su glamur intelectual–; Claudia y Pablo se divorcian, pero yo desconozco sus razones; el papá de Claudia se llama Franklin como una marca de inodoros famosa en el Cono Sur; Franklin, peronista y *maradonista*, *maradonero* o *maradoniano,* es carpintero y fabrica desde piezas enormes para levantar casas hasta cucharas de palo para remover la sopa; Claudia admira mucho a su viejo; sus padres padecen la crisis encerrados dentro de la casita que Franklin levantó con sus propias manos; la madre sufre un ictus y se recupera con dificultad pero se recupera paso a paso; Claudia se llama Claudia Esther porque a los argentinos les encantan los nombres pomposamente compuestos mientras que las madrileñas áridas preferimos los nombres secos, cortos, como un golpetazo o como las instrucciones que se les dan a los perros; al sobrino de Clau, excelente jugador de hockey infantil, le detectan un problema de crecimiento sometiéndole a no sé qué test de medición de los huesos de la mano. Los muchachos no comen bien. Claudia se preocupa. Llama por teléfono. Manda plata. Guita. Recomendaciones. Claudia se hace a sí misma estudiando muchísimo en la Universidad de Buenos Aires, dando clases, optando a becas, yendo a cineclubs. Ella nunca parece triste y, sin embargo, por dentro se debe de resentir de fracturas y nostalgias.

–Quiero emborrachar mi corazón...

Pedimos otra ronda y matemáticamente evitamos conversaciones sobre el temor de no pertenecer a ningún sitio. De llegar a perder un acento que en Madrid se oye casi como culpa y que, al volver a la Argentina, se transforma en el reproche de hablar en madrileño o en dialecto de meseta:

–¿Permiso?

Claudia trabaja empecinadamente. Dentro de poco me voy a dar cuenta de que todas trabajamos de la misma manera. Como si estuviéramos locas. Con la fuerza y el ímpetu de las personas que han perdido la razón. Pero ahora escruto a Claudia entre sus montañas de carpetas azules, ficheros de alumnos de los programas a distancia, libracos y libricos, justificantes de pago, ejercicios de clase, apuntes con contenidos sociopragmáticos y pragmalingüísticos, esas cosas a las que ella les da tanta importancia y que, para mí, son chorradas, ficciones pseudocientíficas, como diría el compatriota ciego de mi amiga la Fernández. Clau. Claudita. La negra. La miro trabajar. Tanto amor al trabajo, tanto perfeccionismo entre el desorden y la duda innatos en Claudia, esa eficiencia entre el caos, puede que sólo se justifique por la punzada del vacío. O a lo mejor lo único que ocurre es que ella es discreta y yo acumulo ideas prejuiciosas: Claudia tiene un cuerpo bonito, es una mujer agradabilísima e inteligente, le gusta conversar, aunque se queja de que en Madrid casi no puede meter baza porque carece de los recursos autóctonos para interrumpir la conversación. En realidad ella no calla ni debajo del agua y, cuando se pone tan finísima, yo me divierto. No le replico. Claudia es un dechado de virtudes para hombres y mujeres, perros, gatos y estrellitas de mar. Pero le salen granos. Por el estrés que reprime. Por tener un pie en Madrid y otro en Buenos Aires –nadie tiene unas ingles tan flexibles–. La reacción de Claudia frente a su acné es un ejemplo de optimismo: asegura que es mucho mejor que lo malo le brote por fuera; de no ser así, la consumirían las neumonías y los cánceres.

–«Rara, como encendida, te vi bebiendo linda y fatal...»

Pienso que nadie puede querer a Claudia por culpa del acné y mi compasión habla mal de mí, que soy aún una párvula, una pava, que ignora que los ombligos profundos, las tetas caídas, el cutis picado, las cicatrices, las orejas de soplillo, las cojeras, las lorzas, los ojos pequeños o el culo fofo pueden entrañar un gran atractivo. Incluso en puntos no tan remotos del mapamundi existe gente que no le dé importancia a las imperfecciones. A mí, por mi perturbado canon de belleza, me cuesta mucho creer en ese tipo de ceguera o desinterés estético: si una persona tiene una pupa en el labio, toda mi atención se concentrará en la herida. Al menos durante los seis primeros meses. Esa característica de mi ojo me induce a esconder mi propia nariz con la mano a lo largo de toda la adolescencia y a demostrar en mis escritos un gusto morboso por puntos de sutura y líquidos corporales.

–«Bebías y en el fragor del champán loca reías, por no llorar...»

Claudia nos presenta novios o amantes y nosotros les ponemos faltas. Peros. Gordo, flaco, viejo, joven, marica, basto, pedante, políglota, inculto, hirsuto, calvorota, pelado, imbécil, exageradamente cocainómano... Nos ponemos exigentes quizá porque la queremos mucho. O porque tenemos celos. O porque la protegemos exagerando su vulnerabilidad y exhibiendo nuestro confort afectivo. Podemos darle consejos y practicar la caridad cristiana aprovechándonos de que Claudia tiene los ojos tristes y, bajo su voz hombruna, duerme una mujer que tiembla. Tal vez quererla tanto es quererla mal y sobrevalorarla es una forma de infravaloración y, en este preciso instante, me retracto y pienso que a lo mejor sí necesitamos urgentemente un psicólogo argentino porque estamos penetrados por un discurso que nos invita a hacer papiroflexia sentimental y masturbación cognitiva. Con Claudia no medimos el volumen de nuestra desconsideración ni lo profundas que pueden ser las penas negras. O puede que todo sea muchísimo más simple: Claudia es una de las pocas personas en este mundo a quien no le gustan los huevos fritos.

La Fernández se pone seria cuando habla por teléfono con algunos alumnos. Rigurosa. Vocaliza cada palabra para que se la entienda bien y no se deja arrastrar por ningún despropósito lunfardo. Mirando y remirando a mi compañera, veo cosas de mí que no me gustan. No es una paradoja: a veces mirando a los demás nos hacemos conscientes de nuestros estreñimientos e inmundicias. La viga en el ojo propio. Miro a Claudia y me duele, como un flato, el desprecio del bueno, la falsa superioridad, la condescendencia:

–Pobrecita Claudia.

Pobrecita Claudia viene a cenar una Nochebuena a la casa que mis abuelos tienen en su pueblo natal. La agasajamos como al pobre a quien se sienta una noche a la mesa. La negra come cordero y espárragos blancos. Bebe vino tinto de la Ribera del Duero. Paladea el dulcísimo ponche segoviano. Degusta licores. Se fuma un purito que le ofrece mi abuelo. En un acto de gran generosidad llevamos a Claudia a hacer turismo: las hoces del Duratón, San Frutos, las ermitas que quedan sumergidas bajo el agua y las espadañas de las iglesias donde se lee «Se vende. Razón en...». Nuestra generosidad roza lo repugnante. Siento que Claudia tiene la obligación de ser buenita para que la queramos. Que no puede protestar porque todo se le regala y por todo debe estar agradecida. Claudia no podría decir:

–El cordero huele a sebo.

–El vino sabe a corcho.

–El pan está duro.

Las valoraciones que nosotros, dándonoslas de gourmets, con una mala educación que ni siquiera se debería tener en familia, hacemos a cada rato en la mesa. Esas apreciaciones indican lo que hemos aprendido, el nivel de formación, el borrado de los orígenes: la pérdida del pelo de la dehesa y de la extracción social. Ser impertinente suma un plus de refinamiento. Una actitud que Claudia podría compartir si estuviese en su hábitat y no aquí, en una zona de humedales y avifauna en peligro de extinción. Garzas y buitres. Donde hay confianza da asco: no podría estar más de acuerdo con el dicho. Aunque en realidad no se trata de confianza, sino de prepotencia. Un manipulado exceso de sinceridad. Somos finos como los pedos de las putas. Hay que demostrar que uno no está acomplejado por nada y que sus papilas gustativas se han educado en un internado suizo:

–Esta lata de espárragos, ¿no estará caducada?

Los conocedores exhiben su mala educación sin comedimiento: en los grandes almacenes mi abuela Rufi se chupa el índice y moja la seda de la blusa con saliva para comprobar si encoge. Mi abuela sabe mucho de tejidos. La seda se contrae y mi abuela abandona la blusa en su percha, la cuelga de medio lado, como vaca en el gancho del congelador industrial. Pone mala cara a la vendedora porque cree que ha querido timarla. Pone cara de «a mí me la vas a dar tú».

Claudia se ha comportado muy bien y nosotros dejamos que forme parte de la foto de familia: abuelos, primas, tías y tíos, padres, madres, hermanos, sobrinos, todos aplanados y tensos bajo el cristal del marco de la fotografía navideña. Mi tía Pilar recorta de otras fotos siluetas de los ausentes y las pega en el retrato colectivo para que no falte nadie. A veces incluso cambia una cabeza, que ha salido poco favorecida en la instantánea, por otra que a ella le parece mejor. La desproporción, sin necesidad de mirar con lupa, resulta monstruosa. Aficiones como ésta ponen de manifiesto que no podemos darle lecciones a nadie. Me parece a mí.

La imagen de Claudia en la foto de grupo es real. Sonríe muy bien arropada. La nieve blanquea el paisaje del pueblo. Mi prima pequeña mira a la extranjera como si fuese una ignorante cuando dice:

–En Argentina en Navidad hace mucho calor.

Claudia da las gracias, nos vamos.

–Pobrecita Claudia. Aquí sin familia. Sola en Navidad.

Dice mi abuela Rufi agitando una mano como despedida. Mi abuela cree que ha hecho lo que Dios manda. Que ha sido buena de verdad. Ella me enseñó a rezar el «Jesusito de mi vida» colocando las dos manitas juntas delante de la nariz, pero no me inculcó la suficiente fe ni la suficiente caridad ni la suficiente esperanza como para evitar que yo, ahora, sienta el sabor de la bilis amarilla en el cielo del paladar. Un cielo sin San Pedros ni San Pablos ni cortes celestiales que toquen la trompeta.

Al acabar las vacaciones, la Fernández regaña a los alumnos rezagados. Y a los descontentos. Imposta una acritud que se recrudece gracias a la textura de orujo de su voz. Las clases de Claudia son magistrales pero se despista en sus labores burocráticas. Aspira a ser jefa y, para ser jefa, no ha de quedar ni un cabo suelto. Entiendo que Claudia quiera ser jefa. En otra compañera la misma actitud me habría parecido un acto de vanidad y abyección. Pero Claudia viene de muy lejos y su sobrino se ha sometido a un test de medición de los huesecillos de la mano porque no crece al ritmo del percentil. Mi piedad es sucia para lo bueno y para lo malo. La arenilla mancha mi ojo de una compasión gelatinosa que no me deja ver la verdadera realidad.

–¿Sopermi?

Claudia entra en su fiesta chamullando el lunfardo. Allí están todos los que la quieren sin compasiones. A fuego vivo y pecho descubierto: las hermanas navarras, Ana y Mariví; Manolo, que tiene un taller de serigrafía en la calle de la Cabeza, al lado de donde nació mi abuelo Ramón –los círculos tienden siempre a cerrarse y a hacerse concéntricos, pegajosos...–; Eva, peculiar empresaria del sector de la moda; Isabel, Gerardo, María, Buttini, que hace películas, y el dueño del bar La Berenjena, que murió de un cáncer fulminante... Claudia se muda a menudo y la mudanza es la prueba absoluta de la solidaridad: sus amigos, formando una cadena humana indestructible, quedan para embalar objetos, transportar cajas pesadísimas, conducir furgones, pintar las paredes, fregar, decorar el nuevo espacio. Yo nunca ayudo a Claudia en sus mudanzas. Pero su grupo de amigos actúa como un colchón asistencial. Compacto. Cariñoso. Claudia se ha construido un acá. Y una casa. Sin familias ni gentes con las que celebrar las fiestas señaladas del santo cordero y el haba del roscón de Reyes y la inmaculada conchita...

–¡La concha de tu madre, qué mal sonó eso!

Claudia es Penélope. A un lado y a otro del mar teje y desteje afectos y los vuelve a tejer porque su capacidad de amor es inconmensurable. Después se marcha. Sufre. Se regenera. Coge el telar. Duda. Mi compañera es una gran fajadora que encaja los golpes, consciente de su desventaja. O quizá de una fuerza que yo nunca tendré y que la hace sentir lástima de mí sin que yo lo sepa. Si lo supiera, me moriría de rabia. De vergüenza. De herido orgullo. Me negaría a ocupar esa posición. Claudia me trata con tacto exquisito para que no me hunda. Yo le lanzo, con mucho cariño, directos de complicidad a la mandíbula:

–Clau, eres una puta becaria sudaca de mierda.

Claudia faja. O calla. O ríe. O me da la razón. Yo la insulto con amor porque no quiero enfangarme en esa buena voluntad que hace de mí una mala persona. Claudia, sin decir palabra, me enseña la suciedad que hay dentro de mis ojos: el hombre de la arena me vacía un saco entero en los lagrimales. También me enfrenta con mi cobardía paleta, con mi gusto por el interior mullido de las bolsas de pelusa, con mi incapacidad para estar sola y con mi desidia para hacer amigos o confiar en quienes no son de toda la vida, con la reticencia a abandonar los ritos de la endogamia, la posición del misionero, el repulido de la loza del váter, la hora señalada para que suene el despertador.

–Pago yo.

Desde que vuelve a vivir en Buenos Aires, Claudia sólo me ha enviado un par de correos. A veces Isabel me cuenta lo que sabe de ella. También Ana y Mariví me dan alguna noticia. Imagino que la negra andará muy ocupada. Ya no es becaria, sino jefa de un departamento de la universidad. Hablará por teléfono con su voz de hombre. Reirá y bailará en algún boliche nocturno. Quizá ya no viva de alquiler ni se mude cada seis o siete meses. Quizá ahora es ella quien sienta pobres a su mesa y mira a sus subordinados por encima del hombro. O peor: les hace creer que son de la familia y que le importan. Teje y desteje. Sale con sus amigos de juventud y cuida a las amigas que sufren cánceres prematuros. Mientras le coloca un apósito helado en la frente, la cara de la enferma se desdibuja y Claudia ve cadenas humanas que guardan la vajilla entre papel de periódico y cierran cajas de cartón con cinta adhesiva. La negra casi escucha el sonido de la cinta al despegarse del rollo. Aprieta los párpados para no oír, borra imágenes, se concentra en lo que tiene delante, teje y desteje. Como una atleta de férrea voluntad. Aunque siempre deseemos lo perdido. Lo que ahora es el aire que no podemos agarrar con las manos.

–¿Sopermi?

Cuando come con su familia un asadito y se queja de que quedó un poco soso, un poco duro, bastante requemado, a la negra le recriminan su molesto deje de Madrid.

CUCARACHAS EN LA COCINA

He tenido dos suegras. Una de mentira, la otra, de verdad. La de mentira era flaca; la de verdad, gordita como una croqueta de jamón. Ninguna de las dos interfirió en mis relaciones con sus hijos. Ninguna de las dos respondía al tópico de la suegra manipuladora y metijona, la suegra-reina-abeja-borgia que envenena a las princesas prometidas con los príncipes herederos al trono. No he mantenido con ellas relaciones de dependencia o rechazo. No he compartido secretos con ninguna. Las he escudriñado cuando se volvían de espaldas, mientras dormían, antes de que se tomaran su tiempo para arreglarse y colocarse sobre el cuerpo sus vestidos. Ninguna de las dos me ha dado razones para odiarlas con este mi odio fácil y dispuesto a disparar que enseguida huele a pólvora echada a perder.

Me compadezco de mis suegras. El primer argumento de mi compasión soy yo misma. Si yo hubiera sido suegra de una mujer de mi carácter –ni óptimo ni pésimo, pero carácter, y tal vez haya que aclarar que el carácter no se reduce a las explosiones sicilianas o a la palidez de la cólera–, es posible que hubiese temblado porque yo con mis hombres me comporto como esa musa que aspiré a ser de niña. Exijo: atención permanente, mimo, reverencia, adoración, anticipación a mis deseos, aquiescencia y connivencia, exclusividad, fidelidad, promesas de eternidad, contrición en caso de falta, suavidad y fuerza –según–, sexo frecuente o lagunas de sexo sin acusaciones de frigidez, comprensión en las etapas depresivas, maravilloso tono de voz, miradas lacrimosas y emocionadas, silencio, quietud a la hora de dormir, admiración, puntualidad, alabanzas sin adulación, paciencia, capacidad para evitar el conflicto y para pedir perdón, amor extremo e incondicional hacia la familia de la esposa, algún detalle, una sinceridad relativa, preocupación por los asuntos domésticos y por la buena marcha del mundo, gusto por la lectura, un corazón de león, salud de hierro, clarividencia, afabilidad y disponibilidad para viajar. Ser mi pareja es una profesión y un auto de fe. Yo, por mi parte, no soy especialmente egoísta y estoy dispuesta a dar como pago casi lo mismo. Un psiquiatra quizá me recetaría unas cápsulas; sin embargo, estoy segura de que, en un tiempo no muy lejano, se descubrirá que esta concepción exigente de las relaciones sentimentales se coloca en las antípodas de lo enfermizo. Tal vez muy pronto los psiquiatras, los psicólogos, los asesores conyugales se arrepientan de todas las cosas de las que pretenden desposeernos, de todas las cosas por las que pretenden culpabilizarnos y reducirnos a criatura discapacitada, de todo el mal que están inoculando en corazones inocentes que poco a poco se van quedando sin fuerzas.

Si hubiera sido la suegra de una mujer como yo, habría sacado a la luz mi instinto protector hacia el cachorro. Habría prevenido a mi hijo y habría puesto delante de los ojos de mi criatura los defectos, físicos y morales, que al primer golpe de vista hubiese detectado en mi nuera. Los dientes salidos, el pelo pobre, el vello en los antebrazos, la risa tonta, el gusto por los perfumes mareantes, la separación de la carne entre los muslos, la incultura, la falta de disposición para las labores del hogar. Si mi nuera hubiese parido muchos hijos, la habría llamado coneja; si ella hubiese logrado que mi hijo preparara la comida y fregase los váteres los sábados por la mañana, la habría llamado papona; si mis nietos contrajeran el sarampión o sacaran malas notas en el colegio, habría dicho que era una mala madre; si mi nuera pidiese el divorcio, la habría llamado puta y la habría despedido con el siguiente buen deseo:

–Que Dios te dé tanta paz como tranquilidad dejas en esta que no es tu casa, coneja, papona, mala madre, puta.

Y no me habría arrepentido. Si hubiera sido madre de una hija y mi hija contrajera matrimonio con un yerno que la dejara preñada cada año, habría dicho que mi hija era oligofrénica; si mi yerno permitiese que mi hija cada día le preparase la comida y fregase los váteres con sustancias químicas que le provocaran tos y le pelasen la piel de las manos, habría dicho que mi hija era oligofrénica; si mi yerno consintiera que sus hijos sacaran malas notas y no le diese demasiada importancia al asunto, diría que mi hija era oligofrénica; si mi hija no pidiera el divorcio, diría que era oligofrénica. Habría sido mucho más intransigente que mi madre.

Mis suegras no parecieron manifestar hacia mí ninguna fobia. La primera me acogió en su casa con una generosidad que yo no supe ver ni mucho menos le agradecí. Se llamaba Pepita pero, para mí, sólo era la madre de mi novio. Algunas personas no la llamaban Pepita, sino Fina, otras María José. Alguien con tantos nombres debía de sentirse confundido y desubicado. Pepita era viuda y trabajaba en la tienda de regalos de su suegra, quien posiblemente culpara a su nuera –suegras dentro de suegras y nueras que acaban en suegras– de la insuficiencia renal que arrancó a su hijo de la vida y se lo llevó hacia una muerte prematura, tras una enfermedad que Pepita sufrió con dos niños pequeños agarrados a su falda.

En verano, durante las vacaciones de Semana Santa, en los puentes, yo regresaba a Benidorm y me alojaba en casa de Pepita para estar con su hijo. Eran los tiempos del instituto, los primeros años de la carrera universitaria. Cuando Pepita volvía de trabajar, nos describía los latigazos despóticos que su suegra le había propinado. Pero no lo hacía inmediatamente. Se oía sonar la llave en la cerradura y Pepita entraba en el salón con el rostro surcado de frunces; era alguien muy abatido que sufría jaqueca y que, cuando sus hijos le preguntaban, mantenía silencio. No debía hablar. Mientras tanto yo probablemente me estaría comiendo un bocadillo, porque mi amor era como una solitaria que contemplaba aburrida a Pepita cuando se desplomaba sobre el sofá y un poco más tarde, después de hacerse de rogar, contaba con los dedos los agravios de la abuela, que arrancaba a Pepita sus alas de lepidóptero con pequeñas malas acciones: una mirada lateral, una regañina por la ubicación de los *souvenirs* sobre los estantes o por un diálogo sospechosamente largo entre la nuera asalariada y un cliente que después se había marchado sin comprar. Pepita hacía sus pucheros y yo recordaba que había mujeres que trabajaban en conserveras y olían a pescado, mujeres que fregaban pisos y oficinas, que asaban hamburguesas sobre planchas impregnadas de tocino, mujeres que ponían copas en las barras de los bares de la estación y aguantaban las peroratas de los borrachos y tenían miedo por lo que pudiera pasar. Trabajar en una tienda era un privilegio y, entonces, yo no atendía a Pepita: era una quejicosa y no podía mirarla con clemencia; en otras ocasiones, deseaba que Pepita huyese, que mandara a tomar por culo a la abuela de sus hijos, a la madre de su marido, a la dueña de la tienda de *souvenirs* que le había comprado la casa donde vivía. Los días en que tengo ganas de gritarle a Pepita «venga, lárgate», me detiene esa pose de no querer decir que acaba con ella lagrimeando y soltándolo todo con pelos y señales. Pepita instiga a la hija y al hijo para que no amen a la abuelita, aunque acepten sus regalos de roñosa. Desconfío. No le presto a Pepita mi hombro. Me paralizan sus manos pulcras, su aspecto de mujer a la que le han sonsacado la información, de Santa Lucía sin ojos y de Santa Águeda sin tetas, en ese ambiente irrespirable en el que debí agradecer que me dieran comida y cama. Pepita no puso objeciones a que, a los dieciséis años, yo durmiese con su hijo. Tan sólo me advirtió:

–Ten cuidado, porque luego las cosas no salen tan bien como entran.

Esta recomendación, en boca de Pepita –Santa Águeda, Santa Lucía, Santa Cecilia, patrona de la música–, me pareció una ordinariez, un consejo burdo y fallero: la fragilidad de Pepita, sus ojos azules, sus labios perfilados y finos, su piel semitransparente que enseguida se sonrojaba, contravenían los pensamientos eróticos. Pepita podría haber sido adepta de una iglesia sectaria. Ante el relato picante, lanzaba la risita de quien no entiende que la risa es un desperezarse, una expansión. Sin embargo, ella no era una dama religiosa: era un ser con el atractivo de una doña Inés en la noche de difuntos. Tal vez todo fueran falsas apariencias –las mismas falsas apariencias que posiblemente habían dificultado su contacto con otros hombres tras la muerte del marido–: Pepita sabía bien del gusto que da lo que entra y de la dificultad de lo que sale. Si hubiese sabido de mi promesa de esterilidad, habría cerrado la boca y se habría ahorrado una ordinariez.

A Pepita le daban pánico las tormentas y, cuando se ponía a llover, cortaba los plomos, cerraba las persianas y nos prohibía salir a la calle. Le seguíamos el juego. Los hijos de Pepita, Pepita y yo nos quedábamos en el salón hasta que los rayos y los truenos cesaban. Después, Pepita daba la luz y se ponía a leer *La Regenta*, que es el único libro que ella no debería haber leído. No hay más que recordar los ataques sobre la alfombra de piel, las pesadillas y la mortificación procesional de Ana Ozores. No sé si la madre de mi novio leyó bien *La Regenta*, si se identificó con el personaje de Clarín –a veces estar casada con un viejo o con un muerto viene a ser lo mismo desde una perspectiva naturalista–; si experimentó la conexión –de nuevo, naturalista– entre la mente y la genitalidad, entre la abstinencia y el misticismo, pero resultó ser una mujer inteligente y, sobre todo, resultó ser una mujer cariñosa.

Me llamó por teléfono cuando su hijo me dejó, para interesarse por mí y tal vez para enterarse de lo que había sucedido con una historia de amor, adolescente y a distancia, que duró siete años. Aquello no era un amor, sino una promesa, una cintura muy ceñida, una solitaria. Fui lacónica en mis contestaciones porque tampoco yo me había enterado de lo que había ocurrido. No le agradecí la llamada a Pepita; la interpreté como un insulto, como un regodeo que ella había ido larvando cuando consentía que yo durmiese en la cama de su hijo; cuando me levantaba a las doce del mediodía, mientras ella llevaba horas de pie en la tienda vendiendo gitanas y toallas con estampados de toros; cuando durante los meses de verano ella pagaba el arroz, la lechuga, el embutido o los filetes de pollo con los que me alimentaba mientras yo usaba sus cubiertos, gastaba su agua para ducharme y su luz para leer por las noches. Mi amor era una solitaria; yo, un parásito perezoso. Cuando Pepita me llamó, sólo me acordé de que imponía a su hijo la obligación de fregar los platos y de que esa obligación había funcionado como una estratagema contra mí, porque mermaba el tiempo del que yo disfrutaba, con el hijo de mi suegra, de la solitaria de mi amor.

Ahora estoy segura de que la razón principal de mi voluntarioso enamoramiento fue que el hijo de Pepita pintaba y cursó Bellas Artes. Durante aquellos años de instituto y comienzo de la carrera, mantuve relaciones con otros chicos con aptitudes pictóricas: ya he contado que uno de ellos me dibujó varias veces y quizá por permitirme cumplir uno de mis sueños –pretensiones– de infancia sigue siendo uno de mis mejores amigos.

–Tengo nariz de patata.

–Es verdad.

Me lo decía en broma. O a lo mejor no. Su madre sólo me llamó una vez por teléfono. Mientras estuvimos juntos nunca se manifestó, pero su carácter fantasmagórico nada tenía que ver con el desinterés, sino con la confianza. Cuando la madre de mi amigo marcó el número de teléfono de mi hogar conyugal, estaba preocupada por las rarezas de la nueva compañera de su hijo: la desazón llevó a aquella imagen fantasmagórica a materializarse. La madre de mi amigo proyectaba sobre mí una preocupación que sólo yo podía compartir con ella. Ella confiaba en mí y yo la tranquilicé. Hablamos de una época que no se había terminado. Cuando se lo conté a mi amigo, se mostró un poco inquieto pero también experimentó un punto de orgullo. Fue un momento precioso. Todavía no conozco a la madre de mi amigo. No es necesario.

Pepita se desesperaba y era una niña, la hija pequeña de una camada de varones, una señorita sudista que, ante la decadencia y extinción de su estirpe, había cogido el trapo y el cepillo de púas para retirar la sangre de las baldosas del hospital que las autoridades habían instalado en la estación del ferrocarril. Pero Pepita realmente era de extracción proletaria y al casarse había ascendido en la escala social. Pepita, Fina, María José estaba perdida como la gallina ciega.

–Da tres vueltecitas y la encontrarás.

Un día me ofrecí a preparar la comida y Pepita aplastó con una maza todos los filetes rusos que yo había redondeado con el mimo de las palmas de mis enharinadas manos. Aplastó, uno por uno, mis filetes antes de freírlos. Lo interpreté como un signo de maldad. Mi madre me había dicho muchas veces:

–Dios me libre de las aguas mansas que de las bravas ya me libro yo.

El dicho de mi madre había generado en mí un resquemor, que aún conservo, hacia las personas que hablan en voz bajita, hacia los seres dulces y delicados, hacia las bailarinas de ballet y, en general, hacia las personas que te llaman «cariño» sin esa gracia rabisalsera de la secretaria harta de tomar nota de las llamadas al jefe. Pero tal vez hay aguas mansas que son sólo mansas. A lo mejor lo único que se le pasó por la cabeza a Pepita cuando aplastó una a una las bolitas de mis filetes rusos es que no le gustaba la carne sangrante. Quizá yo estaba demasiado susceptible porque la solitaria de mi amor me estaba dejando seca o quizá Pepita lo hizo a propósito y, mientras aplastaba mis filetitos rusos con la maza del mortero –no sé si de un solo golpe o poquito a poco, observando cómo la carne se expandía y se transformaba en una oblea–, exhibía una sonrisa similar a la que se le dibujaba cuando en su salón se planteaba un tema picante.

–Ten cuidado, porque luego las cosas no salen tan bien como entran.

A Tere, mi suegra de verdad, le hubiera divertido la máxima ordinaria de Pepita. A Tere nada la solivianta. Nunca la he visto llorar o quejarse. Puedes decirle que la comida está salada y ella responderá:

–Hoy se me ha ido un poquito la mano...

Mi suegra retirará la comida y freirá otro par de filetes. Mientras comemos, trae las bebidas del frigorífico, te echa más en el plato, te ofrece la fruta, te da un empujón para que no te levantes a quitar la mesa, te dice que has comido como un jilguero, corta el pan, se sirve su propia ración, come poco. Limpia las jaulas de los pájaros de su marido. Remata los detalles difíciles de los trabajos manuales que él comienza y que termina abandonando cuando ya no le entretienen. Arregla la ropa con la máquina de coser. Mete los bajos. Ve los partidos de fútbol en la televisión y asegura que le gustan. Cuando le preguntas por su salud, nunca le duele nada. Por culpa de Tere, mi marido no comprende mis hipocondrías ni mis exageraciones en la narración y, cuando estoy enferma y me retuerzo de dolores gimiendo que me muero de bronquitis o de neuralgias o de contracciones uterinas, a mi marido sólo se le ocurre formular una pregunta retórica:

–Pero ya estás mejor, ¿no?

Los hijos de mi suegra intuyen que debe de sufrir por dentro. Tanta sencillez se torna opaca para mí. Algunas veces deseo que la felicidad sea un estado consustancial a mi suegra; otras veces, me encantaría que Tere escondiera una contradictoria vida interior, una desazón, que hiciese de ella una mujer verdaderamente generosa en cada uno de sus sacrificios, cuando se levanta treinta veces para ver que las cosas marchan en la cocina, cuando se muerde la lengua para no contestar mal, cuando insiste en que no le duele nada de nada. Me dan ganas de pisarle un callo para que algo le duela, pero me contengo porque se frotaría el pie y enseguida se convencería de que no la he pisado a propósito.

–Hija, estás más gordita, ¿no?

–No, Tere.

O:

–Hija, estás más gordita, ¿no?

–No, Tere, es que llevo los brazos al aire y como fui nadadora...

O:

–Hija, estás más gordita, ¿no?

–No, Tere, peso lo mismo desde los dieciocho años.

Durante nuestro próximo encuentro Tere me hará la misma observación. O bien olvida que ya ha comentado mi engorde, o bien está segura de que a mí no me importa estar más rellena, dado que mi metabolismo no propende a la obesidad. Si no es por ninguna de las dos razones anteriores, es que Tere tiene muy mala leche y un sentido del humor más retorcido que el mío.

La manera de ser de mi suegra posiblemente ha evitado que acabara ingresada en un frenopático del ejército. Mi suegra, que se casó con un militar cuando ya no era una jovencita, tuvo a sus cuatro hijos seguidos. Dos niños y dos niñas. Mi marido es el mayor y yo soy menor que las dos hijas de Tere. Ella siempre alardea de que sus niños fueron muy buenos. No podía ser de otra forma. Los nenes comían bien, no lloraban, no padecieron enfermedades graves y, si las padecieron, Tere las ha olvidado, eran niños cariñosos, con buen humor, jugaban juntos, se llevaban bien.

–¿Sí? Pues a mí me dijeron que Chus le pegó un puñetazo al cristal de una puerta porque sus hermanos, haciéndole rabias, no la dejaban pasar y Chus se hizo un corte que necesitó de varios puntos de sutura.

–¡Bah! Eso sólo fue un día. Mis niños eran muy buenos.

Todos los hijos de Tere se casaron y en su familia no ha habido separaciones ni divorcios, una circunstancia que ella valora positivamente. En navidades nos reunimos. Su segundo hijo y sus hijas, tercera y cuarta, le han dado cinco nietos que están escolarizados, han hecho la comunión, escriben la carta a los Reyes, rebosan salud e ingieren buenos alimentos. Tere no puede pedirle más a la vida, porque sus expectativas son modestas o es que tal vez se trate de eso: de tener expectativas modestas. Quizá a Tere sólo le atraviesa el corazón una espinita que habrá ido reblandeciendo con saliva y miga de pan:

–Hija, ¿y vosotros cuándo vais a tener un niño?

–Tu hijo es estéril.

Mi suegra, que esta vez ha sido tocada en una de sus líneas de flotación, se queda muda; después, riéndose me responde:

–¿Cómo eres tan sinvergüenza y me dices esas cosas?

Y se va a la cocina. Hasta hace un año, Tere no consintió que su marido le regalase un lavavajillas y fregaba a mano las cacerolas, las cucharas de postre y los platos soperos. Mi marido, después de que yo lanzara a la cara de su madre su esterilidad como un insulto, me reprendió: no tenemos ni idea de si es o no es estéril. Nunca nos ha interesado. Lo más probable es que mi organismo, durante años de desarrollo, haya preparado un blindaje especial de contracepción que amputa las colas de los espermatozoides cuando éstos entran en contacto con la oscuridad de un útero sembrado de trampas, guillotinas y disolventes. El verbo se hace carne y mi promesa fructifica en cierta imposibilidad, no del todo comprobada, para la procreación. También es verdad que somos fumadores, que ya hemos alcanzado cierta edad y que él trabaja con aparatos radiactivos. Mi marido es un profesional del oficio de mi amor y yo le pago complacida su sueldo. Cuando le sugiero que me lo diga, él me dice:

–Te quiero.

–Gracias.

Le respondo y aprendemos a hacernos el amor felinamente, pegando cabezazos contra el cuerpo del otro, buscando el hueco de la axila. Nuestros gatos no son hijos postizos, sino bestias, benéficas y suaves, que ahuyentan los infartos de miocardio y nos enseñan el arte de la sensualidad.

Algo está pasando en la cocina. Mi suegra coloca a sus niños, de mayor a menor, sobre la mesa y mete peladuras de naranja dentro de una sartén cubierta con una tapa. Los dos varones llevan la raya del pelo perfectamente trazada sobre el cráneo. Las nenas lucen un par de coletitas. La cocina se convierte en una noche de San Juan. Los niños palmotean ante los sonidos de las explosiones y piden más y más fuegos, más peladuras de naranja que estallen dentro de la sartén.

Pero algo está pasando en la cocina. Tere ha reunido a sus hijos y los ha colocado en un lugar en el que puede vigilarlos. Mete más peladuras de naranja en la sartén y maquina cómo matar las cucarachas que corren sobre los dibujos de las baldosas. Las cucarachas se camuflan sobre las franjas negras y de repente salen disparadas, haciéndose visibles sobre las rayas verdes y grises del suelo, pegándose a la pared y desapareciendo por ranuras y esquinas, por grietas en las que Tere nunca había reparado. Los movimientos de las cucarachas sobre las baldosas son como la flor cambiante de un calidoscopio. Tere se marea y levanta los pies para que las cucarachas no le suban por las corvas y se le pierdan entre la ropa interior.

Hacía un rato, Tere entre el carbón había distinguido brillos de un negro diferente al color mate del combustible, trozos de carbón que cambiaban de lugar sin que nadie los tocara. Se había acercado al cajón atraída por el ruido y lo había abierto de golpe: los trozos del carbón se habían desintegrado en cientos de partículas dispersas por la cocina. Tere había dado un salto hacia atrás llevándose la mano a la boca. Entre los azulejos de la pared, ahora que prepara sus fuegos artificiales, distingue una antena, como un bigote de rata, que escudriña el vacío, alertada quizá por el alboroto de las patas de las cucarachas que atraviesan de norte a sur el suelo de la cocina, creando extrañas formas que, vistas desde el techo, se parecen otra vez a una coreografía de Busby Berkeley. Resulta siniestro imaginar –y esta visión me pertenece y no se corresponde con la psicología de mi suegra– cómo una cucaracha puede tomar posiciones entre un azulejo y el cemento en que se incrusta, las cosas invisibles que conviven con cada uno de nosotros.

Tere ha decidido salvar a los niños poniéndolos en alto. Echa otra piel de naranja en la sartén y el petardazo no se hace esperar mucho. Las cucarachas se revuelven, asustadas por el ruido –¿oyen las cucarachas?, ¿tienen miedo?– o estimuladas por los movimientos de Tere que desplazan el aire. Las cucarachas, que sí son sensibles a la luz, se histerizan y se revuelven con su hipersensibilidad hacia las vibraciones, con su peculiar manera de oír. Tere teme que sus hijos vayan a contraer alguna enfermedad de la que las cucarachas son portadoras: el asma, la peste, las tifoideas, ese mismo terror a las cucarachas que a Tere comienza a borrarle la sonrisa, aunque, mirando a sus niños, vuelva a reír para que no se asusten.

El comandante no está. Tere sortea el espacio entre el fogón y la mesa, los caparazones de esas cucarachas que no quiere pisar, y les da a cada uno de sus hijos un corrusco para que lo ronchen mientras la tapa de la sartén sube y baja. Las cucarachas le dan pánico. Observa cómo los insectos han invadido el suelo de la cocina y corren de un lado a otro en inexorables líneas rectas que, de repente, cambian de dirección o de sentido. Si no fuera porque ha colocado a los niños sobre la mesa, saldría gritando, les pondría los abrigos y las bufandas y los llevaría a sentarse en un banco del parque hasta que las cucarachas hubieran vuelto al cajón del carbón, a las ranuras, y a su vida secreta y recogida. Tere no sabe cómo exterminarlas.

Algo está pasando en la cocina. Es posible que, cuando hayan transcurrido unas horas, Tere no tenga nada que contar. Es más, si lo contase, diría que no había sido para tanto y yo volvería a admirar su resistencia a los traumas; al mismo tiempo, lamentaría cierta falta de imaginación, cierta capacidad para inventar y tramar la historia que admiro tanto en las mujeres de mi familia. Cuando escribo que las cáscaras de las naranjas han dejado de crepitar en la sartén, que los niños se han comido sus corruscos y que, a cámara rápida, empiezan a aburrirse, soy yo la que inventa a partir de una rememoración de mi marido.

Él busca con los ojos a su madre, que se ha armado con un palo de escoba. Decide quedarse quieto, refrenando el impulso de saltar de la mesa y correr hacia la sala para jugar con sus indios de plástico. Tere sonríe con la frente perlada de sudor. Delante de sus hijos baila con la escoba, tararea una canción sobre una bruja –para hacer a los niños felices Tere sí sabe improvisar historietas–, lanza escobazos. Algunas cucarachas mueren; otras se recogen como si nunca hubieran pasado por allí, se filtran en los muros, se pegan a los poros del carbón como una esquirla en la que Tere nunca más va a reparar cuando busque combustible para avivar el fuego, para alimentar la cocina y freír unos filetes de falda con ajo y perejil. Cierra los ojos y canta la canción de la bruja. El hijo segundo, la hija tercera y la hija cuarta ríen. Tere baila, dando palos de ciego, hasta que el hijo mayor baja de la mesa, retira algunos caparazones reventados con la puntera de sus botitas de cordones y tira del delantal de su madre. La cocina está despejada. Tere, un poco jadeante, abre los ojos, baja a sus hijos de la mesa y obligándoles a mirar hacia el frente, como si fueran soldaditos, los deja en la sala. Vuelve a la cocina, recoge los cadáveres de los insectos, los tira a la basura. Pronto lo olvidará todo y, cuando el comandante vuelva, es probable que ni siquiera le cuente que una plaga de cucarachas ha invadido su cocina. Todo se soluciona antes o después.

Seguro que Tere dormiría bien esa noche, como todas las demás: no sé si es moral tanta placidez. La envidio y, de nuevo, me surgen dudas sobre si el sometimiento a los otros y el olvido de una misma no son esa forma máxima de la inteligencia que permite alcanzar la beatitud. Sin embargo, fue mi suegra quien mató las cucarachas en la cocina. Sin ayuda de nadie.

Mi suegra es una mujer que no morirá de un disgusto, ni de ninguna de esas enfermedades que te comen por dentro porque durante muchos años has ido convenciendo a tu organismo para que se rebele contra ti, has maltratado tus costillas al respirar, has experimentado culpa por tus vicios, comentado la cantidad y calidad de tus defecaciones, has rechazado intelectualmente la fructificación –y el cerebro no es más que una víscera que se vende en las casquerías– o enfermado y muerto, como mi tía Maribel, de una modalidad, cancerosa y linfática, de la pena.

MI JEFA

En días alternos, cuando no estoy en clase, trabajo de espaldas a mi jefa. Sobre su mesa descansan montones de cartapacios de los que escapan papeles escritos con caligrafía de maestra de primaria y páginas impresas por la tinta del ordenador. Su mesa se sitúa justo enfrente de la entrada a un despachito que a mi jefa no le correspondería. Parece el despacho de un subcontratado, de un becario, del último mono. Mi jefa camufla su rango en un despacho que desorienta a sus interlocutores. Allí, de espaldas a su mesa desordenada, en una mesita supletoria con un ordenador, yo escribo lo que mi jefa me manda y oigo sin ver y me callo. Aprendo a ser discreta y le devuelvo esa confianza que ella ha depositado en mí desde el principio, cuando dirigía el máster del que yo era una alumna, a menudo, descreída.

Mientras mi jefa recibe –hay visitas trágicas y prometedoras y entrañables y violentas y rutinarias–, yo tecleo y observo la pantalla del ordenador. Me entero de casi todo lo que sucede. También he desarrollado una sensibilidad especial para captar cuándo debo marcharme sin que nadie me lo indique de forma explícita. Pero cuando me quedo y el visitante sale por fin del despacho, giro sobre mí misma –es importante atender a la torsión del cuerpo, a su forzamiento automático–, intercambio una mirada con mi jefa y salgo a buscar un par de cafés de la máquina que hay al fondo del pasillo. Al volver, cerramos la puerta, abrimos la ventana, tomamos el café, fumamos, sabemos de lo que podemos hablar. No se me escapa ningún comentario inconveniente. A mi jefa tampoco. Ambas conocemos nuestros límites. Hablamos sobre todo del trabajo. Raramente de algún asunto familiar. Me muevo con una precaución que no pierdo con el paso del tiempo. Nuestras conversaciones suelen interrumpirse porque enseguida a mi jefa la llaman por teléfono. Yo vuelvo a ponerme de espaldas para pasar a máquina los papeles que ella escribe con su letra de profesora de primaria.

La letra de mi jefa me hace recordar las caras de mis maestras de la egebé, mi obsesión por presentar el cuaderno más pulcro, el envés perfecto del cañamazo de *petit point.* Mi jefa es una mujer madrugadora y puntual. A las ocho y media entra en el despacho. Lleva un traje, un pañuelo al cuello, un bolso con cadenita, zapatos de medio tacón. Procuro llegar a las ocho. Cuando ella abre la puerta, yo ya estoy allí trabajando concentrada en la pantalla. Quiero estar exactamente en esa postura cuando ella abre la puerta: trabajando frente al ordenador. No me gustaría que llegara mientras estoy haciendo pis o buscando un libro en la biblioteca del sótano. El rito ha de ser siempre igual. Ella abre la puerta y yo ya estoy allí pulsando enérgicamente el teclado. Cada mañana llego a una hora más temprana. Llego casi una hora antes de lo que debería. Sé que eso complace a mi jefa. A mí también me encanta disfrutar de la sensación de ser útil, de inspirarle confianza, de ser la única que conoce las claves para desentrañar las flechas y acotaciones de sus papeles manuscritos. Sólo yo puedo pasarlos a máquina en el orden correcto. A veces cuando sale me dice:

–Te quedas a cargo de todo.

No es cierto que mi jefa me deje a cargo de todo, pero de golpe soy discreta y soy sensata. Dejo que me adulen.

–Martita sí que discurre bien.

Vuelvo a recordar a mis profesoras de la egebé. Me quedo vigilando en el centro de la clase, poniendo cruces y más cruces a las compañeras habladoras. Ahora, al menos, soy una niña que no se ve obligada a cometer delaciones. Reconozco en mí comportamientos neuróticos para agradar a mi jefa. También descubro que nos vamos cogiendo cariño. No sé si las dos emociones se pueden conciliar.

Una tarde entra en el despacho una alumna del máster. Una alumna como en su día lo fui yo. La alumna, que lleva un chalequito hindú y quevedos, ha llamado a la puerta con los nudillos:

–¿Se puede?

–Pasa, Cristina.

La alumna Cristina se sienta frente a mi jefa. Yo le echo otro vistazo de reojo. No me interesa demasiado. Es una chica muy alta y sé que obtiene calificaciones brillantes en sus asignaturas. Tiene los ojos enrojecidos. Enseguida dejo de mirarla y me concentro en la pantalla del ordenador. Oigo cómo Cristina hipa y se sorbe los mocos. Hago el ademán de levantarme de la silla para abandonar discretamente el despacho, pero mi jefa me recuerda:

–Esa descripción de cursos corre prisa.

Vuelvo a sentarme y tecleo, mientras Cristina hipa más fuerte presa de un ataque de nervios. Por su tono, percibo que mi jefa se asusta. Tanto a mi jefa como a mí nos descompone ver a las personas llorar.

–¿Qué pasa, Cristina?, ¿qué ha pasado?

Mi jefa se prepara para resolver una situación dramática. Supongo que repasa mentalmente los coches disponibles para llevar a Cristina al lugar en el que su madre o su padre han fallecido, los números de emergencias, el camino más corto para llegar al hospital. La alumna Cristina llora como si experimentara un dolor agudo en las ingles y no pudiese hablar para explicárselo al médico. Mi jefa se levanta para consolarla con un abrazo y Cristina se deja querer. Hipa y suspira. Se aprieta el puño contra la boca del estómago. Yo me vuelvo otra vez para preguntarle a mi jefa con la mirada si debo salir del despachito para buscar ayuda. Ella me detiene con un movimiento de la mano. Sigo escribiendo. Mi jefa insiste en su pregunta y Cristina por fin emite una frase balbuciente:

–El profesor, el profesor, el profesor... ¡estaba borracho!

Mi jefa se separa de Cristina. Vuelve a sentarse detrás de su mesa ocupada por cartapacios, documentos, bloques de folios prendidos por clips y protegidos por una funda. Es una mujer muy ocupada.

–¿Cómo dices, Cristina?

No le veo la cara pero por la entonación deduzco que mi jefa se ha tranquilizado y está mirando a Cristina sin pestañear. Es posible que esté haciendo girar alrededor del dedo corazón su anillo antiguo. La alumna sigue muy nerviosa:

–Que estaba borracho, ¡borracho! Y decía cosas horribles y me echaba su aliento en la oreja y...

La alumna Cristina está a punto de relatar una historia. Mi jefa interrumpe su catarsis:

–Repíteme lo que acabas de decir.

Mi jefa habla con tranquilidad, pero ahora la cadencia de sus palabras es severa. Cristina se queda desconcertada. Ya no despierta la compasión de mi jefa, que le ha retirado el brazo protector dejándole una marca fría encima de los hombros:

–Que el profesor de alemán estaba borracho.

Cristina no sabe en qué se ha confundido: comienza a intuir que algo no anda bien. Inhibe su histeria. Oigo los crujiditos de sus uñas; se las está mordiendo. Ha dejado de hipar y de balbucear y ahora habla como si diese en clase una respuesta de la que no está muy segura.

–¿Kigali?

–No, Cristina. Kigali no es la capital de Etiopía.

–¿Johannesburgo?

–No, Cristina, no.

La alumna Cristina va a suspender. Mi jefa apoya la espalda contra el respaldo de su asiento:

–¿Cuántos años tienes?

Cristina tarda en contestar. Se estará secando las lágrimas o quizá está echando, con los dedos, la cuenta de los años cumplidos. La alumna Cristina recuerda el número de velitas que sopló en su último cumpleaños; resta su año de nacimiento del año actual. Mientras esto ocurre vivimos quizá en 1998 o en 1999. La alumna Cristina utiliza casi medio minuto para responder a una pregunta fácil. Cristina, que ahora es como una perrita pequinesa, mala y desamparada, barrunta la tormenta.

–Veintisiete.

–O sea que tienes ya veintisiete años.

Cristina muestra inquietud al asentir, noto cómo se vuelve para mirarme, pero mi perfil está mudo y concentrado en la pantalla del ordenador. No colaboro. Sólo veo por el agujero de mi olvidado occipucio. Mi jefa recupera parte de la dulzura perdida:

–¿Y qué esperas que haga con un profesor que llega borracho a la clase, Cristina?

Mi jefa se pone casi melosa...

–¿No esperas nada?

–No sé, es que estaba borracho y yo...

Mi jefa deja de tratar a la alumna como a una parvulita. Por su voz, parece que, si pudiera, vapulearía a la pequeña Cristina y quizá le propinase un pescozón. Sin embargo, no alza el tono:

–Tienes veintisiete años, Cristina, tendrías que haberlo pensado dos veces antes de entrar en mi despacho llorando, porque a mí ahora no me queda más remedio que despedir al profesor de alemán.

–Es que me he puesto nerviosa y...

Mi jefa se ríe un poquito:

–¿Nerviosa?, ¿no habías pensado en lo que iba a suceder? No, Cristina, ahora tienes que estar muy tranquila. Al entrar en mi despacho llorando, tú, con veintisiete años, ya habías tomado una decisión. Por supuesto.

–No, yo sólo quería que supieses...
–¿Qué?
–Que el profesor de alemán...
–¿Que el profesor de alemán bebe?
–Sí...
–¿Nunca habías visto un borracho, Cristina?, ¿a los veintisiete años?
La alumna Cristina rompe a llorar otra vez.
–¿Por qué lloras ahora?
–Pero yo no quería que...
–Piensa las cosas antes de hacerlas, Cristina.
–El profesor...
–Vete al baño a lavarte la cara.
Cuando Cristina pasa por mi lado para ir a lavarse la cara, me despido:
–Hasta luego, Cristina.
Ella sale cerrando la puerta con sigilo para que no dé un portazo. Como si nunca hubiera estado allí. Mi jefa y yo no comentamos el episodio. El profesor de alemán sigue impartiendo sus lecciones. A veces está borracho, a veces no. Es un excelente profesor. La alumna Cristina no vuelve a llamar a nuestra puerta. Yo tecleo en días alternos y voy cogiéndole a mi jefa un gran cariño. Me regodeo en lo que aprendo con mi jefa. Aprendo porque sé mirar por mis tres ojos: los dos de delante y el trasero, el del occipucio. Quieta en mi posición, tecleando antes de que llegue y después de que se vaya, como si no me hubiese movido de mi silla en toda la noche. Otros días, cuando ya es tarde, soy yo la que cuido a mi jefa; apago mi ordenador y le sugiero:
–¿No crees que ya es hora de que dejes de trabajar?
Entonces ella me da la razón. Salimos juntas. Me gusta que mi jefa me haga caso, que atienda a mis recomendaciones, que sepa que me preocupo por ella. Me gusta su falsa docilidad, porque en el fondo mi jefa hace lo que quiere, no lo que yo le digo. A mi jefa le encanta trabajar. A veces sospecho que no co-

noce el camino para volver a su casa. Los pájaros del bosque se han ido comiendo las miguitas.

Mi jefa protege a sus trabajadores; sin embargo, yo empiezo a dudar de las ventajas de querer a la persona con la que estás trabajando. Como si fuese una prima, una tía, una amiga mayor a quien admiras mucho. Comienzo a preocuparme por mi propio equilibrio cuando me pongo enferma, me sube la fiebre y, al llamar por teléfono para avisar de que no voy a poder ir a trabajar, es como si estuviera diciendo una mentira. Siento escalofríos y calambres, sólo me apetece dormir, pero me da miedo que mi jefa pueda llegar a pensar que miento. Mi enfermedad real se transforma en una imaginaria, en algo que invento para librarme del trabajo. Mi enfermedad me produce mala conciencia y me voy poniendo cada vez más nerviosa: por mentir, por lo que pensará mi jefa, por si dentro de un rato me encuentro mejor, por si mañana me curo y entonces ya no puedo justificar ni siquiera delante de mí misma no haber hecho el pequeño esfuerzo de levantarme de la cama. Insisto en que descubro en mí comportamientos neuróticos por agradar a mi jefa.

Cuando logro un contrato indefinido, me voy. Claudia se queda aún durante unos años hasta que, otra vez, pone tierra de por medio, y teje y desteje sus vínculos y sus nudos. Yo me voy porque tengo otras cosas que hacer y he descubierto que, cuando un trabajo te gusta, te succiona. Me empeño en que tengo otras cosas que hacer y mi jefa me ofrece todo su apoyo. Incluso me paga mensualmente por trabajar tan sólo dos meses al año. Pero me voy. Ella también se ha ido antes que yo por un problema de salud. No puedo culpar a mi jefa de mis perturbaciones. Creo que sólo ahora estamos en disposición de apreciarnos.

Entre tanto han transcurrido vertiginosamente los quince años centrales de mi vida.

Mi jefa se preocupa por su madre, que está enferma de Alzheimer.

–Mamá, ¿has comido?

–Sí.

–Mamá, ¿has comido?

–No.

Mi jefa, que además de mi jefa es una mujer que tiene un nombre –se llama Belén, como mi antigua amiga–, no sabe a qué atenerse y se angustia; en esta circunstancia en particular no sabe cómo buscar soluciones para hacer las cosas de la manera correcta.

Mi tía Alicia también cuida de su madre, que ha cumplido ya más de noventa años y se encuentra perfectamente de salud. Alicia es en realidad prima hermana de mi madre, pero yo siempre la he llamado tía. Fue muchas veces a visitarnos a Benidorm y, durante unos meses, mientras estaba embarazada de su hija Mónica, incluso vivió con nosotros. Se dedicaba a mecanografiar las tablas, los informes, los textos de los libros que, por aquellos años, mi padre elaboró junto con otros sociólogos. Alicia mecanografiaba de lado porque el bombo no le permitía sentarse frente a la máquina de escribir.

Cuando Alicia aún no se había casado y nosotros todavía vivíamos en Madrid, ella me llevaba en taxi a El Corte Inglés. Me encantaban las escaleras mecánicas, los maniquíes, la juguetería y el departamento de cosméticos. Alicia me invitaba a tarta y a pepsi cola en la cafetería del último piso de los grandes almacenes. Había que subir todos los tramos de escaleras y luego volverlos a bajar. Alicia fumaba tabaco negro. Cuando me llevaba de vuelta a casa después de nuestras aventuras en El Corte Inglés y encendía un cigarrillo, yo le decía dentro del habitáculo del taxi:

–Hueles mal.

Me molestaba el olor de los cigarrillos negros. Alicia apagaba su pitillo. Cuando salíamos del taxi, encendía otro:

–Hueles mal.

–¿Cómo va a oler mal si estamos al aire libre?

–Hueles mal tú.

Alicia tiraba el cigarrillo y lo pisaba. Tenía conmigo mucha paciencia. Todavía recuerdo el olor a goma quemada, a humareda salida de la chimenea de un barco de vapor. El olor se le quedaba prendido a la piel y al cielo del paladar, a la cabellera y a las palabras que le salían de la boca, y a mí se me metía por la nariz, aunque me la tapase y pegase la cara a la ventanilla. Me sucedía con los cigarrillos de todas las marcas. Pero con los de Alicia, más.

Ahora yo fumo. Alicia no me lo reprocha, aunque ella haya dejado de fumar. Enciendo un chester sin filtro y exhalo el humo hacia el otro lado o hacia techo. Alicia me regaña:

–Fuma tranquila, hija, fuma tranquila.

Alicia toma diariamente medicamentos contra el colesterol, la artritis, la osteoporosis. Se cuida. Hace ejercicio. Procura no ponerse gorda. El vino combina mal con la medicación y Alicia sólo bebe alcohol muy de vez en cuando y come filetes a la plancha con verduras. Alicia cuida de sí misma, pero desde hace ya muchos años cuida también de su madre, que enviudó en la década de los setenta. El padre de Alicia era un hombre cariñoso que trabajaba en el metro de Madrid. Cuando se estaba muriendo, yo me empeñé en acompañar a mi abuela Rufi en una de las visitas a su cuñada. La habitación de matrimonio tenía la puerta cerrada a cal y canto. La madre de Alicia entraba en la habitación y volvía a salir para llorar con mi abuela. Yo me encerré en el cuarto de baño fingiendo que tenía ganas de hacer pis. En realidad, analizaba un vaso que contenía una dentadura postiza. También inspeccionaba y tocaba mis propios dientes, que aún no se habían empezado a mover. Gasto parte de mi vida adulta soñando que se me mueven los dientes. Cuando me aburrí o me angustié al pensar que a mí también se me iban a aflojar los dientes, prendidos a la encía tan sólo por un hilillo de carne tirante, salí del baño y quise ver a mi tío. A las mujeres no les pareció mal. Mi tía se conmovió y mi abuela me cogió de la mano. Giramos el picaporte. Casi no se veía al tío, amarillento y gris, entre las sábanas. Mi abuela me alzó para que pudiera acercarme a darle un beso. Le besé. La madre de Alicia se quedó viuda en pocos días. Es mi primera visión de una persona moribunda. Sin embargo, no fue mi primera experiencia completa de la muerte.

Cuando Alicia se separó de su marido, su madre la ayudó en la crianza de la nieta. Alicia ahora le hace la compra a su madre. La acompaña al médico, a la peluquería, al podólogo. Paga a una mujer para que limpie la casa. Le trae las revistas que le gustan y los hilos para que la tía teja colchas para sus nietos, sobrinos y biznietos.

En el pueblo, Alicia ha construido una casa al lado de la de mis abuelos maternos. Su madre y el padre de mi madre son hermanos. Compartimos el terreno de una huerta. Alicia sale a la huerta, con un vestidito de tirantes y unas chanclas, porque no soporta el calor y le molestan las prendas abrigadas. Yo, que estoy leyendo sentada bajo un peral al que todas las peras le nacen con gusano, siento un poco de frío. Alicia va en busca de su madre, una señora muy bajita, vestida de negro, que usa sonotone. Cuando la tía Clotilde se quita el oído y se mete en la cama, se puede caer el mundo. Cuando lo lleva puesto, a veces se acerca tanto para comentar sus impresiones que el sonotone pita. Alicia habla a voz en grito para que su madre la oiga:

–¡Madre!

La tía Clotilde sigue caminando, derecha y rápida, en dirección a la esquina del huerto donde está plantada la higuera. Va buscando a sus dos gatos.

–¡Madre!

–Alicia, pero ¿tu madre lleva puesto el sonotone?

–Lo lleva puesto.

–¿Entonces?

Alicia y su madre han discutido por la comida de hoy. Alicia ha traído una merluza de pincho del mercado de Maravillas y su madre no la quiere. La tía Clotilde ha agarrado la merluza por el pescuezo y le ha mirado a la cara:

–A esta merluza no le brillan los ojos.

Alicia ha elegido lo mejor para su madre en la pescadería. Los pescados más caros y más frescos. A la tía Clotilde esa atención no le importa mucho. Alicia se rebela:

–¡Pues te la vas a comer!

La madre mira desdeñosamente a la hija y da un manotazo al aire:

–¡Anda ya!

Se pone su pañuelo negro y sale de la casa dando un portazo. Alicia da vueltas por la cocina. Blasfema. Se caga en su puta madre y en toda la corte celestial. Se le pone la vena gorda. Se muerde los padrastros. Le encantaría fumarse un pitillo pero no puede. Su hija, que es médico, se lo desaconseja.

–Tú veras lo que haces, pero el tabaco es muy malo. Para ti, incluso peor.

Alicia habla desde lejos a su madre porque no quiere entrar con las chanclas en el sembrado de las berzas. Sabe que la tía, con el sonotone encendido, oye perfectamente. Hace bocina con las manos:

–¡Madre!

La tía ha cogido a uno de sus gatos y, sin atender a Alicia, sin mirarla siquiera, se dirige hacia mí. Acariciando el lomo de un gato rubio y rollizo, me saluda:

–¿Has visto qué hermoso está el Corleone?

La tía sabe que a mí me gustan mucho los gatos. Alicia se acerca con suavidad, amortigua el sonido de sus chanclas sobre las baldosas del porche de mis abuelos:

–Madre...

La tía Clotilde sigue hablando sólo conmigo:

–Mira que vienes poco a verme. Si no me acerco yo, tú ni entras a darme un beso.

Antes de que me pueda justificar, Alicia se aproxima y le quita a su madre el gato de los brazos. La tía Clotilde lo recupera mirando a su hija con sus ojillos furiosos. Deja el gato en el suelo. El gato se restriega contra sus piernas. Alicia agarra a su madre por el brazo para llevarla hacia la casa. La tía se suelta con brusquedad, levanta el codo, extiende sus dedos cortos y crispados, y mira a su hija como si fuese a cruzarle la cara de un bofetón. Alicia estalla:

–¡Madre! ¡Me tienes que obedecer! ¡Tú a mí ya me tienes que obedecer!

La tía imita a Alicia. Abre y cierra la boca como en una película muda. Se vuelve hacia mí y se ríe. Se lleva el dedo a la sien y lo hace girar. Alicia insiste:

–¡Que me obedezcas, madre!

La tía Clotilde oscila sus hombros hacia un lado y hacia otro, mueve las caderas, mientras emite un ruidito burlón:

–Ba, ba, ba, ba, ba, ba, ba, ba, ba.

La tía recoge a su gato del suelo y se va para su casa, volviéndose de vez en cuando para cerciorarse de que Alicia no la está siguiendo. Unos metros más allá, el otro gato se le enreda entre las piernas. Es la hora de comer de los gatos. Alicia inclina el cuerpo hacia delante cuando la tía da un traspié por culpa del animal:

–¡Si es que encima se va a caer!

La tía Clotilde enseguida recupera el equilibrio y vuelve a mirar por encima de su hombro para comprobar que Alicia no la sigue. Alicia se frena en seco. La tía dice para sí como si no la oyera nadie:

–No, si me caeré y ésta ni se moverá.

Alicia está a punto de tirarse de los pelos. Resopla. Me parece que a mi tía Alicia, si sigue así, le quedan menos años de vida que a su madre. Alicia, aún vigilando que la tía Cloti alcance la puerta de la casa sana y salva, comenta con desesperación:

–Y lo peor es que hoy no me va a dirigir la palabra en todo el día. ¡Qué digo hoy! A lo mejor no me dirige la palabra en una semana.

–¿Y por qué?

–Porque me tiene castigada.

–¿Cómo dices?

–Que mi madre me tiene castigada.

Cuando le cuento a mi madre la escena que he presenciado, ella confirma la versión de Alicia:

–Muchos días la tiene castigada.

Nos reímos, aunque mi madre hoy está sentimental y me confiesa que se acuerda de mi abuela Rufi:

–Mi madre a mí me lo hacía todo. Hasta que fue mayor y ya no pudo. Entonces empezamos a decir que tu abuela era egoísta, que sólo se preocupaba por ella. Y se preocupaba por ella, pero porque no se encontraba bien. Nosotros ya no nos acordábamos de lo bueno. Sólo de lo malo, de lo latoso. Pero mi madre no era así.

–¿Tienes mala conciencia?

–No es mala conciencia. Yo creo que hice todo lo que tenía que hacer.

–¿Entonces?

–Me arrepiento de haber pensado que mi madre era egoísta. De haberlo comentado con otros.

–Hay que tener mucho cuidado con lo que se dice.

–A menudo el recuerdo que nos llevamos de la gente es el de sus últimos años, cuando las personas ya no son como eran. Cuando no pueden con su alma y tampoco nos pueden querer con el desprendimiento de antes.

–Pero podemos recordar a la gente a lo largo del tiempo.

–No sé.

Yo tampoco sé de quién estamos hablando. Si de mi madre y mi abuela o de mi madre y de mí. Mi madre me saca de dudas:

–¿Y si yo me hago igual de egoísta?

–Hazte como quieras, mamá.

Lo que no sabe mi madre es que ella con los años se ha ido dulcificando. Es tan débil como siempre, pero mucho más comprensiva. Ha aprendido cosas. Ha aprendido, por ejemplo, a no herirse con lo que piensa de sí misma y de las personas que la quieren. No es que mi madre haya renunciado. Es que se ha pasado la vida nerviosa y ahora a veces tiene ganas de descansar. Por ejemplo ya no hace falta que me diga:

–Me sentiría muy decepcionada.

–Metepatas.

–Tienes que ser independiente.

No es necesario.

–Tienes que ser independiente.

–Del patrón, mamá.

Mi madre, aunque nunca se hubiese comportado como yo, me acompaña. No la decepciono. No me juzga. Yo a ella también dejé de juzgarla hace mucho tiempo.

Cuando murió la madre de mi amiga Regina, ella tardó mucho en superarlo. Regina tiene hijas y un marido. Les dice lo que está bien y lo que está mal. Se preocupa por ellos. Ahora Regina echa en falta a alguien que se preocupe por ella. Quizá es que no mira bien a su alrededor, pero algunos días está triste y no sabe por qué hace las cosas.

Mi amiga Lola perdió a su madre durante un crucero por el Rin. Lola se conforta con la idea de que su madre murió en una situación placentera: de viaje con sus hijas a través del Rin. No la martirizaron con tubos ni con agujas. Lola acaba de vaciar la casa donde creció y ha descubierto que su madre conservaba guardados los dibujos de cuando ella era una niña. Lola dice que su madre no tenía defectos. Era maravillosa. Casi todas las madres son así. Lola toma pastillas porque no puede asimilar que su madre haya desaparecido de la faz de la tierra. Es como si se le hubiera muerto un hijo.

Yo le hago cosquillitas a mi madre y pienso que es aún una

mujer muy joven. Quiero que ría, porque hoy la encuentro melancólica:

–Si quieres, te dejo que me castigues.

Le acaricio la cabeza, la peino con el filo de las uñas, le hago cosquillitas. Me gusta poder escribir que le hago cosquillitas y ahora ser yo quien le cuente a ella las historias. No quiero perder ni olvidar nunca el tacto y la temperatura de su mano. La densidad de la mano de mi madre.

COMO UN VIAJANTE DE COMERCIO

Me acuerdo de mi abuelo, ya mayor, que baja las escaleras llorando a moco tendido porque tiene que ir a trabajar. Mi abuela Juanita le consuela y le empuja:

–Ramón, no te queda más remedio.

No queda más remedio, así que de un lado a otro, como una abeja polinizadora, como un pájaro despistado que pierde las pajitas recolectadas, voy dejando la semilla de la sabiduría de las cosas que sólo me importan relativamente. Se las cuento a otros profesores. No creo en casi nada de lo que digo. Pero lo digo tanto que hasta yo misma llego a creer. Me siento moderadamente triste. Como todo el mundo. Imposto una gran convicción y mucho énfasis en mis intervenciones. Me he preparado a conciencia.

Cuando salgo de viaje, mi madre me dice algunas veces:

–Hija, pareces un viajante de comercio.

Soy un viajante de comercio que saca su muestrario y su mejor sonrisa delante de sus clientes. Es un juego dentro de otro juego: soy una mujer que juega a ser una profesora que juega a que es un viajante de comercio que exhibe sus cremalleras y sus botones de nácar. Un tímido viajante de comercio que, ante la imperiosa necesidad de vender, cambia de carácter, sustituyendo la reserva por la indiscreción; la radicalidad por la mesura; el egoísmo por la filantropía; el sentimiento trágico por el sentido del humor. Mis encajes se trenzan con la filigrana más fina, sus hilos son los más delicados.

Me compran la mercancía y vuelvo a casa, exhausta, jurándome que no lo voy a hacer nunca más. Pero tengo que hacerlo. Siempre tendré que hacerlo. Al menos lo haré con el sano escepticismo de no creer que mis trabajos me hacen buena o libre. Me queda la felicidad de no ser una tonta de remate.

Cojo el avión; embarco y reviso a los viajeros de uno en uno. Reviso sus gestos, sus fruncimientos de cejas, el rictus de sus labios como una prueba de que esa persona no puede morir aún. El avión no va a caerse porque, entre el pasaje, he vislumbrado a una pareja de padres y a un niño de teta. Este avión, en el que me juro a mí misma que nunca más volveré a embarcar para vender mi mercancía, no puede precipitarse, envuelto en llamas, hacia el espeso fondo del océano. El repaso de los viajeros me tranquiliza o me pone más nerviosa. Si me pongo en lo peor y el avión va perdiendo altura y se descuelgan del techo las mascarillas de oxígeno, sólo aspiro a mantener la dignidad entre los hierros de la catástrofe. Nadie lo sabría.

Aterrizo y el taxista que me lleva a la habitación de mi hotel huele a sobaco y me pone mala cara cuando le pido una factura para justificar el gasto de desplazamiento desde el aeropuerto. Dentro de la habitación, la ropa de cama está helada y yo, como de costumbre, tengo los pies como dos témpanos. No encuentro un cenicero. La habitación, el hotel, la ciudad, el país donde me alojo es una nación de no fumadores. Entro en la sala de conferencias o en el aula; me intimidan la edad de mis alumnos, su experiencia, la carga de resentimiento que proyectarán sobre mí; preveo los conflictos y sé que se me va a secar la boca y no me voy a controlar ante un cuestionamiento de mi sabiduría que, tal vez, sólo haya salido de la boca del alumno en forma de pregunta. Soy extremadamente susceptible –por orgullo, por debilidad–, incluso cuando las caras más tensas se van relajando y empiezo a experimentar vergüenza ajena por mis chistes repetidos. Al acabar la sesión, me duele la espalda por la zona de los hombros y me pica la garganta. Ceno sola en un país extraño, o acompañada de personas con las que he de ser cortés. No me apetecen ni esa forma de soledad ni esa compañía. Nadie tiene la culpa. Vuelvo al hotel. Me llama mi marido y me entran ganas de llorar. Me pongo ñoña.

Las personas que me aman me sugieren: vete a dar una vuelta, visita los monumentos, disfruta, tómate un vino blanco en una terraza, sube a las torres y viaja en los trenes, aprovecha el tiempo libre. Yo me obceco, porque me estoy jurando que nunca más, que no me interesa, y ninguna excursión, ningún aperitivo, nada de eso me resulta apetecible porque sólo lo entiendo como una manera lentísima de gastar las horas hasta que llegue el instante en el que se cumpla lo que espero: volver a casa.

Me propongo disfrutar, ser razonable y comprender que no estoy en esta tierra extraña –todas me lo parecen cuando estoy sola– para encontrarme a mí misma. Yo sé quién soy y con quién quiero estar. Trato de disfrutar de las bellezas de lugares permanentemente inhóspitos, sin pensar en mí, porque ese pensamiento me abrumaría demasiado. Ya no soy una niña que busca la soledad para hacer lo que no debe –masturbarse contra los brazos de los butacas, marcar números de teléfono, abrir los cajones del cuarto de mis padres– y con sus infracciones a la norma explora la parte de su ser que se vincula con sus deseos. No quiero estar sola. Renuncio a esta independencia que me lleva a recorrer el mundo y busco la que me hace descansar junto a los seres amados.

A veces viajo a lugares realmente excepcionales. Llego a París un domingo soleado a las diez de la mañana. Salgo del aeropuerto, cojo un taxi y llego a un coquetísimo hotel en el bulevar Victor Hugo. Estoy muy cerca de la plaza de L'Étoile, de los Campos Elíseos. La habitación es íntima, recogida, cálida, y la ventana da a un patio de hiedras, verdes y grises, sin ruidos de motores. En el cuarto de baño hay un cestito con cosméticos; sobre la mesa, papel para cartas y misivas de bienvenida en cinco idiomas. Dormiré aquí sólo una noche, mañana por la mañana daré mi clase y cogeré otro taxi rumbo al aeropuerto Charles de Gaulle. Volveré a casa. Pero hoy son las diez de un mañana de domingo y he de pasar en París todo el día. Oigo las voces familiares que me instan a no quedarme encerrada en el hotel; las voces que, otra vez, me recomiendan sentarme en una terraza de los Campos Elíseos, tomar un *kir royal*, ver pasar la gente. Pero yo no hablo francés y no comprenderé el precio que me pidan. No podré mirar sin ser observada, sin que mi mirada produzca algún efecto en los extraños: un comentario, un acercamiento, una condolencia. Atiendo a las voces familiares y, una vez que he dispuesto mis enseres en cada lugar exacto de la habitación del hotel –el neceser de baño al lado del lavabo; las gotas para la nariz y una novela sobre la mesilla; la maleta encima del mueble para colocar las maletas; el pijama sobre la cama; las zapatillas a sus pies–, salgo a la calle con un planito que tomo del mostrador de recepción. Y comienzo a caminar. Primero me interno por Chaillot y llego hasta la puerta cerrada –es domingo– de la institución que me ha invitado. Bajo al Campo de Marte guiándome por la aguja de la torre Eiffel. A medida que me voy aproximando, la aguja desaparece y por unos instantes me desoriento. Regreso al bulevar Victor Hugo y salgo a L'Étoile. Bajo por los Campos Elíseos, bajo por los Campos Elíseos, bajo por los Campos Elíseos. Paso por la puerta de cien cafeterías, de cien terrazas aclimatadas por estufas que parecen sombrillas o secadores de pelo. Oigo las voces familiares, la sugerencia de emborracharme un poco con un *kir royal*, pero el alcohol me tornaría más indefensa, más paranoica, como si la gente fuese a olfatearme para diagnosticar que, efectivamente, esta mujer ha bebido. Oigo las voces familiares que me dicen que los menús no son tan caros y que dispongo de dinero suficiente para sentarme en una de esas terrazas y comer con tranquilidad, que el día se me va a hacer corto.

Pero yo paso de largo y bajo por los Campos Elíseos, bajo mirando a un lado y a otro, también hacia el suelo, bajo y me paro en un puesto de perritos calientes a la altura del Gran Palais. Los precios de los alimentos relucen clarísimos sobre el mostrador. Cuento mis monedas. Saco el precio exacto de un perrito y de una botella de agua mineral. Señalo los productos y me alegro de que la muchacha que me atiende sea una joven hindú. Escucho cómo atiende a los señores que están delante de mí; me parece que su francés no es muy bueno. Me reconforta. Me siento en un banco, alejado de otros bancos, como mi perrito, bebo agua, fumo un cigarrillo con mucho cuidado de no echarle a nadie el humo. No quiero estropearle a nadie su aire libre, el olor a hojas podridas que han caído de los árboles, el aroma del asfalto mojado y de la grasa de los perritos que impregna esta glorieta circular de los Campos Elíseos de París. De repente, sustituyo la sensación paranoica de que la gente me escudriña –aun así, he pedido una botella de agua, en lugar de una lata de cerveza– por el pálpito de que me voy a encontrar con alguien. Esa expectativa me incomoda. Intuyo que el encuentro no tiene por qué ser agradable y me levanto del banco.

Echo a andar entre el Petit y el Grand Palais, cruzo el Sena por el puente de Alejandro y las muchachas de piedra, coronadas con guirnaldas, me sonríen llenas de alegría. Me olvido de todo y les devuelvo la sonrisa, porque sé que cuando río puedo ser encantadora. De repente, me avergüenza tanto engreimiento –sólo las voces que me quieren pueden decirme algo así, pero yo debo prohibírmelo– y vuelvo al gesto reconcentrado de alguien que tiene frío y no desea que le dirijan la palabra. Mis movimientos son tan decididos al alcanzar Los Inválidos que los turistas piensan que sé muy bien adónde voy y me formulan preguntas en un francés macarrónico. Pero, no, señor, no, no, no, no soy una mujer parisina –una señora parisina, aunque yo continúe imaginándome como la niña indefensa que nunca fui– y gesticulo con las manos para dar a entender que no, que no sé, que no hablo ese idioma.

Camino por la orilla izquierda hasta la Gare d'Orsay y debo de tener muy buena suerte porque, cuando aún no he decidido si entrar o no, comienza a caer una lluvia fina que me invita a cruzar la puerta. En el vestíbulo miro los precios y cuento nuevamente mis monedas. Me acerco a la taquilla y el taquillero coge sólo la mitad del dinero que he colocado sobre el mostrador. Los domingos la entrada cuesta menos. Esbozo una muda sonrisa de disculpa que el taquillero no me devuelve. Me quedo quieta en el centro de la *gare*, hasta que decido empezar por la derecha, subir hasta el quinto piso, recorrerlo e ir bajando. Contemplo todas y cada una de las obras de la Gare d'Orsay. Conservo recuerdos de otras visitas a este museo y, sin poder evitarlo, casi rompo a llorar. Ahora reconozco las pinturas de Cabanel y de Puvis de Chavannes, los nabis, Bonnard, el coño de Courbet que es el principio del mundo, el cuarto de Van Gogh, su autorretrato, *El desayuno desnudo*, las salas oscuras donde se exhiben los pasteles de Degas y de Tolouse-Lautrec, las fachadas de la catedral de Rouen, la estación con una máquina de vapor que expele una humareda morada, un cuadro puntillista de un día de la liberación –no sé de qué liberación, pero no me importa–, Seurat, los fauvistas, Gauguin, las telas mastondóticas de los pintores rusos, las esculturas de Rodin y de Camille Claudel. Recuerdo detalles, las imágenes que me gustaron y me siguen gustando, los mismos olvidos, los cuadros borrados de la memoria aunque los vea mil veces, mi dificultad para retenerlo todo, mi ira por no retenerlo todo, mi ignorancia. Las salas están repletas de gente y vuelvo a tener el pálpito de que, al darme la vuelta, voy a encontrarme con una cara familiar y vuelvo a sentir que deseo ese encuentro en la misma medida en que me repele. Entro en las salas de exhibición de muebles *art déco* y *art nouveau*, me extasío otra vez con las esculturas blancas de la sala de baile del museo, recorro la cafetería sin tomar asiento.

Salgo a la calle. Cruzo a la orilla derecha, descanso en las Tullerías y contemplo un rato la hermosura del jardín, las flores, me gustan mucho las flores, la fachada del Louvre, me pregunto si me dará tiempo a entrar, pero ya es demasiado tarde aunque no lo suficiente. Tengo frío y me pongo a caminar buscando la Opéra, el café de la Opéra, lo circundo todo sin detenerme, llego al Olympia, a la Madeleine, salgo nuevamente al río. El reconocimiento es una actividad enfermiza, compulsiva, mortuoria, reproduzco un paseo que ya hice y el espejo –las lunas de los escaparates y los retrovisores– me devuelve la imagen de una mujer mucho más vieja. Comienzo a notar que me arden las plantas de los pies y cada vez intuyo con más intensidad el acecho de una presencia que se me va a materializar delante de los ojos y que no debería hacerlo en ningún caso. He de asumir que estoy sola y que no va a pasarme nada.

Camino por la rue Rivoli, por el bulevar Saint-Honoré y por el bulevar Saint-Antoine, no recuerdo exactamente en qué orden. Me propongo cansarme mucho para dormir por la noche: para no recordar que estoy sola en el cuarto de un hotel coqueto donde la ausencia total de ruidos es una tenebrosa percepción; sola en un cuarto con espejos por todas partes, donde pasaré la noche temiendo lo que vendrá al día siguiente, las caras frente a las que mentiré, las caras que me juzgarán y que, si me aceptan, me harán ser una impostora, y si no me aceptan, me horadarán con sus cucharas un agujero en el estómago, un vacío que significa sencillamente desvalimiento. He llegado a Les Halles. Al fondo distingo la Bolsa de París. Montones de jóvenes lo pasan bien sentados en la pendiente que baja hacia el Centro Pompidou. Aquí ya casi tengo la certeza de que voy a tropezarme con alguien, pero no puedo irme tan deprisa, porque aún es pronto, aún he de acumular una carga mayor de cansancio antes de encerrarme en el hotel y llamar al servicio de habitaciones para que me suban la cena a mi cuarto, mientras yo veo un programa de la televisión de mi país. Tengo muchas ganas de que llegue ese momento, pero he de dilatarlo un poco más. No puedo cenar a las seis de la tarde, aunque esto sea París. Me siento en las escalerillas que rodean la fuente móvil, de Calder, al lado del Centro Pompidou. Frente a mí un turista crónico, es decir, un extranjero, un bohemio, que ha convertido las calles de París en su lugar de residencia, abre una lata de cerveza mientras me atisba; no debería estar preocupada por justificarme.

No estoy buscando nada –ni a un conocido ni al desconocido que me mira no sé sin con interés o con un poco de prevención– y me levanto de las escaleras, sacudo mi abrigo, encamino mis pasos hacia el Hôtel de Ville y me paro un instante porque dudo si sumergirme en el Marais y llegar hasta Bastilla. Pero está anocheciendo y tan sólo cruzo hasta Notre Dame y empujo la puerta de la iglesia y me quedo allí un rato largo fingiendo fervor religioso o melomanía –las dos conductas están al fin y al cabo pitagóricamente próximas–, porque se celebra una misa cantada acompañada por un órgano. Cuando salgo del templo ya es de noche y me adentro en los callejones del Barrio Latino, por los que paso muy deprisa, deprisísima, para que ningún camarero griego, turco, libanés, egipcio me agarre del brazo y me obligue a tomar asiento en uno de sus restaurantes. Ya no estoy tan segura de encontrarme con alguien conocido, así que busco un local que recuerdo, Le Mazet, en Saint-André-des-Arts. Encuentro la calle, pero no doy con el local, quizá esté equivocada, quizá ya no existe. No estoy segura de qué sentido tiene pretender encontrarlo. No entraría. Al llegar a Saint-Michel, el ardor de las plantas de mis pies empieza a ser casi insoportable. Como si la lana de los calcetines me hubiese lijado la piel. Bajo al metro. Hago un transbordo. Bajo en Victor Hugo. Llego al hotel. Nadie me espera en la habitación.

Esa noche no duermo bien. Me ahogo. Tengo miedo del día de mañana y, al mismo tiempo, estoy ansiosa por que llegue y termine, por verme a mí misma, sentada en una sala de espera del Charles de Gaulle, impaciente por repasar las caras del pasaje antes de volar.

Las clases marchan perfectamente. Me parece una circunstancia tan poco significativa que comienza a ser sospechosa. Me convierto en una profesional y esa metamorfosis me repugna. En clase me topo con la cara conocida de un antiguo alumno. Me reafirmo en la idea de que las premoniciones casi siempre se cumplen. París es la ciudad del *déjà vu* y el *déjà vu* es una sensación luctuosa.

El avión sale de París con retraso. Allí, en la sala de espera, en la vitrina de espera, me juro que no lo volveré a hacer más, aunque al final la experiencia haya sido agradable, aunque haya conocido a gente encantadora, aunque me marche a casa con el ego abrumado de caricias. El avión de vuelta viene con retraso y no sé cómo consumir las horas. Compro libros de misterio, bebo agua mineral con gas, aprovecho las áreas de fumadores, hago pis, me lavo las manos, paseo, me pongo perfumes en las muñecas, miro los despegues y los aterrizajes, camino de un lado a otro arrastrando mi maleta sobre la superficie siempre brillantísima de los suelos de los aeropuertos y me quedo mirando a los viajeros que aún no han pasado por el detector de metales, esperando que alguno pite bajo el arco y la señorita policía recorra sus cuerpos con un instrumento de forma redonda. Todos los objetos están ya fuera de los bolsillos. Me erotiza el paso del detector sobre los cuerpos, el movimiento de la señorita policía de arriba abajo, dibujando círculos en las áreas peligrosas.

Estoy cansada de esperar y pienso que la pereza no me va a permitir levantarme de mi asiento, que voy a perder el avión en el que, paradójicamente, ansío embarcar. Me pesa la pereza y, si perdiese el avión y pasara la noche en la silla en la que llevo horas aguardando que un aviso de megafonía me levante, me iría a una parada de taxis y desaparecería.

Cuando mi marido me recoge en el aeropuerto de Barajas, estoy de un humor de perros por la demora, por cómo mis deseos se dilatan como el chicle, por la noche sin dormir, por el ardor de los talones, porque él no se me apareció ayer puntualmente en una sala de la Gare, en la explanada del Pompidou, en un andén; de un humor de perros por mi mal humor y por mi falta de capacidad para expresar mi alegría por reencontrarme con él, por estar donde quiero estar, por no saber mantener mis promesas, a excepción de la de la esterilidad, y me lo juro de nuevo, mientras pienso que el día del parto de mi madre debería haber transcurrido de otra forma y que yo me habría debido pegar, adherir, enganchar a las paredes de su útero, resistiéndome a la luz, al blanco de la luz, conformándome con ser sangre en coágulos y niña malograda antes de nacer. Pero eso, naturalmente, no es más que una siniestra y literaria exageración.

Hay cosas que se hacen porque no queda más remedio: no por ello hay que convencerse de que son buenas. He parado el reloj y ya no pueden engañarme. Paseo a deshoras por las calles de mi ciudad. Me he hecho un poco más sabia y soy un poco más feliz.

DESNUDO

El ser humano es su máscara. Ya he mostrado mi máscara y, ahora, en el autorretrato sólo queda desvelar el desnudo. Como si, siguiendo a John Berger, la maja desnuda tan sólo fuese una maja desvestida.

Me pinto desnuda. He cumplido cuarenta años y mi desnudo es el de una mujer de cuarenta años que quizá, cuando hace buen tiempo, parece un poco más joven. Me coloreo de berenjena y de color carne. Con pinceladas en amarillo y verde sucio. La materia que elijo para pintarme es el óleo o la pintura acrílica. Nunca acuarelas ni pasteles. La pincelada, gruesa y cargada de materia. Mi desnudo podría ser el resultado de la estilización fauvista o del hiperrealismo. Un André Derain o un Lucian Freud; quizá un Max Beckmann, que es un pintor con nombre de aparato para desinfectar biberones.

Me autorretrato de pie y de frente, sin insinuaciones ni sutilezas, como si fuese el sujeto de una medición. Tan única como vulgar.

Tengo un hombro más alto que el otro. También la caracola de la oreja. El fisioterapeuta me llama la atención sobre el hecho de que quizá mi marido no me quiera lo suficiente, porque nunca se ha fijado en el detalle de que un hombro, una oreja, se sitúan por encima de la otra oreja, del otro hombro. No sé qué pretende el fisioterapeuta. El fisioterapeuta tal vez me quiere lastimar y lo consigue, porque en mi desnudo voy a cargar uno de los dos lados de mi cuerpo. Tras la línea del eje de simetría, una mitad de mi cuerpo estará más baja que la otra. Habrá una inclinación.

Agiganto mi mano derecha. Mi mano derecha será lo primero que se vea en el desnudo. Soy diestra y mi mano derecha agigantada es el símbolo de mi esfuerzo en el trabajo. Será enorme porque con ella aprieto el lápiz contra los márgenes de los libros y con ella hago presión con el cuchillo para cortar el pan. Con ella, sobo, toco o acaricio. Mi mano derecha se colocará en un primer plano y casi se saldrá del lienzo. Es más grande que la izquierda. La mano en que me reconozco. A veces mi mano izquierda no me parece mía y, en el desnudo, permanecerá oculta o se atisbará, delicada, en un segundo plano. Como los pies, muy pequeños.

Un mechón, ahora oscuro, se me adentra en la cara y me tapa la nariz. Sin embargo, no cubre mis ojos, que están adormecidos, un poco guiñados, como si les diera el sol. Mi pubis es profundo, negro y tupido; el pelo se extiende hasta las ingles. Tengo lunares por el pecho: son constelaciones, satélites, archipiélagos, islotes e islas principales. Son el barrunto de una enfermedad y, sin embargo, quien me quiere los puede contar uno por uno y fundar ciudades en los más extensos, por ejemplo en el que al lado de la clavícula parece un mapa de Inglaterra que flota sobre el océano Atlántico. Una mano con los cinco dedos separados cabría sobre la tabla de mi pecho. Mis tetas pretenden esconderse como gatos arrumados que guardan la cabeza bajo mis axilas. No pueden. No son unos pechos pequeños. Están recorridos por gruesos veneros azules. Las areolas, grandes, las pinto de color marrón. Aquí no hay rosa, sino el tono de los metales innobles. Las punteo con toques de marrón más oscuro.

Se me marca la cintura. El vientre, blanco, y el ombligo, negro. Puedo meter el dedo dentro de él. Estoy casi limpia de cicatrices. Sólo la palma de la mano izquierda aparece estropeada por los efectos de una electrocución. Bajo la barbilla, quedan las puntadas de un accidente doméstico. No me han practicado una cesárea. He sido una persona con miedo o una persona precavida. Mi vientre sólo está ligeramente abombado, la carne no cuelga de él, muestra una redondez definida y dura como medio melocotón.

Un antojo, en el muslo derecho, podría ser la marca con la que me reconocieran en un depósito de cadáveres. Peso cincuenta kilos. Mido uno cincuenta y nueve. Tengo los hombros anchos porque fui nadadora. Aunque no hubiera nadado, tendría los hombros anchos. Como mi madre y como mi padre. Ni la carne de mi espalda ni mi musculatura se mantienen firmes, porque hace tiempo que no practico deportes. En los deportes vuelvo a ser la niña a la que le preguntan la lección pegada a la pared. No me sirven de nada los deportes si el corazón no se me sale de su oculta cavidad. Los evito porque no quiero convertirme en una mala persona.

Mi aspecto es más atlético que etéreo: es carnal. No es violento ni tierno, pero es tierno y es violento. Mis piernas no son demasiado largas, pero conservan su fuerza. Dibujo con trazo contundente las pantorrillas de bailarina que modelé durante años, yendo en puntas de un lado a otro de la casa.

Cada palabra es un modo, más o menos honesto, de autorretratarse. Llevo mi honestidad hasta el impudor del desnudo. Mi autorretrato desnudo se colgará en la sala de un museo. Alguien entrará y lo mirará y dejará de mirarlo. El contemplador dará vueltas alrededor de la sala, se detendrá frente a otras obras. De pronto algo le hará girar sobre sus talones para descubrir quién le persigue. Se fijará otra vez en mi desnudo. Reparará en los ojos adormecidos. Caminará hacia la galería principal. Volverá de nuevo sobre sus pasos. Mirará por tercera vez y, como un niño que juega al escondite, procurará escamotear su cuerpo. Lo mire desde donde lo mire, desde el punto más recóndito o lateral de la sala, el contemplador no lo podrá evitar: soy yo la que le está mirando.

Si desde dentro del cuadro estirase los brazos, se me marcarían las costillas. Si me diese la vuelta, se podría valorar la asimetría de mi rombo de Michaelis. El fisioterapeuta me dice que mi oreja derecha se eleva por encima de la izquierda. Pero no. Esto es una imagen congelada. Sin movimiento. Un resultado. He parado el reloj voluntariamente. Tengo cuarenta años y, a partir de ahora, el tiempo volverá a discurrir; pero de otra manera. Mi desnudo es una imagen frontal con las piernas ligeramente separadas. Estoy lista para una medición.

AGRADECIMIENTOS

Quiero agradecer a Rafael Chirbes su generosidad, proximidad y afecto. Como compañero y lector de mis libros. Le agradezco los consejos que me ha dado y que yo he tenido en cuenta. Rafael lleva ya muchos años estando ahí –¿desde 1990?, a veces el músculo-mejillón de la memoria me falla más de lo que parece– y él, que es un coloso de la literatura, me acompaña con una modestia, una sencillez y, sobre todo, una inteligencia difíciles de encontrar: las de ese «novelista perplejo» que se compromete simultánea e indisolublemente con la escritura, la realidad y sus lenguajes. Rafael Chirbes lee mis libros e incluso escribe sobre ellos. Al principio, ese cálido interés me producía una sensación próxima a la incredulidad. Ahora, Rafael no sabe lo orgullosa que yo me puedo llegar a sentir de que él, desinteresada y amablemente, haya escrito este maravilloso prólogo que redondea *La lección de anatomía*. Sus palabras otorgan sentidos nuevos al texto. Muchísimas gracias, Rafael.

También quiero agradecerle a Jorge Herralde su intrepidez como editor. Este agradecimiento es un poco estúpido porque todo el mundo sabe que, en Anagrama, Herralde edita obras excelentes desde hace ya más de cuatro décadas; sin embargo, yo quiero dedicarle este agradecimiento por haberse atrevido a volver a sacar a la palestra *La lección de anatomía* entre la vorágine de libros perdidos. Aniquilados por la prisa o la espectacularidad. Por la confusión entre churras y merinas. Tengo la impresión de que el editor Herralde ha metido el brazo –hasta el codo– en el agua para rescatar de las profundidades una novela que en su momento fue valorada por la crítica pero que, por razones que tal vez tengan que ver con la desidia o sencillamente por razones que no son razones sino mala o buena fortuna, sólo llegó a una minúscula parte de sus posibles lectores. Así que le agradezco a Jorge Herralde no sólo su trascendental aparición en mi vida literaria, sino también esta segunda oportunidad para *La lección de anatomía* que constituye a la vez una segunda oportunidad para mí: la de repensar y tratar de mejorar el texto. Creo que la novela, publicada en 2008, llega a su versión definitiva en esta edición-ave fénix.

La lección de anatomía, tal como se presenta ahora, consta de tres partes: *Vallar el jardín*, donde se recogen recuerdos de infancia, *Los gusanos de seda,* que abarca la etapa de la preadolescencia y adolescencia, y *Desnudo,* donde se habla de la juventud y del comienzo de la edad madura. Donde se habla, sobre todo, del trabajo. En esta última parte aparece un capítulo nuevo, «¿Sopermi?», que le debía a una mujer importante en mi vida pero ausente en la primera versión de *La lección de anatomía*. Además de las correcciones de estilo lógicas cuando se relee un texto, desde el punto de vista de la estructura algunos capítulos han cambiado de lugar: es el caso de «Gatos», ahora situado en la etapa de la madurez. Por otra parte, hay un texto que regresa de manera natural al lugar que le corresponde: el capítulo «Vallar el jardín», que da título a la primera parte de la novela, forma parte de la colección *Nómadas* (Playa de Ákaba, 2013), aunque resulta bastante obvio que su escritura está vinculada al impulso, ámbito y tono de *La lección de anatomía*. «Vallar el jardín» regresa a la fuente de la que brotó. El cuerpo del desnudo ya está por fin completo. Sin amputaciones.

ÍNDICE

Impreso en Talleres Gráficos
LIBERDÚPLEX, S. L. U.,
ctra. BV 2249, km 7,4 - Polígono Torrentfondo
08791 Sant Llorenç d'Hortons